教員採用試験

スイスイわかる

2026年度版

一般教養

合格テキスト

TAC教員採用試験研究会

TAC出版
TAC PUBLISHING Group

はじめに

本書は教員採用試験で出題される一般教養の重要事項を確実に，そして短期間で学習できるようにまとめたテキストです。学生の方は多くの履修科目があり，多忙なキャンパスライフを送っておられることでしょう。既卒の方は民間企業に勤務したり，講師として教壇に立たれたりして，学生時代以上に多忙な日々となり，十分な学習時間を確保するのが難しいといわれています。特に既卒の方は学生時代のような学習上のサポートを受けることが難しく，独学による受験となりがちです。そこで，本書は多忙な方でも一般教養を効率よく学ぶことができるように編集上の工夫を凝らしました。本書には次のような特徴があります。

●膨大な科目の中から合格に必要なテーマにしぼって収録しました。
●独学でも学びやすい丁寧な解説をしました。
●頻出用語が楽々暗記できるように側注をつけました。

各項目の見出しには頻出度の表記をしていますので，メリハリをつけた学習が可能です。また，単元末にある「確認テスト」で学習したことのチェックをすることができます。

受験は時間との勝負です。受験に勝利するためには，「限られた時間で最大の学習効果を発揮する」教材を手にすることが何より重要です。まずは本書を開いて，効率よく学習するためのコツをつかんでください。

「資格の学校」TACは，さまざまな分野の資格試験・採用試験において多くの合格者を輩出してきました。長年にわたって培ってきたTACならではのノウハウが本書の各所に散りばめられています。本書を手にしたあなたは，合格への第一歩を踏み出したといえるでしょう。

本書を学習した教員採用試験受験生の方々が見事合格の栄冠を勝ち取られ，明日の教育界で活躍されることを願ってやみません。

TAC教員採用試験研究会

本書の特長と使い方

本書の使い方

タイトル
各領域における出題テーマを示しています。

傾向&ポイント
各テーマにおける出題傾向を端的にまとめています。どのように学習を進めていけばよいか，学習計画の参考にしてみてください。

頻出度 A
過去の試験と今後の出題傾向を分析し，各テーマの頻出度をA～Cの三段階で表しています。
A…非常によく出題される　B…よく出題される　C…出題されることがある。

TIPS
要点を理解する際，記憶に残りやすくするため身近な場面と結びつけるなどして，具体例や豆知識を紹介しています。

チェック欄
重要項目にはチェック欄がついています。内容が理解できたら印をつけるなど，後から自分が振り返りやすいよう，学習を進めていきましょう。

赤太字・黒太字
最重要ポイントは赤字，重要ポイントは太字で表記しています。

---

5 **法律・政策**

頻出度 B

傾向&ポイント 法律や政策は，私たちの日々の生活と密接な関係をもち，頻繁にアップデートされています。GOOD（良い点）とBUT（悪いのBADではなく課題・注意点）に分けて，効率よく押さえていきましょう。

1 最近の主な法改正

☑ **選挙権年齢の引き下げ（公職選挙法の改正）**

2016年6月から**選挙権年齢が18歳以上**[1]に引き下げられ，2016年7月の参議院議員通常選挙が，18歳・19歳が初めて参加する国政選挙となりました。【GOOD】早い段階から**政治に関心を持つ**ことができ，主権者としての意識を高められます。【BUT】**政治活動と選挙運動が可能**になりますが，18歳未満の後輩などと一緒に政治活動することは認められません。また，投票日には有権者になっている場合でも期日前投票は18歳になっていなければできません。

☑ **成人年齢の引き下げ（民法の改正）**

2022年4月1日から**成人年齢がこれまでの20歳から18歳に引き下げ**られました。【GOOD】18歳からさまざまな契約[2]，**証券口座の開設**，**10年パスポートの取得**，**訴訟の提起**，**医師の免許取得**，**公認会計士・司法書士などの資格取得**といったものが可能になります。【BUT】飲酒・喫煙・公営ギャンブルは**20歳以上のまま**，**国民年金保険料の納付**も20歳以上のままです。**女性の結婚できる年齢は16歳から18歳に引き上げ**られました。

☑ **その他の法改正**

少年法改正（2022年4月1日施行）で18歳・19歳は「**特定少年**[3]」となりました。裁判員法改正（2022年4月1日施行）で**18歳から裁判員候補者名簿に記載**されます。著作権法改正（2021年1月1日施行）では，**違**

さらに詳しく
❶18歳の誕生日の前日に満18歳になるとされているので，投票日の翌日が誕生日の人も選挙権をもっています。

TIPS
❷親からの同意を必要としないで，クレジットカード，携帯電話，自動車を購入するローン，アパートやマンションなどの契約ができます。

❸「特定少年」
少年法改正でも18歳・19歳は引き続き少年法で保護の対象となりますが，特定少年として17歳以下とは異なり，少年審判から刑事裁判に戻す逆送の対象事件が拡大されました。また実名報道も可能になります。

282

本書の特長

本書は，「一般教養」の各分野を理解し，試験問題に解答できるよう構成された一冊です。テーマごとに要点が整理されており，“いつでも・どこでも・どこからでも学習できる本”として，継続的に学習できるようポイントを絞ってまとめました。

法ダウンロードの対象が音楽・映像からすべての著作物に**拡大**されました。会社法改正（2021年3月施行）では，上場企業に**社外取締役**[4]の設置が義務付けられました。

2　憲法改正の議論

憲法改正の手続き

日本国憲法は厳格な改正手続きを規定しているため，「硬性憲法[5]」とよばれています。**憲法第96条**では，「**各議院の総議員の3分の2以上の賛成**」による**国会の発議**の後，「特別の国民投票」で「**過半数の賛成**」による承認を経ることが規定されています。また国民投票を含めた改正に関わる細かい流れが**国民投票法**に定められています。

議論の主なポイント

【GOOD】制定当初は想定されなかった事態への対応[6]に関して，条文に基づいて考えることができるようになります。
【BUT】改正の具体的な内容は国民投票法などの通常の立法手続きで決められるため，**硬性憲法の形骸化を防ぐ必要**があります。また実際に国民投票をする場合，改正項目ごとに投票するのか，一括投票か慎重な検討が必要です。

3　最近の政策・政治

消費税率の引き上げ（8%から10%へ）[7]

2019年10月，消費税率が**10%**に引き上げられました。

デジタル庁の創設（2021年9月1日より）

日本社会のデジタル化を目指し創設されました。初代デジタル大臣には**平井卓也**氏が就任しました。【GOOD】**マイナンバー制度**，**ガバメントクラウド**，**サイバーセキュリティ**，**マイナポータル**の分野でデジタル化が推進されます。
【BUT】官僚と民間の混成のため**官民癒着**が危惧されます。

2021年の衆議院議員総選挙（定数465）[8]

与党（自民党・公明党）は公示前勢力305から293と議席を減らしたものの，**絶対安定多数**を確保しました。

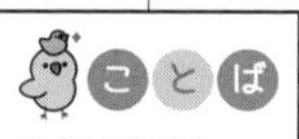

❹「社外取締役」
取締役のうち，取引や資本関係がなく客観的な監督が期待される立場にあります。

さらに詳しく

❺通常の立法手続きより厳格なものは硬性憲法，同様のものは軟性憲法と呼ばれます。この分類は，イギリスの法学者であるジェームズ・ブライスによるものです。
❻自衛隊や自衛権の明記，新しい人権，緊急事態条項，教育の無償化などがあります。

時事

さらに詳しく

❼軽減税率として，酒類・外食を除く食料品と新聞は8%のままです。

❽全体の結果だけでなく，前回の当選者の当落など各選挙区の結果に注目すると理解が深まります。

283

重要語句の補足説明を掲載しています。単に単語を暗記するだけでなく，その意味や内容まで理解できるようになっています。

さらに詳しく

頻出項目に関連して，覚えておきたい知識を掲載しています。用語とあわせて確認して確実に身につけていきましょう。

用語の覚え方や考え方のヒントなどを提示しています。

確認テスト　各科目の最後に，「確認テスト」を用意しています。その科目をひととおり学習し終えたら，問題を解いて自分の理解度を把握しましょう。問題形式に慣れることから始め，間違えてしまった問題については，本文に戻り，復習をしましょう。

出題傾向と対策

本書では，一般教養試験で出題される内容を大きく４つの分野に分けています。人文科学，社会科学，自然科学，時事です。ここでは，各分野・各科目における出題内容を順に解説していきます。

人文科学

国語▶▶「漢字の読み書き」と「現代文の読解」の出題頻度が高くなっています。漢字の読み書きは常用漢字以外からも出題されているため，広い範囲での対策が必要です。読解では，限られた時間の中で素早く読んで内容を理解し，解答をまとめる力が求められます。日頃から本や新聞を読むことなどを通して，ある程度分量のある評論・論説文に慣れておきましょう。文法やことわざ，文学・短歌・俳句などの鑑賞に関する問題は，頻出ではないものの，押さえておきましょう。

英語▶▶「会話文の空欄補充問題」や「長文の内容理解」が特に頻出で，国語同様，読解力がカギとなります。会話文では空欄補充に限らず，適切な応答や会話文の整序を選ばせる問題も多く出題されています。長文では，同意表現（言い換え表現）なども問われるため，内容の正確な把握が求められます。これらの問題を解くためには，基本的な単語・熟語の知識や理解が必須です。基本的なものは一通り押さえておきましょう。また，単語や熟語とからめて前置詞や慣用句を問う問題も多く出題されます。こちらもしっかりと押さえておきましょう。

日本史▶▶ 時代区分としては，江戸時代をはじめ，明治～太平洋戦争後の諸改革を含む近現代が頻出です。起こった出来事を年代の古い順に並び替える，といった歴史の流れに関する出題形式が多くなっています。江戸時代は三大改革，鎖国と開国を，明治時代は明治新政府の政策，日清・日露戦争，条約改正を中心に押さえておきましょう。それ以降の現代史では，満州事変から太平洋戦争にかけてと，内閣（総理）ごとの諸改革を整理しておきましょう。いずれの年代においても文化史の出題頻度は高めです。天平文化や元禄文化などの各文化について，代表的な建築物や彫刻，文学作品や絵画などを，その作者とともに覚えておきましょう。

世界史▶▶ 日本史同様，出来事の流れを問う問題が多くみられます。古代ではギリシャ・ローマ文明，中世では十字軍の遠征，近代ではルネサンスと宗教改革，市民革命を中心に押さえておきましょう。現代史では，第一次世界大戦からその終戦，第二次世界大戦までに至る流れに関する出題が多くなっています。いずれにおいても，細かな知識よりも流れを押さえることを重視して学習していくとよいでしょう。出題数はそれほど多くはありませんが，自治体ごとに出題傾向が大きく異なる科目です。受験する自治体の傾向に注意して学習を進めましょう。

地理▶▶ 地形図の読み取り，時差の計算問題，世界と日本の地形，統計資料に関する問題が頻出です。地形図や時差，地図記号などの基本的な知識は確実に押さえておきましょう。統計資料では農業をからめた出題が中心で，国別生産割合や国別輸出割合から農作物名・鉱産資源名を判断する問題，都道府県別生産割合から農作物名を判断する問題，日本の主要輸入品と輸入先に関する問題が出題されています。官公庁などから発表されている各種統計に目を通しておくのもよいでしょう。問題を解く際には，データの数値に過剰に惑わされず，問われている内容からデータを正確に読み取ることが重要です。

倫理▶▶ 人文科学の中では，例年出題数が少なく，出題される内容も世界史や日本史の範囲と重なる部分が多いため，対策が立てやすい科目です。デカルトやベーコンなどの西洋近代思想，ルネサンス，宗教改革，中国の諸子百家や日本近世の儒学・国学思想家などの出題頻度が高くなっています。

音楽▶▶ 西洋音楽史についての出題が多数を占めます。作曲家と作品の組み合わせを覚えておきましょう。モーツァルトやベートーヴェンなどの古典派にかわって，ロマン派・国民学派についての問題が多くみられる傾向にあります。学習指導要領の重点的指導分野としている日本の伝統・文化との関連で，日本音楽史も近年出題が増えてきています。

美術▶▶ 音楽史同様，西洋美術史からの出題が多くなっています。出題頻度が高いのは，ルネサンス美術，19 世紀の印象主義や後期印象主義などです。日本美術史も含め，それぞれの派（主義）や時代ごとの特徴を押さえ，各作家の作風や作品名をセットで覚えておきましょう。

保健体育▶▶ 出題頻度は高くありませんが，けがや病気の基礎知識や応急処置について押さえておきましょう。オリンピックやＷ杯などの国際大会については，時事問題として出題されることもあります。日頃からニュースなどをチェックしておくとよいでしょう。

家庭▶▶ 出題数は少ないですが，保健体育と同様，近年の時事問題とからめて出題されるケースもあります。アレルギーや食中毒，住環境におけるデザインやマークを確認しておきましょう。

社会科学

政治▶▶ 基本的人権や国会・内閣・裁判所についての出題頻度が高くなっています。日本国憲法の条文に関する空欄補充や正誤問題が多いため，重要条文についてはその内容をキーワードとともに正確に把握しておきましょう。衆議院の優越，裁判員制度も頻出です。また，国際情勢とからめた国連・安全保障に関わる問題がよく出題されます。UNESCO や PKO などの組織の活動や役割を整理しておきましょう。

経済▶▶ 景気調整の機能や直接税・間接税，インフレ・デフレなどの財政問題や，地域的統合や円安・円高などの国際経済とからめた問題が頻出です。全体を通して広く浅く出題されるため，日本経済史をはじめ，市場機構や経済指標，金融政策や南北問題などまんべんなく押さえておきましょう。用語や知識を整理し，問われた事項について説明できるくらいにまで理解を深めておくとよいでしょう。

自然科学

数学▶▶ 数と式の計算，方程式や不等式，平面・空間図形，確率，関数など，数学の基本的な範囲が標準的なレベルにおいて出題されます。中学から高校の教科書の例題レベルまでの範囲を一通り押さえましょう。計算ミスを減らせるように，日頃からの計算練習の積み重ねが大切です。

物理▶▶ 力学におけるてこ・ばね・滑車のはたらき，仕事とエネルギーとの関係，および電磁気学における電圧や電流，オームの法則やジュールの法則などがよく出題されています。中学程度の基本的な範囲の内容からの出題が多いですが，計算問題が多くを占めるため，問題形式にしっかりと慣れておきましょう。

化学▶▶ 化学反応や酸化・還元などの物質の変化に関する問題がよく出題されます。代表的な化学反応については式をそのまま覚えてもよいでしょう。また，混合物や化学結合などの物質の構造，物質の状態や周期律などの物質の性質における知識問題が出題されています。基礎用語や知識を覚えることはもちろん，水素（H）からカルシウム（Ca）までの周期表は暗記しておくことで，頻出の化学反応式の対策にもなります。各法則についてもその提唱者と内容をセットで押さえておきましょう。

生物▶▶ 教科書の基本レベルからの出題で，食物連鎖などの生物の集団についての問題，細胞・組織・器官といった生物体の構成に関する問題が頻出です。また，呼吸や光合成などの代謝に関わる問題もよく出題されています。遺伝や人体ではたらく各酵素・ホルモン，植物の分類などについても，一通り網羅しておきましょう。顕微鏡の観察手順など，実験器具の取り扱いについても確認しておくとよいでしょう。

地学▶▶ 天文分野が特によく出題されます。地球の自転・公転，日食・月食を含む太陽・月との関係，惑星・恒星などについての知識は確実に押さえておきたいところです。また，気象関連や地震・火山，地層や地形などについての出題も多くなっています。基本例題程度の天気図の読み取り，地震発生のメカニズムと初期微動継続時間などの算出方法，代表的化石をからめた地層の知識などは一通り確認しておくとよいでしょう。

時事

環境問題や科学技術の発展などの自然科学的分野から，労働・福祉などの社会科学的分野まで，多くの自治体において，幅広い形での出題が見られます。国内外を問わず，日々目まぐるしく変わる社会の動向を把握している必要があるため，新聞やテレビに頼るだけでなく，官公省庁のホームページで閲覧可能な各種白書や，時事を取り扱った解説本などに目を通したりするなどの対策が求められます。

また，教育問題に関する出題と，各自治体におけるローカル時事からの出題にも気をつけましょう。教育に関する社会の動向には特に目を向けておきたいところです。GIGA スクール構想やリフレクションなど，主要な用語とその目的を併せて確認しておきましょう。ローカル時事については，受験する自治体のホームページなどを確認し，その自治体の現状や政策，地誌を押さえましょう。

全体を通して

一般教養試験の出題範囲は非常に多岐にわたります。ここでは全国的な出題傾向を概観してきましたが，各自治体によって出題傾向は少しずつ異なります。一通りの学習をした後は，自分の受験する自治体の過去問をよく分析し，効率的に学習を進めていきましょう。

目次

第１章　人文科学　……1

第2章　社会科学 ……155

第3章　自然科学 ……191

人文科学

1 漢字の読み書き

傾向&ポイント 漢字は出題頻度の高い分野です。長文問題を解く際の基礎にもなるので，熟語の意味も含めてしっかり覚えておきましょう。

頻出度 A

1 読み

読み方の種類[1]

漢字の読み方には，中国語での発音を基にした音読みと，漢字のもつ意味を日本語にあてはめた訓読みがあります。熟語の読み方は，訓・訓読み，音・音読み，**重箱読み**（音・訓），**湯桶読み**（訓・音）の４種類です。

さらに詳しく
❶各読み方の熟語例
訓・訓読み…巻物
音・音読み…食品
重箱読み…仕事，楽屋
湯桶読み…手本，家賃

覚えておきたい漢字の読み

欠伸（あくび）　行脚（あんぎゃ）　委嘱（いしょく）
婉曲（えんきょく）　押印（おういん）　含蓄（がんちく）
帰依[2]（きえ）　享受（きょうじゅ）　境内（けいだい）
解熱（げねつ）　研鑽（けんさん）　言質（げんち）
好悪（こうお）　更迭（こうてつ）　建立（こんりゅう）
些末（さまつ）　暫時[3]（ざんじ）　示唆（しさ）
疾病（しっぺい）　出納（すいとう）　脆弱（ぜいじゃく）
荘厳（そうごん）　相殺（そうさい）　手綱（たづな）
貼付（ちょうふ）　凋落（ちょうらく）　体裁（ていさい）
脳裏（のうり）　反芻（はんすう）　凡例（はんれい）
訃報（ふほう）　呆然（ぼうぜん）　反故（ほご）
補填（ほてん）　無垢（むく）　約款[4]（やっかん）
遊説（ゆうぜい）　励行（れいこう）　夭逝（ようせい）
慄然（りつぜん）　凌駕（りょうが）　漏洩（ろうえい）

ことば
❷「帰依」
すぐれた人物や神・仏などを深く信仰し，その徳を仰ぐこと。
❸「暫時」
すこしの間。しばらく。
❹「約款」
法令・条約・契などに定められた個々の条約。

熟字訓[5]

小豆（あずき）　硫黄（いおう）　息吹（いぶき）
案山子（かかし）　為替（かわせ）　玄人（くろうと）

さらに詳しく
❺熟字訓とは，２字以上の漢字からなる熟語を訓読みすることです。

東風(こち)　流石(さすが)　時雨(しぐれ)
砂利(じゃり)　数珠(じゅず)　素人(しろうと)
山車(だし)　稚児(ちご)　投網(とあみ)
仲人(なこうど)　名残(なごり)　祝詞(のりと)
疾風(はやて)　日和(ひより)　猛者(もさ)
紅葉(もみじ)　寄席(よせ)　若人(わこうど)

2 書き

☑ 覚えておきたい漢字の書き

挨拶：校長にアイサツする。　**圧倒**：敵をアットウする。
遺憾：イカンに感じる。　**会釈**：軽くエシャクをする。
頑丈：たくましくガンジョウな体つき。
乾燥：空気がカンソウしている。
完璧❻：仕事をカンペキにこなす。
顕著：増加の傾向がケンチョになる。
拠点：キョテンを移す。　**根幹**：物事のコンカン。
進捗❼：工事のシンチョクを報告する。
推挙：会長にスイキョされた。
崇拝：神をスウハイする。
成績：自己最高のセイセキを収める。
荘厳：ソウゴンな雰囲気。　**逃避**：現実からトウヒする。
到来：冬がトウライした。　**発揮**：才能をハッキする。
飛躍：話がヒヤクする。　**補足**：説明をホソクする。
矛盾：ムジュンした意見。
余儀：辞任をヨギなくされる。
欲望：ヨクボウのままに行動する。

☑ 送り仮名に注意が必要な漢字

いさぎよい：**潔い**　うけたまわる：**承る**
おさない：**幼い**　かえりみる：**顧みる**
こころよい：**快い**　ことわる：**断る**
なつかしい：**懐かしい**　はなはだ：**甚だ**❽
ひきいる：**率いる**　みじかい：**短い**

❻完璧の「璧」の下部分は「玉」です。「土」にしないよう注意しましょう。

❼「進捗」
物事がどの程度うまく進んでいるかということ。進み具合，捗り具合のこと。

❽「甚だ」
程度が大きく，著しいこと。

熟語

傾向＆ポイント 同音異義語，同訓異義語では，文脈に当てはまる正しい漢字を選択する問題が出題されています。漢字を覚えるだけでなく，言葉の意味を考えながら学習していきましょう。

ことば

❶「異動」
人事の動きのこと。異なる地位や勤務などに変わること。

❷「更生」
反省や信仰などによって，精神的，社会的に根本から変化すること。

❸「勇姿」
（人の）勇ましいすがたのこと。

1 同音異義語

いし：**意志**が強い。反対の**意思**表示をする。
父の**遺志**を継ぐ。

いがい：数学**以外**は得意である。**意外**な一面を見せる。

いどう：車で**移動**する。部署を**異動**❶する。

かいとう：アンケートに**回答**する。テスト問題に**解答**する。

かいふく：景気が**回復**する。怪我が**快復**する。

かてい：進化の**過程**を研究する。教育**課程**を履修する。

けんとう：日程を**検討**する。強豪相手に**健闘**する。
おおよその**見当**をつける。

こうせい：充実した福利**厚生**。**公正**な取引をする。
原稿の**校正**をする。悪の道から**更生**❷する。
家族**構成**を尋ねる。

たいしょう：**対象**を研究する。**対照**的な組み合わせ。
左右**対称**な形。

さいしん：**最新**情報を調べる。海の**最深**部。
細心の注意を配る。

じき：中間テストの**時期**が近づく。**時季**外れの台風。
時機を逃す。

てきせい：運転の**適性**がある。**適正**価格で販売する。

ほしょう：しっかりと**保証**する。安全**保障**条約を調べる。
補償サービスを利用する。

ゆうし：**勇姿**❸を見せる。**有刺**鉄線に気をつける。
彼は優しい**勇士**だ。

2　同音異字

おく：幼いころの記**憶**。一**億**人を超える人口。

ぎ：お祈りの**儀**式を行う。時間を**犠**牲にする。

かく：交渉権を**獲**得する。野菜を収**穫**する。

けん：品質を**検**査する。**険**悪な雰囲気。**倹**約❹した生活。

さい：高地**栽**培をする。**裁**判の判決が出る。

せき：成**績**をつける。体**積**を調べる。

てつ：前言を**撤**回❺する。衛生管理を**徹**底❺する。

ふん：**粉**末状の調味料を入れる。家の鍵を**紛**失する。

3　同訓異義語

あやまる：非礼を**謝る**。目測を**誤る**。

あらわす：正体を**現す**。敬意を**表す**。自伝を**著す**。

うつす：書類を**写す**。画面に**映す**。活動拠点を**移す**。

おかす：罪を**犯す**。危険を**冒す**。領土を**侵す**。

おさめる：年金を**納める**。身を**修める**❻。成功を**収める**。

かえる：住所を**変える**。選手を**代える**。
　模様**替え**をする。空気を入れ**換える**。

きく：物音を**聞く**。ラジオを**聴く**。
　頭痛薬が**効く**。気が**利く**。

すすめる：作業を**進める**。本を**薦める**。入学を**勧める**。

たつ：明日まで食事を**断つ**。消息を**絶つ**。
　布を**裁つ**。駅前にビルが**建つ**。

つとめる：司会進行を**務める**。研究所に**勤める**。
　問題解決に**努める**。

とく：教えを**説く**。受験問題を**解く**。卵を**溶く**。

とる：記念写真を**撮る**。教鞭を**執る**❼。
　責任を**取る**。山菜を**採る**。

なおす：壊れた機械を**直す**。病気を**治す**。

はかる：時間を**計る**。暗躍を**謀る**❽。解決を**図る**。
　体重を**量る**。距離を**測る**。

❹「倹約」
無駄遣いをせずに出費を切り詰めること。節約。

❺「撤」という漢字には取り払うという意味，「徹」には突き通すという意味があります。

❻「修める」
学問や技芸などを，学んで身につけること。

❼「執る」
その手で事を行うこと。処理すること。

❽「謀る」
欺くこと。だますこと。

対義語・四字熟語

頻出度 A

傾向&ポイント ある熟語の対義語を問う問題や，四字熟語の意味を答える問題が出題されています。ただ暗記をするだけでなく，熟語の意味や由来も調べながら学習を進めていきましょう。

1 対義語

曖昧⇔**明瞭**　悪化⇔**好転**　安泰⇔**危急**　違反⇔**遵守**❶
起工⇔**竣工**　概略⇔**詳細**　歓喜⇔**悲哀**　感情⇔**理性**
寛容⇔**厳格**　帰納⇔**演繹**　義務⇔**権利**　勤勉⇔**怠惰**
建設⇔**破壊**　混乱⇔**秩序**　実践⇔**理論**　諮問⇔**答申**
収縮⇔**膨張**　新鋭⇔**古豪**　拙速⇔**巧遅**❷　憎悪⇔**愛好**
率直⇔**婉曲**　中枢⇔**末端**　独立⇔**従属**　軟弱⇔**強固**
肉体⇔**精神**　任命⇔**罷免**　濃縮⇔**希釈**　暴露⇔**隠蔽**
秘匿⇔**公開**　分析⇔**総合**　分裂⇔**統一**　放出⇔**備蓄**
保守⇔**革新**　模倣⇔**創造**　油断⇔**警戒**　臨時⇔**恒例**

2 四字熟語❸

一期一会：一生に一度だけ会うこと。一生に一度限りの出会いであること。

一日千秋：一日が千年のように長く感じられ，待ち遠しく思うこと。

雲散霧消：雲や霧が消えるように，物事があとかたもなく消えてなくなること。

温故知新：昔のことをよく学び，そこから現在の事態に対処する知恵を得ること。

我田引水：自分にとって都合がいいように発言したり，行動をしたりすること。

画竜点睛（がりょうてんせい）❹：物事を完成させるための最後の仕上げ。また，物事の最も肝心なところ。

❶「遵守」
法律やきまり，言いつけに従い守ること。

❷「巧遅」
巧みではあるが，仕上がりが遅いこと。

❸四字熟語は，昔あった出来事や古くからある言葉を基にしてつくられたもの（故事成語）が多くあります。もとの由来を辿っていくと，覚えやすいです。

さらに詳しく

❹画竜点睛は，中国の張僧繇（ちょうそうよう）という画家が，都の安楽寺の壁に描いた竜の絵に，最後に瞳を描き入れたところ竜が昇天したという逸話が由来とされています。

換骨奪胎（かんこつだったい）：先人の詩文などをうまく利用して，独自の作品を生み出すこと。
艱難辛苦（かんなんしんく）：困難に出合って苦しみ悩むこと。苦労すること。
疑心暗鬼：一度疑いの心が生じると，すべて疑わしく思われ，信じられなくなること。
君子豹変：主張や態度を急に変えること。変わり身の早いこと。
厚顔無恥：厚かましく，恥知らずなさま。
豪放磊落（ごうほうらいらく）：度量が大きく，細かいことにこだわらないさま。
五里霧中：現状がわからず，見通しが全く立たないこと。迷って考えが定まらないこと。
言語道断：ことばでは説明することができないこと。もってのほかであること。
四面楚歌：四方を敵に囲まれ，孤立していることのたとえ。
純真無垢：清らかでけがれを知らず，純粋であること。
心機一転：あるきっかけから，考え方や気持ちががらりと変わること。
率先垂範：人の先に立って物事を行い，模範となること。
単刀直入❺：前置きや予告なしに，すぐ要点に迫ること。遠回しな表現をせずに，すぐ本題に入ること。
朝三暮四：目先の違いにとらわれて，結局は同じ結果であることに気がつかないことのたとえ。また，言葉巧みに人をだますこと。
朝令暮改：法令や命令が頻繁に変わって定まらないこと。
品行方正：行いが正しく立派であること。また，そのさま。
付和雷同：自分にしっかりした意見がなく，他人の意見や行動にすぐ同調すること。
粉骨砕身：全力を尽くすこと。また，一生懸命に働くこと。
羊頭狗肉❻：見せかけだけは立派で，実際・実質が伴わないこと。
竜頭蛇尾：始めは勢いがよいが，終わりのほうは振るわなくなること。

さらに詳しく
❺単刀直入とは，本来一人で一本の刀を執り，敵陣に斬り入るという意味です。転じて，前置きなしにすぐに要点に迫るという意味に用いられるようになりました。

さらに詳しく
❻羊頭狗肉は，羊の頭を看板に出しながらも実際には狗（犬）の肉を売るという意味が転じて，見せかけだけは立派なさまを表す言葉になりました。

慣用句・ことわざ

傾向&ポイント 慣用句やことわざの意味を確かめ，類似表現とあわせて押さえておきましょう。

頻出度 A

1 慣用表現

羹（あつもの）に懲りて膾（なます）を吹く：失敗に懲りて必要以上の用心をすること。

泡を食う：ひどく驚きあわてること。

烏合（うごう）の衆：数ばかりが多く，規律も統制もない集団のこと。

腕によりをかける：力を存分に発揮しようと意気込むこと。

快刀乱麻を断つ：複雑な問題，紛糾した物事を，ものの見事に解決すること。

風が吹けば桶屋が儲かる：めぐりめぐって意外なところに影響が及ぶこと。

河童の川流れ❶：名人でも，時には失敗することがあること。

気が置けない：気遣いをする必要がないほど心から打ち解けて，親密であるさま。

漁夫の利：他人の争いごとに乗じて，第三者が何の苦もなく利益を横取りすること。

琴線（きんせん）に触れる：素晴らしいものに触れて深い感動や共感を覚えること。

紺屋の白袴❷：他人のことに忙しくて，自分のことに手が回らないこと。

塞翁が馬：不運が幸運につながったり，その逆になったりすることのたとえ。

心血を注ぐ：心身のありったけを尽くして事にあたること。

砂をかむ：あじわいやおもしろみがなく，無味乾燥であること。

さらに詳しく
❶類義語として，「弘法にも筆の誤り」「猿も木から落ちる」などがあります。

さらに詳しく
❷類義語として，「医者の不養生」があります。

青天の霹靂[3]：思いがけず突発的な事件が起きること。
他山の石：よその山から出た粗悪な石も自分の宝石を磨くのに利用できるという意味。他人の言動，誤りや失敗なども，自分を磨く助けとなるということ。
豆腐にかすがい[4]：少しもききめがなく，手ごたえがないことのたとえ。
とりつく島もない：何かを頼んだり相談しようとしても，相手が冷淡で，話を進めるきっかけがつかめないこと。
鳶が鷹を生む[5]：平凡な親からすぐれた子供が生まれることのたとえ。
流れに棹さす：流れに棹をさして，船が水の勢いに乗るように，物事が思いどおりに進行すること。
情けは人の為ならず：人に親切にすれば，めぐりめぐってよい報いが自分にもどってくる，ということ。
餅は餅屋：餅は餅屋のついたものが一番出来がよい。その道のことは専門家が一番であるということのたとえ。
役不足[6]：もっている能力に比べて，役目が軽すぎること。
尻馬に乗る：無批判に他人の言動に同調して，軽はずみなことをしたり，人のあとに続いてまねをすること。

2　体の一部を使った表現

顔が立つ：世間に対して名誉が保たれる。面目がたつ。
目を細める[7]：目にしたものの愛らしさやうれしさに誘われてほほえみを浮かべること。
鼻が利く：嗅覚が敏感であるという意味から，隠れたものや利益になりそうなことを見つける能力に長けていること。
鼻が高い：誇らしく，得意であるさま。
胸がすく[8]：胸のつかえが取れ，心が晴れやかになること。
手に負えない：自分の力ではどうにもならないという意味。
手をこまねく[9]：何も手出しできず，傍観しているさま。
腰を折る：話などを中途で妨げる。始めたことを貫徹させず途中で止めること。

❸「霹靂」
雷や激しい音のこと。

さらに詳しく

❹類義語として，「暖簾に腕押し」「ぬかに釘」などがあります。
❺対義語として，「蛙の子は蛙」「鳶の子鷹にならず」（子は親に似るもので，凡人の子は凡人にしかなれない，という意味）などがあります。

❻「力不足」は役目に対して能力が及ばないことを表し，「役不足」とは逆の意味になります。混同しないよう注意しましょう。
❼「子どもたちの成長に目を細める」「仔猫のしぐさに目を細める」のように使います。
❽「ようやく事件が解決して，胸がすく思いがした」のように使います。

❾「こまねく」
胸の前で腕や手を組み合わせること。

文法①

傾向&ポイント 文法は出題頻度の高い項目です。単語の品詞分類や用言の活用など，基本事項を身につけておきましょう。

頻出度 A

1 品詞分類

単語は 11 品詞に分類されます。右の表で覚えましょう。

さらに詳しく

❶呼応の副詞は，「たとえ～でも」「決して～ない」「おそらく～だろう」「まるで～ようだ」など，呼応する言い方と併せて覚えておきましょう。

2 活用形

☑ **用言と助動詞**　未然形・連用形・終止形・連体形・仮定形・命令形の 6 つの活用形があります。

☑ **動詞の活用の種類**　五段活用・上一段活用・下一段活用・カ行変格活用・サ行変格活用の 5 種類があります。

活用形	語の後の連なり	【動詞の活用】例：行く	【形容詞の活用】例：美しい	【形容動詞の活用】例：静かだ
①未然形	ない，う・よう	行かない・行こう	美しかろう	静かだろう
②連用形	ます，た（だ）・て（で），なる・ある	行きます・行ってくる	美しかった・美しくなる	静かだった・静かになる
③終止形	言い切る。	行く。	美しい。	静かだ。
④連体形	体言（とき・こと）	駅に行くとき雨が降っていた。	桜の美しいときに会いましょう。	静かなときが流れた。
⑤仮定形	ば	駅に行けば会えるだろう。	空が美しければ満足だ。	町が静かならば鳥の声が聞こえるだろう。
⑥命令形	命令して言い切る。	早く行け。	×	×

五段活用	ア～オの五段にわたって活用	読む，行くなど
上一段活用	イ段だけで活用	見る，起きるなど
下一段活用	エ段だけで活用	出る，得る，受ける，教えるなど
カ行変格活用	来るだけの特殊な活用	こ・き・くる・くる・くれ・こい
サ行変格活用	する，一するだけの特殊な活用	し（せ・さ）・し・する・する・すれ・しろ（せよ）

<table>
<tr><td rowspan="9">**自立語**（それだけでひとつの文節になる）</td><td rowspan="3">活用あり</td><td rowspan="3">用言
（述語になる）</td><td colspan="2">終止形「**ウ**」段
動作・状態を表す</td><td>**動詞**</td><td>読む（**五段**），起きる（**上一段**），受ける（**下一段**），来る（**カ変**），する（**サ変**）</td></tr>
<tr><td colspan="2">終止形「**い**」
性質・状態を表す</td><td>**形容詞**</td><td>大きい，優しい，痛い，古い，赤い</td></tr>
<tr><td colspan="2">終止形「**だ**」
性質・状態を表す</td><td>**形容動詞**</td><td>きれいだ，静かだ，便利だ，積極的だ，鮮やかだ，元気だ，豊かだ</td></tr>
<tr><td rowspan="6">活用なし</td><td rowspan="2">体言
（主語になる）</td><td colspan="2">ものの名前</td><td>**名詞**</td><td>本，人間，富士山，友情，こと</td></tr>
<tr><td colspan="2">名前に代わり事物を指示する</td><td>**代名詞**</td><td>私，あなた，彼，だれ，これ，あれ，ここ，そこ，どこ，こちら，あちら</td></tr>
<tr><td rowspan="2">修飾語になる</td><td colspan="2">主に**用言を修飾**</td><td>**副詞**</td><td>ゆっくり（**状態**），とても（**程度**），決して（**呼応**[1]）</td></tr>
<tr><td colspan="2">**体言を修飾**</td><td>**連体詞**</td><td>たった，あの，いわゆる，小さな</td></tr>
<tr><td rowspan="2">修飾語にならない</td><td>接続語になる</td><td>文や文節をつなぐ</td><td>**接続詞**</td><td>だから（**順接**），しかし（**逆接**），そして（**累加・並立**），または（**対比・選択**），つまり（**説明・補足**），さて（**転換**）</td></tr>
<tr><td>独立語になる</td><td>感動・呼びかけ・応答など</td><td>**感動詞**</td><td>ああ（**感動**），さあ（**呼びかけ**），はい（**応答**）</td></tr>
<tr><td rowspan="2">**付属語**（自立語に付属してひとつの文節になる）</td><td>活用あり</td><td>**助動詞**</td><td colspan="4">**使役**「せる」「させる」:「手伝わ**せる**」「労働**させる**」「疲れ**させる**」
受身・尊敬・可能・自発「れる」「られる」:「聞か**れる**」「書か**れる**」「得**られる**」「思い出さ**れる**」
希望「たい」「たがる」:「歩き**たい**」「あそび**たがる**」
否定「ない」「ぬ」:「行か**ない**」「言わ**ぬ**」
推量・意志「う」「よう」:「寒かろ**う**」「行こ**う**」「出かけ**よう**」
推量の否定「まい」:「間に合う**まい**」
丁寧・断定「ます」「です」「だ」:「起き**ます**」「妹**です**」「明日**だ**」
推定「らしい」:「晴れる**らしい**」
伝聞「そうだ」:「晴れる**そうだ**」/**様態**「そうだ」:「難し**そうだ**」
推定「ようだ」:「晴れる**ようだ**」/**比喩**「ようだ」:「夢の**ようだ**」
過去・完了「た」「だ」:「夏がき**た**」「本を読ん**だ**」</td></tr>
<tr><td>活用なし</td><td>**助詞**</td><td colspan="4">**格助詞** を・に・が・と・より・で・から・の・へ・や
接続助詞 けれど（も）・と・ても・から・し・が・て・ば・のに・ので
終助詞 な・ぞ・か・ね・かしら・の・さ・よ
副助詞 は・も・こそ・さえ・しか・ばかり・だけ・ほど・などでも・か・まで</td></tr>
</table>

文法②

頻出度 A

傾向&ポイント 助動詞の用法や品詞の識別も出題されやすい項目です。間違えやすい助動詞の用法や，区別しにくい品詞の見分け方について，ポイントを押さえておきましょう。

1 助動詞「せる・させる」「れる・られる」の接続❶

使役	せる	五段・サ変動詞に接続	働かせる，手伝わせる，労働させる
	させる	その他に接続	見させる，疲れさせる，来させる
受身・尊敬・可能・自発	れる	五段・サ変動詞に接続	言われる，向かわれる，行かれる，思い出される
	られる	その他に接続	告げられる，来られる，得られる，感じられる

❶ら抜き言葉「食べれる」や「見れる」は間違いです。誤用に注意。

さらに詳しく

❷「ある日」の「ある」は連体詞。「家がある」の「ある」は動詞です。

❸夜が更けた→格助詞
夜が更けたが眠れない→接続助詞

❹助詞は語呂合わせで覚えましょう。格助詞:「を・に・が・と・より・で・から・の・へ・や」数の多い副助詞は「きらきら星」のメロディーで覚えましょう。

2 形容詞，形容動詞，連体詞の識別

言い切りの形が「〜だ」なら形容動詞，「〜い」なら形容詞です。連体詞❷の識別にも注意しましょう。

例:「小さい町」は形容詞。「小さな町」は連体詞。
「静かな町」は形容動詞。

3 助詞の識別

☑ **格助詞・接続助詞・終助詞の識別❸❹**

格助詞は体言のあとに，**接続助詞**は活用語のあとに，**終助詞**は文末につきます。

☑ **副助詞「さえ」の3つの意味・用法**

①**限定**（「せめて〜ならば」と言い換えられる）

例：仕事**さえ**あればいいのだが。

②**添加**（「〜までも」と言い換えられる）

例：食べ物どころか水**さえ**手に入らなかった。

③**類推**（「〜すら」と言い換えられる）

例：家族にさえ打ち明けられない。

4 紛らわしい語の識別

文章中の「ない」や「で」など，品詞の識別がむずかしい語があります。形容詞，形容動詞，助動詞，助詞などの識別ができるように，見分け方を覚えておきましょう。

	品詞	例	見分け方
ない	**形容詞**「ない」	深く**ない**。容易で**ない**。誠意が**ない**。	「ない」のみで文節をつくれる。
	形容詞の活用語尾	**少ない。危ない。はかない。**	「ない」の前で切り離せない。
	助動詞「ない」（否定）	見え**ない**。言わ**ない**。測り知れ**ない**。	「ぬ」に言い換えられる。
で	**助動詞**「だ」（断定）連用形	快晴**で**ある。正解**で**ある。	「快晴な」「正解な」と言えない。体言に接続。断定を表す。
	形容動詞の連用形語尾	立派**で**ある。大切**で**ある。	「立派な」「大切な」と言い換えられる。
そうで	**助動詞**「そうだ」（伝聞）（様態）の連用形	店を閉じる**そうで**残念だ。（伝聞）	用言の終止形に接続。
		ドアが閉じ**そうで**はらはらした。 簡単**そうで**ほっとした。（様態）	動詞の連用形，形容詞・形容動詞の語幹に接続。
で	**接続助詞**「て」の濁音化	泳い**で**川を渡る。 雨が止ん**で**日が差してきた。	活用語の連用形に接続。（「泳ぎて」「止みて」の音便形で濁音化）
	格助詞「で」	事故**で**けがをした。急用**で**欠席した。	体言に接続。場所・材料・手段・理由・時間を表す。

国語常識

傾向&ポイント 敬語は出題率の高い項目で，一般常識としても身につけておきたい内容です。陰暦の月の異名や季語の知識は古典文学に親しむためにも重要です。

頻出度 B

1　敬語❶

敬語には「**尊敬語**」「**謙譲語**」「**丁寧語**❷」があります。「丁寧語」はさらに「**丁寧語**」と「**美化語**」とに分けられます。

敬語動詞

それぞれの語の尊敬語と謙譲語をセットで覚えましょう。

	尊敬語	謙譲語
言う	おっしゃる	申し上げる
行く	いらっしゃる	伺う
見る	ご覧になる	拝見する
食べる	召し上がる	いただく
与える	くださる	さしあげる

一般の動詞の敬語表現

動詞を次の形にすると敬語表現になります。

	尊敬語	謙譲語
敬語表現	お（ご）～になる ～れる・られる	お（ご）～する
例：話す	お話しになる 話される	お話しする ご説明する

さらに詳しく
❶**尊敬語**は相手や話題の人物を高める言い方，**謙譲語**は自分を低めることで相手を高める言い方，**丁寧語**は相手に対し敬意を表し，丁寧さや上品さを添える言い方です。

さらに詳しく
❷
丁寧語:「です」「ます」「でございます」
美化語:「お花」「お茶」「ご褒美」「お料理」など。

2　手紙の頭語・結語❸

手紙の種類に応じた冒頭と結び表現を覚えましょう。

手紙の種類	頭語	結語
一般の手紙	拝啓・拝呈・啓上	敬具・拝具・敬白
丁寧な手紙	謹啓・謹呈・恭啓	謹白・謹言
急用の手紙	急啓・急呈・急白	草々・不一・不尽
前文省略の手紙	前略・冠省・冠略	草々・不一・不備

3　年齢の別称

年齢	別称	年齢	別称
20	弱冠（じゃっかん）	70	古稀（こき）
30	而立（じりつ）	77	喜寿（きじゅ）
40	不惑（ふわく）	80	傘寿（さんじゅ）
50	知命（ちめい）	88	米寿（べいじゅ）
60	耳順（じじゅん）	90	卒寿（そつじゅ）
61	還暦（かんれき）	99	白寿（はくじゅ）

4　季語❹❺

	季語	俳句（作者）
春	梅が香	梅が香にのっと日の出る山路かな（松尾芭蕉）
	菜の花	菜の花や月は東に日は西に（与謝蕪村）
夏	蝉（せみ）	閑（しず）かさや岩にしみいる蝉の声（松尾芭蕉）
	涼し	涼しさや猶（なお）ありがたき昔かな（正岡子規）
秋	名月	名月を取ってくれろと泣く子かな（小林一茶）
	桐一葉	桐一葉日当たりながら落ちにけり（高浜虚子）
	天河（あまのがわ）	荒海（あらうみ）や佐渡によこたふ天河（松尾芭蕉）
冬	小春日和	玉の如き小春日和を授かりし（松本たかし）
	雪	いくたびも雪の深さを尋ねけり（正岡子規）
	凩（こがらし）	凩や海に夕日を吹き落す（夏目漱石）

❸手紙の例

（前文）拝啓
落ち葉が風に舞う頃となりました。○○様にはいかがお過ごしでございましょうか。・・・
（主文）さて、・・・
（末文）寒さに向かいますが、風邪などお召しになりませぬようご自愛ください。
敬具
（後づけ）令和三年十一月一日
○山○子
○○○○様

❹1～12月の陰暦の月の異名を覚えましょう。
睦月（むつき）・如月（きさらぎ）・弥生（やよい）・卯月（うづき）・皐月（さつき）・水無月（みなづき）・文月（ふみづき）（ふづき）・葉月（はづき）・長月（ながつき）・神無月（かんなづき）・霜月（しもつき）・師走（しわす）

さらに詳しく

❺**春の季語**：花冷（はなびえ），長閑（のどか），蛙（かわず），雲雀（ひばり）

夏の季語：麦の秋，五月雨（さみだれ），牡丹（ぼたん），筍（たけのこ）

秋の季語：夏の果て，七夕（たなばた），野分（のわき），朝顔

冬の季語：時雨（しぐれ），落葉，節分，葱（ねぎ）

古文漢文

頻出度 B

傾向&ポイント 高校までに習う基礎を復習し，古文読解のポイント（古語の意味，敬語，助動詞など）と漢文読解のルール，漢詩の知識を押さえておきましょう。

1 古文

古語

古今異義語に注意して，古語の意味を覚えましょう。

あさまし	意外だ	かたはらいたし	見苦しい，気恥ずかしい
あした	朝，翌朝	さうざうし	物足りない
あやし	不思議だ	すさまじ	殺風景だ，興ざめだ
いたづら	無駄だ，暇だ	つとめて	早朝，翌朝
いそぎ	支度（したく），準備	としごろ	長年，ここ数年
いと	たいへん，非常に	ののしる	大騒ぎをする
いみじ	はなはだしい，素晴らしい，ひどい	むつかし	不快だ，うっとうしい
うつくし	かわいい	やうやう	だんだん，次第に
おとなし	分別がある	やがて	そのまま，すぐさま
おぼえ	評判，寵愛（ちょうあい）	をかし	趣がある

敬語

	尊敬語（口語訳）	謙譲語（口語訳）
行く	おはす（いらっしゃる）	参る，まうづ（参上する）
来（く）	おはします（おいでになる）	参る，まうづ（参上する）
言ふ	のたまふ，仰（おほ）す（おっしゃる）	聞こゆ，聞こえさす（申し上げる）
聞く	聞こす，聞こしめす（お聞きになる）	承る（お聞きする）
与ふ	給ふ，賜（たま）はす（お与えになる）	奉る，まゐらす（差し上げる）
あり	いまそかり，おはす（いらっしゃる）	はべり，さぶらふ（お仕えする）※

※丁寧語の「はべり，さぶらふ」は「〜です，〜ます，〜ございます」の意味です。

係助詞と係り結び[1]

係助詞	結び	例文
ぞ・なむ・や・か	連体形	光る竹なむ一筋ありける
こそ	已然形	始め終はりこそ をかしけれ

さらに詳しく

❶係助詞「ぞ・なむ・こそ」は強意,「や・か」は疑問・反語を表します。

助詞・助動詞の主な意味用法

		助詞・助動詞	意　味	例
助詞	接続助詞	未然形＋ ば	仮定：～タラ・ナラ	その声を**聞か**ば（その声を聞いたら）
		已然形＋ ば	確定：～ノデ	道の**遠けれ**ば（道のりが遠いので）
		未然形＋ で	打消：～ナイデ	**大殿籠ら**（おおとのごも）で（おやすみにならないで）
	終助詞	未然形＋なむ	願望：～テホシイ	梅咲かなむ（梅の花が咲いてほしい）
助動詞		終止形＋べし	推量：～ダロウ	**雪降る**べし（雪が降るだろう）
			意志：～ヨウ	この一矢に**定む**べし（この一矢で決めよう）
		連用形＋けり	過去：～タ	昔，**男あり**けり（昔，男がいた）
		連用形＋ぬ	完了：～タ	夏は来（き）ぬ（夏が来た，夏が来てしまった）

2 漢文

返り点

- レ点：下の一字から直前の一字へ返ります。
- 一・二点：二字以上を隔てて，上に返ります。
- 上・下点：間に一・二点をはさみ，上に返ります。

再読文字[2]

一字で二度読みます。

疑問・反語

疑問の助詞「乎（耶・邪・也・哉・与）」と疑問語（「何」など）があります。

- 疑問（～か？）：終止形＋や，連体形（体言）＋や
- 反語：(～か？，いや～ではない)：未然形＋ン（や）

漢詩（近代詩）の種類

絶句（四句＝起承転結）と**律詩**（八句）があり，律詩では，**三・四句と五・六句**が対になります（**対句**）。五言詩の偶数句末，七言詩の初句末と偶数句末は韻を踏みます（**押韻**）。

さらに詳しく

❷再読文字

猶ホ及バガ　未ダ嘗テ敗北セ　当ニ勉励ス　将ニ自ラ撃タント之ヲ　志ハ須ラク大ナル

猶（な）ほ及ばざるがごとし

未（いま）だ嘗（かつ）て敗北せず

当（まさ）に勉励すべし

将（まさ）に自ら之を撃たんとす

志は須（すべか）らく大なるべし

日本文学①（大和・奈良・平安時代）

頻出度 B

傾向＆ポイント 「源氏物語」「枕草子」など平安時代の文学は特に重要です。主要作品と作者名，有名な冒頭文を結び付けて覚えましょう。

1 大和・奈良時代

『古事記』（712年）	太安万侶（おおのやすまろ）撰録。天地創造の神話から推古天皇までの事跡。「倭（やまと）は国のまほろば…」
『日本書紀』（720年）	舎人親王（とねりしんのう）編。神代から持統天皇までの**歴史書**。
『万葉集』❶（759年以降）	大伴家持（おおとものやかもち）ら編。現存最古の歌集。**東歌**（あずまうた）・**防人歌**（さきもりうた）など民衆や兵士たちの歌を含む。男性的で大らかな歌風（ますらをぶり）。「**あかねさす紫野行き標野（しめの）行き野守は見ずや君が袖振る（額田王（ぬかたのおおきみ））**」

さらに詳しく
❶『万葉集』『古今和歌集』『新古今和歌集』を三大集，『古今和歌集』『後撰和歌集』『拾遺和歌集』を**三代集**とよびます。

2 平安時代

☑ 物語文学❷

物語文学	『竹取物語』（10世紀初頭）	伝奇物語。作者不詳。「物語の出来（いでき）はじめの祖（おや）」（**最古の物語**）といわれる。「**今は昔，竹取の翁といふ者ありけり。**」
	『伊勢物語』（10世紀中頃）	在原業平（ありわらのなりひら）の歌を骨子とする**歌物語**。「**昔男ありけり。**」
	『源氏物語』（11世紀初頭）	**紫式部**作。全54帖（じょう）。「もののあはれ」を描く。「**いづれの御時（おほんとき）にか，女御・更衣あまた候ひ給ひける中に…**」
歴史物語	『栄華物語』（11世紀後半）	源氏物語の影響を受けた仮名文の歴史物語。 藤原道長の栄華を記す。

さらに詳しく
❷平安時代の物語文学はこのほか，『**大和物語**』，『**平中物語**』，『**宇津保物語**』，『**落窪物語**』などがあります。

❸「四鏡」
『**大鏡**（おおかがみ）』に続いて室町時代までに成立した歴史書，『**今鏡**（いまかがみ）』『**水鏡**（みずかがみ）』『**増鏡**（ますかがみ）』のこと。鏡物（かがみもの）ともよびます。

	『大鏡』(未詳)	人物の伝記を記す紀伝体。四鏡(しきょう)❸の初め。
説話集	『今昔物語集(こんじゃくものがたりしゅう)❹』(12 世紀前半)	仏教説話を中心とする一千余の説話集。「**今は昔，…と，なむ語り伝へたるとや**」

日記文学❺，随筆

日記文学	『土佐日記』(平安前期)	**紀貫之(きのつらゆき)**作。初の日記文学。紀行的。「男もすなる日記といふものを，女もしてみむとて…」
	『蜻蛉日記(かげろうにっき)』(平安中期)	**藤原道綱母(ふじわらみちつなのはは)**作。自伝的。「**かくありし時過ぎて，世の中にいとものはかなく…**」
	『更級日記(さらしなにっき)』(平安中期)	**菅原孝標女(すがわらのたかすえのむすめ)**作。40 年ほどの女の一生。源氏物語へのあこがれなどが描かれる。
	『和泉式部日記』(平安中期)	和泉式部作。歌物語風に恋愛模様が描かれる。「夢よりもはかなき世のなかを嘆きわびつつ…」
随筆	『枕草子』(平安中期)	**清少納言**作。「**をかし**」の文学。宮中生活の記録。三大随筆❻のひとつ。「**春はあけぼの。…**」

和歌

『古今和歌集』(905 年)	醍醐天皇の命による初の勅撰和歌集。**紀貫之**ほか撰。**六歌仙**❼の活躍。女性的で優美繊細な歌風（**たをやめぶり**）。八代集❽のひとつ。 「**久方の光のどけき春の日にしづ心なく花の散るらむ（紀友則）**」
『後撰和歌集』(951 年)	村上天皇の命による二番目の勅撰和歌集。清原元輔(きよはらのもとすけ)，源順(みなもとのしたごう)ら**梨壺(なしつぼ)の五人**の撰。宮廷貴族の日常の歌や恋歌が中心。八代集のひとつ。

TIPS

❹**芥川龍之介**は今昔物語に取材して『**羅生門**』『**鼻**』などを書きました。

さらに詳しく

❺平安時代の日記文学は，このほか『紫式部日記』（1010 年）などがあります。

❻「三大随筆」

清少納言『**枕草子**』，鴨長明『**方丈記**』，兼好法師『**徒然草**』のことを指します。

❼「六歌仙」

『古今和歌集』の代表的な 6 人の歌人のこと。**在原業平(ありわらのなりひら)**・**僧正遍昭(そうじょうへんじょう)**・**喜撰法師(きせんほうし)**・**大伴黒主(おおとものくろぬし)**・**文屋康秀(ふんやのやすひで)**・**小野小町**を指します。

❽「八代集」

平安～鎌倉時代初期までの 8 つの勅撰和歌集のこと。『**古今和歌集**』・『後撰和歌集』・『拾遺和歌集』・『後拾遺和歌集』・『金葉和歌集』・『詞花和歌集』・『千載和歌集』・『**新古今和歌集**』を指します。

10 日本文学②（鎌倉・室町時代）

傾向＆ポイント 「平家物語」「方丈記」「徒然草」や「新古今和歌集」などの主要作品を，作者や冒頭文と結び付けて押さえておきましょう。

頻出度 B

1 鎌倉・室町時代

物語文学

擬古物語 （鎌倉期）	平安朝の物語（源氏物語など）を懐古・模倣・改作した物語。 **『住吉物語』『とりかへばや物語』『松浦宮物語』**など。
お伽草子 （鎌倉末期）	『奈良絵本』として流布。江戸期の仮名草子に連なる。 **『一寸法師』**『鉢かづき』『弁慶物語』など。
説話集❶ **ー世俗説話** （鎌倉期）	**『宇治拾遺物語』**（1219年頃）：『舌切り雀』『わらしべ長者』など。 **『十訓抄』**（1252年）：年少者のための啓蒙的な例話集。 **『古今著聞集』**（1254年・**橘成季**作）：古今の著名な説話30編。
軍記物語❷ （鎌倉期～室町期）	武家の興亡盛衰を主題とする。 **『平家物語』**（鎌倉期・**信濃前司行長**作？）：平家一門の**諸行無常**，**盛者必衰**を描く。和漢混交文，七五調。**平曲**として琵琶法師が語り広めた。 **「祇園精舎の鐘の声，諸行無常の響あり。」** **『太平記』**（室町期）：南北朝の争乱を描く。物語僧や「太平記読み」に講ぜられ普及した。

さらに詳しく

❶**仏教説話**には**『発心集**（1216年頃 鴨長明）』**『沙石集**（1283年 無住法師）』などがあります。

❷軍記物語はこのほか**『保元物語』『平治物語』**（鎌倉期），**『義経記』『曽我物語』**（室町期）などがあります。

日記文学・随筆

日記	『十六夜日記』(1280年?)	**阿仏尼**作。実子訴訟のため鎌倉に下る際の旅日記。
随筆	『方丈記❸』(1212年)	**鴨長明**作。天災地変，人生の無常，隠者の生活を記す。 **「ゆく河の流れは絶えずして，しかももとの水にあらず」**
	『徒然草❸』(1330年)	**兼好法師**作。無常観の文学。四季の自然，処世訓，故事の考証，奇聞・逸話など。 **「つれづれなるままに，日暮らし…」**

歌集

『新古今和歌集』(1205年)	後鳥羽院の命による勅撰和歌集。主な作者は**藤原定家**，**西行**，慈円，式子内親王，後鳥羽院など。新古今調(歌の美的世界。絵画的。**幽玄**，**有心**)。**本歌取り**，体言止めが特徴。 **「見渡せば花も紅葉もなかりけり浦の苫屋の秋の夕暮れ（藤原定家）」**
『金槐和歌集』(1213年)	鎌倉幕府三代将軍の源実朝の家集。万葉調の力強い歌風が多くみられる。
『小倉百人一首』(1235年)	藤原定家による秀歌撰。 「秋の田のかりほの庵の苫をあらみ わが衣手は露にぬれつつ（天智天皇）」

能と狂言❹

『風姿花伝』(1400年?)	**世阿弥**作。能楽論集。**『花伝書』**ともいう。父観阿弥の教えを編述。学び方，演技法，歴史など能の根本を説いた。風趣，幽玄美。

TIPS

❸鴨長明，兼好法師など出家遁世した知識人の文学を「**隠者文学**」といいます。

さらに詳しく

❹鎌倉時代には猿楽・田楽の能が行われました。滑稽・風刺の要素は**狂言**となり，能に付随して演じられました。

11 日本文学③（江戸時代）

傾向&ポイント 浮世草子の井原西鶴，浄瑠璃の近松門左衛門，俳諧の松尾芭蕉など，重要人物とその作品を押さえておきましょう。

頻出度 B

1 江戸時代

小説

仮名草子❶（17世紀）	仮名書きの散文。教訓，娯楽，怪談，名所案内など多岐にわたる。庶民の小説『浮世草子』を生むもとになる。イソップ物語を文語で訳した『伊曽保物語』など。
浮世草子（17世紀・元禄期）	上方（京阪地方）中心に発達。世相や生活を写す現実主義的な小説。**井原西鶴『好色一代男』『日本永代蔵』『世間胸算用』『本朝二十不孝』**（好色物，町人物，説話物）など。西鶴以降「戯作文学」につながる。
読本（18～19世紀・文化・文政期）	絵を主とした草双紙に対し，文章を主とした本格的小説。**上田秋成『雨月物語（1776年）』**（怪異小説の傑作），**滝沢馬琴❷『南総里見八犬伝（1842年）』**など。
洒落本❸（18世紀）	遊里の会話を中心に，滑稽と通を描く。田舎老人多田爺『遊子方言』，**山東京伝『通言総籬』**など。
人情本❸（19世紀・幕末）	退廃的世相を反映。恋愛・風俗を描く。**為永春水『春色梅児誉美』**など。
滑稽本（18～19世紀）	対話に面白みを発揮。笑い，駄洒落など軽妙な趣きがある。**十返舎一九『東海道中膝栗毛』**，**式亭三馬『浮世風呂』**など。
草双紙❹（18世紀）	赤本・黒本・青本・黄表紙・合巻の順で展開した絵双紙。**黄表紙**：恋川春町『金々先生栄華夢』，**合巻**：柳亭種彦『偐紫田舎源氏』など。

さらに詳しく

❶仮名草子にはほかに，『可笑記』『二人比丘尼』『御伽婢子』『東海道名所記』などがあります。

❷曲亭馬琴ともいいます。

TIPS

❸洒落本は寛政の風俗取り締まりにより禁止され，人情本の為永春水は天保の取り締まりで刑を受けました。

さらに詳しく

❹赤本・黒本・青本は子どもや婦人を対象とする小型の絵本。**黄表紙**は滑稽，洒脱，風刺を主とする大人向けの読本。**合巻**は敵討物など教訓的傾向の合冊本。

劇文学

浄瑠璃（17～18世紀・元禄期）	竹本義太夫が「竹本座」を設立。近松と提携し新浄瑠璃を展開。**近松門左衛門**❺『**曽根崎心中**（1703年）』，『**国性爺合戦**（1715年）』など。**竹田出雲・並木宗輔**ら『**仮名手本忠臣蔵**（1748年）』など。
歌舞伎（17～19世紀）	**阿国歌舞伎**（かぶき踊り）→女歌舞伎→若衆歌舞伎→野郎歌舞伎へと変遷。『和事❻』の坂田藤十郎（上方），『荒事❻』の市川団十郎（江戸）が登場。**鶴屋南北**『**東海道四谷怪談**（1825年）』など。

俳諧

中世	山崎宗鑑・荒木田守武（室町末期）	**俳諧連歌**：平易なおもしろみ，おかしみをねらい庶民に流行した。
近世 上方文学	松永貞徳	**貞門俳諧**（京都）：俳諧の庶民化を図る。
	西山宗因	**談林俳諧**（大阪）：貞門に対し挑戦的に，新奇と自由を求める。
	松尾芭蕉（江戸前期）	**蕉風（正風）俳諧**：「さび」「しをり」「ほそみ」「かるみ」「不易流行❼」を提唱。俳諧七部集：『冬の日』『猿蓑』など。紀行文：『野ざらし紀行』『笈の小文』『更科紀行』『**奥の細道**❽』など。芭蕉の俳論は，弟子❾によって『去来抄』『三冊子』などに編まれた。「**旅に病んで夢は枯野をかけ廻る**」
近世 江戸文学	与謝蕪村（江戸中期）	**俳画**を描く。京都に住み俳諧に専念。**蕉風復興**を目指す。浪漫的・唯美的。句文集『新花摘』。「**春の海ひねもすのたりのたりかな**」
	小林一茶（江戸後期）	弱者への同情と強者への皮肉。方言・俗語による人間味あふれた**生活句**を作る。句文集『おらが春』。「**やせ蛙まけるな一茶これにあり**」
	川柳・狂歌	江戸の庶民の遊びとしての**川柳**（『誹風柳多留』など），抑圧へのうっ憤をはらす笑いとしての**狂歌**（『古今夷曲集』など）が流行。

さらに詳しく

❺近松の浄瑠璃には時代物と世話物があります。時代物（歴史上の事件・説話に取材）：『出世景清』『国性爺合戦』など。世話物（現代物。町人の悲劇）：『冥途の飛脚』『心中天網島』など。

❻『和事』は，写実的でしなやかな芸，『荒事』はりりしく猛々しい所作が特徴です。

ことば

❼「不易流行」
不易はどの時代においても人を感動させるもの，**流行**はその時代の最先端を行くもので，蕉風俳諧の理念のひとつ。

さらに詳しく

❽奥の細道　冒頭
「**月日は百代の過客にして行きかふ年も…**」

❾**蕉門十哲**（**榎本其角，服部嵐雪，向井去来，森川許六**など）のほか，多くの俳人が出ました。

12 日本文学④（明治時代）

頻出度 B

傾向&ポイント 代表的な作家と作品名を結び付けて覚えておきましょう。各年代の文学の潮流や，作家が属した派や主義についても押さえておきましょう。

1 明治 18 年～ 28 年頃(1885 ～ 1895 年)❶

写実主義❷	坪内逍遥（つぼうちしょうよう）	評論『**小説神髄**（1885 年)』により写実主義を提唱。近代小説の在り方を打ち出す。
	二葉亭四迷	**言文一致**体による『**浮雲**（1887 年)』を発表。近代写実小説の先駆となる。
擬古典主義❸	尾崎紅葉	文学結社「**硯友社**（けんゆうしゃ）」を牽引。「**である調**」による言文一致の完成。『**多情多恨**』『**金色夜叉**（こんじきやしゃ）』など。
	幸田露伴	尾崎紅葉とともに文壇の地位を占め，「**紅・露時代**」といわれた。理想主義的な作品。『**風流仏**』『**五重塔**』など。

2 明治22年～37年頃(1889～1904年)

浪漫主義❹	森鴎外（初期）	軍医としてのドイツ留学をもとに『**うたかたの記**』『**舞姫**』『**文つかひ**』を発表。アンデルセンの『**即興詩人**』を翻訳。『**没理想論争**』で坪内逍遥の写実主義と論争し，浪漫主義成立に影響を与える。
	北村透谷	文芸雑誌『**文学界**』の指導的理論家。『**厭世詩家と女性**』『**内部生命論**』。近代精神に目覚め，硯友社の封建的な文学に対抗。
	その他	樋口一葉『**たけくらべ**』『**にごりえ**』，泉鏡花『**高野聖**（こうやひじり）』，徳富蘆花『**不如帰**（ほととぎす）』，国木田独歩『**武蔵野**』など。

さらに詳しく

❶明治初期の作品には『学問のすゝめ（福沢諭吉)』，『**八十日間世界一周**（ヴェルヌ・川島忠之助訳)』，『**経国美談**(矢野龍渓)』など。

❷「写実主義」
主観を排し，**現実をありのままに写す**方法。

❸「擬古典主義」
元禄文学を模範とする文学。欧化主義の反動もあり，流行しました。

❹「浪漫主義」
芸術や文学に**自我を解放**し，**個人の自由**を重んじる主張。

❺「自然主義」
現実をありのままに描く文学。日露戦争後に近代文学の主流となりました。

3 明治35年〜43年頃（1902〜1910年）

自然主義❺	島崎藤村	『破戒（1906年）』を発表。自然主義文学の指標となる。『**夜明け前**』『**新生**』など。自伝的小説，**告白小説**を書く。
	田山花袋	ゾラの影響を受け自然主義運動を牽引。**私小説**の端緒となる。対象を自然に再現する**平面描写**を説く。『**蒲団**（ふとん）』『**田舎教師**』など。
	徳田秋声	徹底した**客観描写**。**無理想・無解決**の自然主義を確立。『**あらくれ**』など。
耽美派❻	永井荷風	欧米遊学後『**あめりか物語**』などを発表。『**すみだ川**』で江戸情緒を描く。文芸雑誌『**三田文学**』を創刊し自然主義と対立。『**濹東綺譚**（ぼくとうきたん）』など。
	谷崎潤一郎	雑誌『**新思潮**』に『**刺青**（しせい）』などを発表。異常で甘美な魅力を描き**悪魔主義**とよばれる。『**痴人の愛**』『**春琴抄**』『**細雪**（ささめゆき）』『**鍵**』など。
高踏派❼	森鷗外（後期）	雑誌『**スバル**』に『**ヰタ・セクスアリス**』『**青年**』などを発表。後に歴史小説『**阿部一族**』『**高瀬舟**』，史伝『**渋江抽斎**（しぶえちゅうさい）』など。
	夏目漱石❽	近代人の自我の不安とエゴイズムを探求。『**吾輩は猫である**』『**坊ちゃん**』『**草枕**』など。

4 詩歌

詩	『**新体詩抄**』，『**於母影**（おもかげ）❾』（詩訳集）発表。 島崎藤村『**若菜集**』，北村透谷『**蓬萊曲**（ほうらいきょく）』：**近代浪漫主義**，近代的抒情を表現。 上田敏（うえだびん）『**海潮音**』（訳詩集）：象徴詩を導く。 北原白秋『**邪宗門**』『**思ひ出**』：異国情緒豊かな**文語自由詩**。
俳句	正岡子規❿：**写生俳句**を提唱。俳誌『**ホトトギス**』を主宰。 河東碧梧桐（かわひがしへきごとう）：自由律俳句の出現。 高浜虚子：ホトトギスを継承。客観写生，花鳥諷詠を提唱。
短歌	**明星派**：与謝野鉄幹が『**明星**』を主宰。与謝野晶子『**みだれ髪**』。 **自然主義**：石川啄木⓫『**一握の砂**』『**悲しき玩具**』。

ことば

❻「耽美派」
人間の醜悪な面を暴露する自然主義に反発。**官能の美**を描く耽美派が生まれました。

❼「高踏派」
鷗外と漱石は独自の立場を保ち，**倫理的**，**理知的な作品**を発表。のちの**理想主義**，**理知主義**に影響を与えました。

さらに詳しく

❽夏目漱石の前期の三部作は『**三四郎**』『**それから**』『**門**』。後期の三部作は『**彼岸過迄**（ひがんすぎまで）』『**行人**（こうじん）』『**こころ**』。

❾**森鷗外**らによる訳詩集。個性的抒情詩へ道を開きました。

❿正岡子規の作品には，『歌読みに与ふる書』『病床六尺』などがあります。

⓫啄木は明星の耽美的な歌風を離れ，**生活の歌**をよみ，口語的発想による**三行書き**で新生面を開きました。

13 日本文学⑤(大正～昭和初期)

傾向＆ポイント この時期に生まれた各派の思潮を押さえましょう。芥川龍之介，武者小路実篤など代表的な作家については，作品名とともに覚えておきましょう。

頻出度 B

1 大正(1912年～)～昭和(1926年～)初期

白樺派[1]

武者小路実篤	人間の内部にある生命の力を信じる。**人道主義**実践のため「**新しき村**」を建設。『**お目出たき人**』『**友情**』など。
志賀直哉	自己の生命を見つめる随筆風の作品『**城の崎にて**』は**心境小説**の代表作。ほかに『**清兵衛と瓢箪**』『**和解**』『**暗夜行路**』など。
有島武郎	内村鑑三や社会主義思想に影響を受ける。**私有農場**を開放。『**カインの末裔**』『**生まれ出づる悩み**』『**或る女**』など。

新現実主義[2]

新思潮派[3]	芥川龍之介	**理知派・新技巧派**の代表作家。今昔物語集などを題材にした『**鼻**』『**羅生門**』『**地獄変**』。『**保吉物**』といわれる私小説。『**河童**』『**歯車**』『**或阿呆の一生**』など。
	菊池寛	『**文藝春秋**』創刊。**芥川賞・直木賞設立**。『**父帰る**』『**恩讐の彼方に**』など。明確な主題を持ち，**テーマ小説**と呼ばれた。
	山本有三	理想主義の立場から人生の問題を解決しようとする。『**路傍の石**』『**女の一生**』など。
三田派[4]	佐藤春夫	『**田園の憂鬱**』『**都会の憂鬱**』など。
	室生犀星	『**性に目覚める頃**』など。

さらに詳しく

❶1910年に『白樺』が創刊され，**理想主義・人道主義**の立場で大正中期の主要な文学思潮となりました。

❷耽美派や理想主義が遠ざけた現実を理知的に分析し，**知性と技巧**により捉えなおそうとしました。

❸「新思潮派」
東京帝大を中心とした「**新思潮**」の作家のこと。

❹「三田派」
慶応義塾を中心とした「**三田文学**」の作家のこと。

新早稲田派[5]	広津和郎	『神経病時代』『死児を抱いて』など。
	葛西善蔵	『哀しき父』『子を連れて』など。代表的な私小説作家。

プロレタリア文学[6]

戦旗派	ナップ[7]の機関誌『戦旗』により**左翼文芸運動**を推進。労働者階級を書く。 **小林多喜二『蟹工船』**で労働者と雇い主との闘争を描く。ほかに，**徳永直『太陽のない街』**，**宮本百合子『播州平野』**，**中野重治**，**佐多稲子**など。
文戦派	文芸雑誌『**種蒔く人**』『**文芸戦線**』が労農芸術連盟に引き継がれ，**社会民主主義**傾向を深める。**葉山嘉樹『海に生くる人々』**，**黒島伝治『二銭銅貨』**，**平林たい子『施療室にて』**など。

新感覚派[8]

横光利一	印象と言語の立体的手法を確立。ジョイス，プルーストの影響を受け，**心理主義**の傾向をもつ。『**日輪**』『**機械**』『**紋章**』など。
川端康成	日本的美意識，古典の流れをくむ抒情性を持つ。『**文芸時代**』を創刊。**ノーベル文学賞**受賞。『**伊豆の踊子**』『**雪国**』『**古都**』など。

2 詩歌

詩	高村光太郎	白樺派の影響を受けた**人道主義派詩人**[9]。『**智恵子抄**』『**道程**』など。
	民衆詩派[10]	**白鳥省吾**，**千家元麿**，山村暮鳥など。
	萩原朔太郎	**口語自由詩の完成**。繊細な感覚で独自の詩を開く。『**月に吠える**』『**青猫**』など。
	佐藤春夫	古典的な美しさと，世紀末的感覚の表現。『**殉情詩集**』など。
短歌	アララギ派	子規の写生論を深める。**斎藤茂吉『赤光』**，**島木赤彦『馬鈴薯の花』**など。

❺「新早稲田派」
同人雑誌『**奇蹟**』『**早稲田文学**』を中心とした**後期自然主義**の作家のこと。

さらに詳しく

❻プロレタリア文学は昭和初頭に大きな勢力となりましたが，満州事変後の弾圧で衰え**転向文学**への移行もみられました。

❼「ナップ」
全日本無産者連盟の略。

❽「新感覚派」
「**文芸時代**」の新進作家による**モダニズム文学**のこと。西洋の前衛芸術を取り入れ私小説的現実主義を超えようとしました。

さらに詳しく

❾人道主義派の詩人はほかに，**千家元麿『自分は見た』**，**山村暮鳥『風は草木にささやいた』**，**室生犀星『愛の詩集』**などがいます。

❿民衆詩派は，デモクラシー思想とともに活発化しました。**口語自由詩運動**を行い，詩を大衆に接近させました。

14 日本文学⑥（昭和期）

傾向＆ポイント 戦前・戦後に活躍した作家について，各派の特徴，作家と作品名を結び付けて押さえておきましょう。

頻出度 B

1 昭和初期（戦前期）

新興芸術派❶

井伏鱒二	詩情とユーモアを持つ**庶民的ヒューマニズム**の作家。『**山椒魚**』『**黒い雨**』など。
梶井基次郎	『**檸檬**（れもん）』『**城のある町にて**』など。
林芙美子	庶民の生活を描く。『**浮雲**』『**放浪記**』など。

新心理主義❷

伊藤整	作家，評論家として活躍。**新心理主義理論**を提唱。『**小説の方法**』『**氾濫**』など。
堀辰雄	フランス文学の影響。知性と感性による心理主義小説を書く。『**聖家族**』『**風たちぬ**』など。

さらに詳しく

❶**中村武羅夫**（なかむらむらお），**嘉村礒多**（かむらいそた）など**新潮社系**の作家を中心に結成され，のちに新人作家たちが個性を発揮し道を開きました。

❷フロイトの精神分析を導入し，新感覚派の作風を深め，人間の深**層心理**や**無意識**を描こうとしました。

2 昭和 10 年代（戦時期）❸

火野葦平	軍報道部員として**戦争文学**を発表。『**麦と兵隊**』など。
中島敦	中国古典をもとに，知識人の運命を描く。『**山月記**』『**弟子**』『**李陵**』など。
小林秀雄	『**文学界**』を創刊。文芸評論を発表。『**無常といふ事**』など。
三木清	昭和 10 年代の指導的理論家。時代の危機感を克服しようとする。『**不安の思想とその超克**』など。

さらに詳しく

❸昭和 10 年前後に文芸復興の気運がありましたが，**太平洋戦争**により**文学は統制**されていきました。

❹戦後の世相を反映し，**自虐**，**反逆**，**頽廃肯定**の態度で風刺的作品を発表しました。

3　昭和 20 年代以降（戦後）

無頼派（新戯作派）[4]

太宰治	自己破滅的な私小説作家。**『晩年』『走れメロス』『津軽』『斜陽』『人間失格』**など。
坂口安吾	文明批評**『日本文化私観』『堕落論』**，短編小説**『白痴』『桜の森の満開の下』**など。
織田作之助	大阪庶民を描く。**『夫婦善哉』**（めおとぜんざい）など。

第一次戦後派[5]

野間宏	戦争批判。自伝的長編小説。**『暗い絵』『真空地帯』『青年の環』**など。
大岡昇平	自身の体験をもとに人間存在の危機感を描く。**『俘虜記』**（ふりょ）**『野火』『レイテ戦記』**など。

第二次戦後派[6]

三島由紀夫	唯美的世界を追求。**『仮面の告白』『金閣寺』**など。
安部公房	前衛的手法。幻想と風刺によって現代社会の病理を描く。**『砂の女』『壁』『他人の顔』**など。

第三の新人[7]

安岡章太郎	**『悪い仲間』『海辺の光景』**
遠藤周作	キリスト教作家。**『沈黙』『深い河』**など。
その他	庄野潤三**『プールサイド小景』**，吉行淳之介**『驟雨』**（しゅうう）**『夕暮れまで』**など。

新世代作家[8]

石原慎太郎	**『太陽の季節』**など。若者の情熱や風俗を描く。
開高健	組織と人間の問題や，ベトナム戦争を取り上げる。**『裸の王様』『輝ける闇』**など。
大江健三郎[9]	社会的・政治的問題，人間の再生・共生がテーマ。**『飼育』『万延元年のフットボール』**など。

4　昭和の詩[10]

超現実主義派	主知詩の成立を目指す。モダニズム。**西脇順三郎，北川冬彦，三好達治**など。

❺「第一次戦後派」
個々の**主体性**を重視。政治よりも人間の優位を尊重し，新しい近代文学を探求。

❻「第二次戦後派」
1948 ～ 1949 年に登場した新人作家のこと。二十世紀小説の手法で，本格的な**西欧型長編小説**が生まれました。

❼「第三の新人」
1953 ～ 1955 年頃に登場した新人作家のこと。日常における人間を**短編小説**で描きました。

❽「新世代作家」
1955 年以降に登場した作家のこと。**社会に敏感な作風が特徴的。**

TIPS

❾大江健三郎は 1994 年にノーベル文学賞を受賞しました。

さらに詳しく

❿代表的な作品には，**三好達治『測量船』，宮沢賢治『春と修羅』，草野心平『第百階級』，中原中也『山羊の歌』，谷川俊太郎『二十億光年の孤独』**などがあります。

国語

15 外国文学

頻出度 C

傾向&ポイント 各時代の主要な作家と，代表作を問う問題が出題されます。時代背景や思想，日本文学との関連も押さえておきましょう。

1 近代以降の文学の思潮[1]（→日本文学への影響）

☑ **ロマン主義**（18世紀末～19世紀前半）：**ルソー**
因襲からの自我の解放。情熱の尊重。→**森鷗外**，**北村透谷**（きたむらとうこく）

☑ **写実主義・自然主義**（19世紀中期・後期）：**ゾラ**
現実を直視。自我・主観の否定。→**田山花袋**，**島崎藤村**

☑ **ダダイズム**，**シュールレアリスム**（20世紀）：ブルトン
ニヒリズム。前衛。→「**新感覚派**」，**横光利一**

☑ **実存主義**（20世紀）：**カフカ**，**カミュ**，**サルトル**
人間の実存追求。→**椎名麟三**，**安部公房**，**大江健三郎**

2 近世・近代の外国文学（17～20世紀）[2]

シェークスピア[3]（イギリス）	ロミオとジュリエット（1595）
セルバンテス（スペイン）	ドン・キホーテ（1605）
スウィフト（イギリス）	ガリヴァー旅行記（1726）
ゲーテ（ドイツ）	ファウスト（1806）
スタンダール（フランス）	赤と黒（1830）
メルヴィル（アメリカ）	白鯨（1851）
ディケンズ（イギリス）	二都物語（1859）
ユーゴー（フランス）	レ・ミゼラブル（1862）
ドストエフスキー（ロシア）	罪と罰（1866）
トルストイ[4]（ロシア）	戦争と平和（1869）
ゾラ（フランス）	居酒屋（1877）
モーパッサン（フランス）	女の一生（1883）
ヘッセ（ドイツ）	車輪の下（1906）

さらに詳しく
❶**古代**～**中世**の主要作品は，『**オデュッセイア**（ホメロス）：BC700』『**神曲**（ダンテ）：1307年』『**デカメロン**（ボッカチオ）：1353年』『**エセー**（モンテーニュ）：1580年』など。

TIPS
❷**フランス象徴派**の詩人には**ランボー**『**地獄の季節**』，**マラルメ**『**半獣神の午後**』，ヴェルレーヌ『**叡智**』などがいます。**ボードレール**『**悪の華**』に影響を受け19世紀後半に活躍しました。

さらに詳しく
❸**シェークスピア**：演劇史最大の劇作家，詩人。卓抜した人間観察力により『**ハムレット**』『**オセロ**』『**マクベス**』『**リア王**』の四大悲劇を書きました。

3　現代の外国文学（20 世紀）

カフカ（チェコ）	変身（1915）
モーム（イギリス）	月と六ペンス（1919）
トーマス＝マン（ドイツ）	魔の山（1924）
パール＝バック（アメリカ）	大地（1931）
サルトル（フランス）	嘔吐（1938）
スタインベック（アメリカ）	怒りの葡萄（1939）
カミュ（フランス）	異邦人（1942）
ヘミングウェイ❺（アメリカ）	老人と海（1952）

4　中国文学

紀元前 11～7 世紀	「詩経」	**中国最古の詩集。儒教の経典（五経）の一つ。**
紀元前 5 世紀	孔子	儒教の祖。『**論語**』（朱子学の「四書」の一つ）
紀元前 1 世紀	司馬遷	『**史記**』（歴史書，二十四史の始め）を編纂。
8 世紀	李白	盛唐の詩人。「**詩仙**」とよばれる。浪漫主義。『**秋浦歌**』（「白髪三千丈❻」で始まる五言絶句）
8 世紀	杜甫	盛唐の詩人。「**詩聖**」とよばれる。現実主義。律詩の表現を大成した。『**春望**』（「国破山河在」で始まる五言律詩）
9 世紀	白居易（白楽天）	中唐の詩人。『**長恨歌**』（長編の七言詩）
19～20 世紀	魯迅	小説家・思想家。社会・文化を批判した作品を執筆。『**狂人日記**』『**阿 Q 正伝**』

さらに詳しく

❹トルストイ：キリスト教的愛と良心による**人道主義的文学**を樹立。『アンナ・カレーニナ』『復活』など。

❺ヘミングウェイ：「**失われた世代**」の代表作家。死と隣接した現実を生きる人間を描きました。『**日はまた昇る**』『**武器よさらば**』『**誰がために鐘は鳴る**』など。

さらに詳しく

❻

白髪三千丈
縁愁似箇長
不知明鏡裏
何処得秋霜

白髪三千丈／愁に縁りて箇の似く長し／知らず明鏡の裏／何の処よりか秋霜を得たる

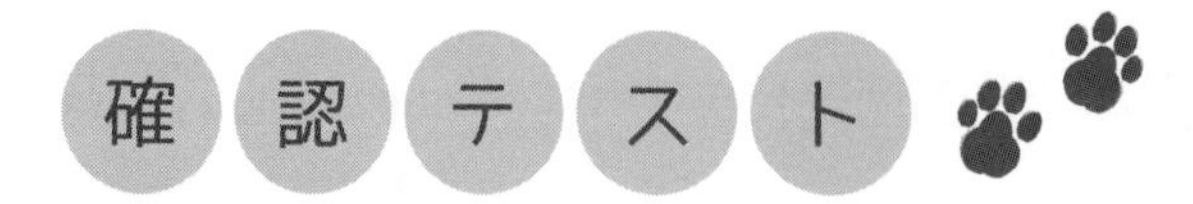

国語

1 次の漢字の読みを答えよ。

(1) 享受
(2) 含蓄
(3) 補填

1

(1) きょうじゅ
(2) がんちく
(3) ほてん

2 次の下線部に適する漢字を答えよ。

(1) 先生に<u>アイサツ</u>をする
(2) 問題解決に<u>ツト</u>める
(3) 作業の<u>シンチョク</u>を報告する
(4) 意見が<u>ムジュン</u>している
(5) アンケートに<u>カイトウ</u>する

2

(1) 挨拶
(2) 努
(3) 進捗
(4) 矛盾
(5) 回答

3 次の意味に合う語句・四字熟語を，下の**ア**～**キ**の中から選べ。

(1) 度量が大きく，細かいことにこだわらないさま。
(2) 少しのききめもなく，手ごたえのないこと。
(3) 他人のことに忙しく，自分のことに手が回らないこと。
(4) 自分にしっかりした意見がなく，他人の意見や行動にすぐ同調すること。

ア 付和雷同　**イ** 換骨奪胎　**ウ** 豪放磊落
エ 紺屋の白袴　**オ** とりつく島もない
カ 他山の石　**キ** 豆腐にかすがい

3

(1) ウ
(2) キ
(3) エ
(4) ア

4 次の文章の空欄に当てはまる言葉を答えよ。

(1) 「行く」の（　）語は「伺う」である。
(2) 「来る」の動詞活用を（　）活用という。
(3) 体言には，ものの名前を表す名詞と，名前に代わり事物を指示する（　）がある。
(4) 小春日和は（　）の季語である。

4

(1) 謙譲
(2) カ行変格
(3) 代名詞
(4) 冬

5 次の文章の下線部のうち，助動詞の「ない」を選べ。

ア　深く<u>ない</u>。
イ　見え<u>ない</u>。
ウ　誠意が<u>ない</u>。

5

イ

6 次の説明に適する人物や作品を（　）内から選べ。

(1) 大伴家持らによって編纂された現存最古の歌集。東歌・防人歌など民衆や兵士の歌が含まれている。
（**ア**　古今和歌集　**イ**　万葉集　**ウ**　後撰和歌集）
(2) 「鼻」「羅生門」などを執筆した，理知派・新技巧派の代表作家。
（**ア**　芥川龍之介　**イ**　志賀直哉　**ウ**　三島由紀夫）
(3) 天災地変，人生の無常，隠者の生活を記した，鴨長明の作品。
（**ア**　土佐日記　**イ**　徒然草　**ウ**　方丈記）
(4) 在原業平の歌を骨子とする歌物語。
（**ア**　竹取物語　**イ**　伊勢物語　**ウ**　源氏物語）
(5) ロシアの作家で，「戦争と平和」を執筆。
（**ア**　トルストイ　**イ**　ドストエフスキー
ウ　ユーゴー）

6

(1) イ
(2) ア
(3) ウ
(4) イ
(5) ア

1 単語・用語

頻出度 B

傾向&ポイント 単語の知識は，すべての問題を解く基礎となります。教育に関する用語や時事用語，略語も押さえておきましょう。

❶使い分けは以下の通りです。
●主語が単数のとき
I → am，you → are，he/she/it → is
●主語が複数のとき
we/you/they → are

さらに詳しく
❷不規則動詞の活用には4つの型があります。
● A-B-C型（原形・過去形・過去分詞が異なる）
例 know-knew-known
● A-B-A型（原形と過去分詞が同じ）
例 come-came-come
● A-B-B型（過去形と過去分詞が同じ）
例 make-made-made
● A-A-A型（原形・過去形・過去分詞が同じ）
例 put-put-put

1 動詞の活用

動詞には，**原形**，**現在形**，**過去形**，**過去分詞**があります。

☑ be動詞

原形はbe，現在形はam, is, are。主語に合わせて使い分けます[❶]。 **am/is-was-been，are-were-been**

☑ 規則動詞の活用

- 動詞の原形に -ed をつける
  visit-visited-visited　wash-washed-washed
- 動詞の原形に -d をつける（-e で終わる動詞）
  improve-improved-improved　live-lived-lived
- 子音字を重ねて, -ed をつける（短母音字＋子音字1つ）
  drop-dropped-dropped　plan-planned-planned
- y を i に変えて -ed をつける（子音字 +y）
  carry-carried-carried　try-tried-tried
- r を重ねて -ed をつける（母音字1つ +r1つ）
  bar-barred-barred　spar-sparred-sparred
- 子音字を重ねて -ed をつける
（最後の音節が強勢のある母音＋子音字1つ／r）
  transfer-transferred-transferred
- -ked をつける（-c で終わる動詞）
  traffic-trafficked-trafficked

☑ 不規則動詞の活用[❷]

規則動詞以外の活用をするものが不規則動詞です。
choose-chose-chosen　eat-ate-eaten

2 重要な用語❸

☑ 教育に関する用語

ICT：Information and Communication Technology
生涯学習：lifelong learning
学習指導要領：course of study
総合的な学習の時間：the Period for Integrated Study
AI：artificial intelligence
教育格差：educational inequality

☑ 時事用語

地球温暖化：global warming
温室効果：greenhouse effect
海洋汚染：marine pollution
厚生労働省：Ministry of Health, Labour and Welfare
文部科学省：Ministry of Education, Culture, Sports, Science and Technology
衆議院選挙：The House of Representatives election
デジタル庁：Digital Agency
世界遺産：world heritage
気候変動：climate change
UNESCO（国際連合教育科学文化機関）：United Nations Educational, Scientific and Cultural Organization
GDP（国内総生産）：Gross Domestic Product
WHO（世界保健機関）：World Health Organization
WTO（世界貿易機関）：World Trade Organization
ILO（国際労働機関）：International Labour Organization
IMF（国際通貨基金）：International Monetary Fund
NGO（非政府組織）：Non-Governmental Organization
ODA（政府開発援助）：Official Development Assistance
SDGs❹（持続可能な開発目標）：Sustainable Development Goals

❸日本の祝日についても覚えておきましょう。
元　旦：New Year's Day
成人の日：Coming-of-Age Day
建国記念の日：National Foundation Day
天皇誕生日：Emperor's Birthday
春分の日：Vernal Equinox Day
憲法記念日：Constitution Day
こどもの日：Children's Day
敬老の日：Respect-for-the-Aged Day
秋分の日：Autumnal Equinox Day
スポーツの日：Health & Sports Day
勤労感謝の日：Labor Thanksgiving Day

TIPS

❹SDGsとは，17のゴール・169のターゲットから構成される，2030年までに持続可能でよりよい世界を目指す国際目標のことです。

頻出度 A

熟語

傾向&ポイント 熟語の知識は，空欄補充の問題や書き換え問題で問われることが多いです。長文問題を解く鍵にもなるので，しっかり覚えておきましょう。

1 紛らわしい熟語

● **be familiar to ～** 「～によく知られている」
This song is familiar to young people.
（この歌は若者によく知られている。）

● **be familiar with ～** 「～に精通している」
She is familiar with Japanese culture.
（彼女は日本文化に精通している。）

● **made from ～**❶ 「～から作られた（原材料）」
Cheese is made from milk.
（チーズは牛乳から作られている。）

● **made of ～**❶ 「～で作られた（材料）」
This desk is made of wood.（この机は木製だ。）

● **made in ～** 「～で作られた（生産地）」
This coat is made in China.（このコートは中国製です。）

● **forget ～ ing** 「～したことを忘れる」
He forgot buying a movie ticket.
（彼は映画のチケットを買っていたことを忘れていた。）

● **forget to ～** 「～するのを忘れる」
I forgot to do my homework.
（私は宿題をするのを忘れた。）

● **remember ～ ing** 「～したことを覚えている」
I remember seeing your father.
（私はあなたの父親に会ったことを覚えています。）

● **remember to ～** 「忘れずに～する」

さらに詳しく
❶ made from ～ と made of ～の違い
made from ～は「原料」から形が変化している時に使います。
made of ～は見た目で「材料」がわかる時に使います。

Please remember to bring the textbook.
(教科書を持ってくるのを忘れないでください。)

● **stop ～ ing** 「～をやめる」

I stopped smoking.(私はタバコを吸うことをやめた。)

● **stop to ～** 「～するために立ち止まる」

She stopped to see the map.
(彼女は地図を見るために立ち止まった。)

● **be used to ～❷** 「～に慣れている」

He is used to taking a plane.
(彼は飛行機に乗ることに慣れている。)

● **used to ～❸** 「(前に) よく～した」

I used to play baseball when I was a child.
(私は子どもの頃よく野球をした。)

2 覚えておきたい熟語❹

● **according to ～** 「～によると」

According to my mother, he won't come here today.
(私の母によると，彼は今日ここには来ないでしょう。)

● **come up with ～** 「～を思いつく」

He came up with a great idea.
(彼はすばらしい考えを思いつきました。)

● **take care of ～❺** 「～を世話する」

I have to take care of my little sister.
(私は妹の世話をしなければならない。)

● **take part in ～❻** 「～に参加する」

I took part in volunteer activities yesterday.
(私は昨日ボランティア活動に参加しました。)

● **put ～ off** 「～を延期する」

I'll put the meeting off to the next Tuesday.
(会議は次の火曜日に延期します。)

● **look for ～** 「～を探す」

I am looking for this book.(この本を探しています。)

英語

❷ be used to ～の後ろには動名詞または名詞が入ります。

❸ used to ～の後ろには**原形の動詞**が入ります。

さらに詳しく

❹その他，以下の熟語も覚えておきましょう。

● in accordance with ～ 「～に従って」

● instead of ～ 「～の代わりに」

● look forward to ～ 「～を楽しみに待つ」

● look up to ～ 「～を尊敬する」

● provide ～ with … 「～に…を供給する」

❺ look after ～も同じ意味で用いられます。

❻ participate in ～も同じ意味で用いられます。

3 文法①

頻出度 B

傾向&ポイント 文法の基本事項は英語を正確に理解するためにも大切です。ここでは関係詞，完了形，仮定法について，基本の形と意味，使い方をしっかり身につけておきましょう。

1 関係詞

☑ **関係代名詞**❶ 前の名詞（先行詞）を後ろから修飾する節を導く接続詞のはたらきと，代名詞のはたらきをします。先行詞が「人」か「物」か，また導く節の中でどうはたらくかで，使う関係代名詞が決まります。

Do you know the girl **who** can play the piano?
(ピアノを弾ける女の子を知っていますか。)〈**主格**〉

I have a friend **whose** father is a teacher.
(私には父親が教師の友人がいます。)〈**所有格**〉

The book (**which**) I read yesterday was interesting.
(私が昨日読んだ本はおもしろかったです。)〈**目的格**〉

☑ **関係代名詞 what** 「…こと（もの）」という意味。

What he said was true. (彼が言ったことは本当だった。)

☑ **関係副詞**❷ 先行詞を後ろから説明する節を導く接続詞の働きと，副詞の働きをします。

This is the museum **where** I saw the painting.
(これは私がその絵画を見た美術館です。)

さらに詳しく

❶先行詞に最上級，all, the only, all, every などがつく場合は that が好まれますが，先行詞が「人＋物・動物」の場合にも that を用います。

先行詞	主格	所有格	目的格
人	who	whose	who/whom
物動物	which	whose	which
人物動物	that	-	that

※目的格の関係代名詞は省略されることが多い。

❷先行詞が「場所」を表す場合は where,「時」の場合は when,「理由（the reason)」の場合は why,「方法（the way)」は how を用います。how の場合は先行詞 the way か関係副詞 how のどちらかを省略します。

2 完了形

☑ **現在完了**❸ 《**have [has]＋過去分詞**》の形で，「過去とつながりのある現在の状況」を表します。過去を明確に表す語句（yesterday など）と一緒に用いられません。「(今) ～したところだ / ～してしまった」〈**完了・結果**〉，「ずっと～している」「ずっと～である」〈**継続**〉，「～したことがある」〈**経験**〉という意味があります。

She **has** just **finished** her homework. 〈**完了・結果**〉
（彼女は宿題をちょうど終えたところです。）

Has he **lived** in Tokyo for long? 〈**継続**〉
（彼は長い間東京に住んでいるのですか。）

I **have** never **been** to Hokkaido. 〈**経験**〉
（私は一度も北海道に行ったことがありません。）

☑ **過去完了❹** 《**had ＋過去分詞**》の形で，過去のある時までの〈完了・結果〉〈経験〉〈継続〉，過去のある時よりも前に起こった事柄〈大過去〉を表します。

He **had** already **left** before she arrived.
（彼女が着く前に，彼は出発してしまった。）

☑ **未来完了❹** 《**will ＋ have ＋過去分詞**》の形で，未来のある時までの〈完了・結果〉〈経験〉〈継続〉を表します。

If I see the movie again, I **will have seen** it three times.（その映画をまた見たら，3 回見たことになります。）

3　仮定法

☑ **仮定法過去❺** 《**If ＋主語＋動詞の過去形～，主語＋助動詞の過去形＋動詞の原形**》「もし～なら，…するのに」の形で，現在の事実に反する仮定を表します。

If I **were** a bird, I **could fly** in the sky.
（もし私が鳥なら，空を飛べるのに。）

☑ **仮定法過去完了** 《**If ＋主語＋ had ＋過去分詞～，主語＋助動詞の過去形＋ have ＋過去分詞**》「もし～だったら，…したのに」で，過去の事実に反する仮定を表します。

If he **had asked** me, I **would have helped** him.
（もし彼が私に頼んでくれたら，私が彼を助けたのに。）

☑ **I wish ＋仮定法** 「～ならよい［よかった］のに」

I wish he **were** here.（彼がここにいればいいのに。）

I wish I **had finished** my homework yesterday.
（宿題を昨日終わらせておけばよかった。）

さらに詳しく

❸〈完了・結果〉は just, already, yet など，〈継続〉は期間を表す for や since，〈経験〉は never, often, 回数を表す語句や ever などの副詞（句）を伴うことが多いです。

過去
過去完了
had ＋ 過去分詞
過去のある時点
過去形
現在完了
have ＋ 過去分詞
現在
現在形
未来

❹過去完了［未来完了］は過去［未来］のある時点を基準にした［現在を基準にした］現在完了と同じ意味を表します。

❺仮定法過去の動詞の過去形は be 動詞なら通常 were を用います。助動詞の過去形は would, should, could, might などがあります。

文法②

傾向&ポイント 比較表現，不定詞，分詞はよく出題されます。様々な表現がありますが，文中での働きに注目しながら，使い方を押さえていきましょう。

1 比較表現

❶形容詞・副詞の比較級・最上級は -er・-est また more~・most~ をつけて規則変化をするものと，-er・-est などをつけずに不規則変化をするもの（例：good-better-best/bad-worse-worst）があるので，確認しておきましょう。

❷ than「~より」の代わりに to を使う語（senior（年上の），junior（年下の），superior（優れた），inferior（劣った））があります。
This machine is superior to that one.
また，prefer A to B で「B より A を好む」となります。I prefer coffee to tea.

形容詞や副詞の形を変化させて❶，他のものとその程度を比較します。〈原級〉「…と同じくらい~」，〈**比較級**❷〉「…より~」，〈**最上級**〉「(…の中で) 最も~」があります。

This book is **as useful as** that one. 〈**原級**〉
（この本はあの本と同じくらい役に立ちます。）

This book is **more useful than** that one. 〈**比較級**〉
（この本はあの本より役に立ちます。）

The Shinano is **the longest** river in Japan. 〈**最上級**〉
（信濃川は日本で最も長い川です。）

☑ 比較の慣用表現

as 原級 as one **can**「できるだけ~」=**as 原級 as possible**
Read **as many** books **as you can**.

the + 比較級~，the + 比較級…「~すればするほど…」
The higher we go up, **the colder** it gets.

one of the +最上級+名詞の複数形「最も~の1つ」
Kyoto is **one of the oldest cities** in Japan.

2 不定詞

《**to + 動詞の原形**》の形で，文中で名詞，形容詞，副詞の働きをする3つの用法があります。

〈**名詞用法**〉「~すること」名詞と同じように，文の主語，補語，目的語になります。

〈**形容詞用法**〉「~すべき…，~する（ための）…」名詞や代名詞を後ろから修飾します。
〈副詞用法[3]〉「～するために（目的），～して（原因・理由），（…その結果）～（結果）」動詞や形容詞などを修飾します。

To read books is important. **〈名詞用法〉**
＝ It is important for me **to read** books.
（本を読むことは重要です。）

Please lend me something **to write with.** **〈形容詞用法〉**
（何か書くものを貸してください。）

My sister went to France **to study** music. **〈副詞用法〉**
（私の妹は音楽を勉強するためにフランスへ行きました。）

☑ 不定詞を含む重要表現

too ＋形容詞〔副詞〕＋ **to** ～「あまりに…なので～できない」 I am **too** tired **to walk** any more.
形容詞〔副詞〕＋ **enough to** ～ 「～するのに十分…だ」
He was kind **enough to carry** my bag.
疑問詞（what など）＋ **to** ～ 「（何を）～すればよいか」
I don't know **what to do.**

3 分詞

現在分詞「～している」と**過去分詞**「～された［されている］」があります。名詞の前か後ろに置かれて名詞を修飾する用法[4]と，文の補語になる用法があります。

Who is the *girl* **talking** with my brother? **〈分詞後置〉**
（私の兄と話している女の子はだれですか。）

There were many **broken** *toys* in the box. **〈分詞前置〉**
（箱の中にたくさんの壊れたおもちゃがありました。）

The baby kept **crying** all morning. **〈SVC（現在分詞）〉**
（その赤ちゃんは午前中ずっと泣いていました。）

The man sat **surrounded** by children. **〈SVC（過去分詞）〉**
（その男の人は子どもたちに囲まれて座っていました。）

I saw you **walking** in the rain. **〈SVOC（現在分詞[5]）〉**
（私はあなたが雨の中を歩いているのを見ました。）

さらに詳しく
[3]目的をはっきりさせるために in order [so as] to ～「～するために」という表現があります。I got up early in order to study math.

さらに詳しく
[4]名詞の前に置かれて名詞を修飾する用法を**分詞前置**，名詞の後ろに置かれる用法を**分詞後置**といいます。
[5] SVOC（現在［過去］分詞）の文型を作る動詞に，知覚動詞（see など「O が～している［される］のを見る」），使役動詞，keep [leave] などがあります。C（分詞）は O（目的語）の説明をします。

5 ことわざ

頻出度 B

傾向＆ポイント ことわざそのものの意味，英語での表現，日本語での表現と併せて覚えましょう。何度も読んで暗記してしまいましょう。

1 直訳と日本語の表現が近いことわざ

TIPS

❶イギリスや日本では，「職業や住居を転々とする人は地位も財産もできない」という意味で用いられますが，アメリカでは「活動的な人は新鮮である」という意味で用いられます。

❷「put off ～」
～を先延ばしにする，延期する。

❸「those who ～」
～する人

☑ ローマは一日にして成らず

Rome was not built in a day.

訳：ローマは１日で建てられたのではない。

意味：大きなことを成し遂げるのには時間がかかる。

☑ 転石苔むさず❶

A rolling stone gathers no moss.

訳：転がる石には苔はつかない。

意味：職業や住居を転々とする人は地位も財産もできない。

☑ 光陰矢の如し

Time flies（like an arrow).

訳：時は（矢のように）飛んでいく。

意味：月日が経つのはとても早い。

☑ 今日できることを明日に延ばすな

Don't put off❷till tomorrow what you can do today.

意味：今日できることを明日まで延ばしてはいけない。

☑ 天は自ら助くるものを助く

Heaven helps those who❸help themselves.

意味：他人に頼らず努力する者には天の助けがあり，必ず幸福になる。

☑ 溺れる者は藁をもつかむ

A drowning man will catch at a straw.

訳：溺れかけている人は藁をもつかもうとする。

意味：困っているときは，どんなものにでも頼ってしまう。

2 直訳と日本語の表現が異なることわざ❹

☑ **早起きは三文の徳**

The early bird catches the worm.

訳：早起きの鳥は虫を捕まえる。

意味：早く起きるといいことがある。

☑ **三人寄れば文殊の知恵**

Two heads are better than one.

訳：2 人の頭脳は 1 人の頭脳よりもまさる。

意味：3 人集まれば，よい知恵が生まれる。

☑ **蓼食う虫も好き好き**

There's no accounting❺ for tastes.

訳：好みは説明することができない。

意味：人の好みはさまざまである。

☑ **覆水盆に返らず**

It is no use crying❻ over spilt milk.

訳：こぼれた牛乳に嘆いても仕方がない。

意味：一度してしまったことは，元には戻らない。

☑ **類は友を呼ぶ**　Birds of a feather flock together.

訳：同じ羽の鳥は一緒に集まる。

意味：似ている人どうしは自然と集まり友達になる。

☑ **明日の百より今日の五十**

A bird in the hand is worth two in the bush.

訳：手の中の 1 羽の鳥は藪の中の 2 羽の価値がある。

意味：多少は悪くとも確実な方がよい。

☑ **百聞は一見に如かず**　Seeing is believing.❼

訳：見ることは信じることである。

意味：人から聞くよりも自分で見たほうが確実である。

☑ **郷に入っては郷に従え**

When in Rome, do as the Romans do.

訳：ローマにいるときは，ローマ人がするようにしなさい。

意味：よその土地では，そこの決まりや習慣に従うべきだ。

❹同じ意味を持つことわざでも，英語と日本語のことわざでは違うたとえが用いられていることがあります。

❺「There is no ～ ing.」
～できない。

❻「It is no use ～ ing.」
～しても無駄である。

さらに詳しく

❼ To see is to believe. のように，to 不定詞を使って表すこともできます。

6 会話文①

頻出度 B

傾向&ポイント 日常生活で頻繁に使われる会話表現には決まり文句が多いので，何度も声に出しながら覚えていきましょう。会話の中の空欄補充などの出題が多くみられます。

1 場面に応じた会話表現

☑ 電話

Hello. **This is** Emi (speaking). もしもし，エミです。

May[Can] I speak to Tom? トムをお願いします。

Who's calling? どちら様ですか。

Hold on[Hold the line], please. 少々お待ちください。

The line is busy. 話し中です。

Can I **take a message?**[1][2] 伝言を承りましょうか。

You have **the wrong number.** 番号をお間違えです。

A: Hello.
B: Hello. This is Danny. May I speak to Emi?
A: Sorry, she's out right now. She won't be back until 6:00. Could I take a message?
B: Yes, please. Could you tell her to call me back?

☑ 道案内

Could you tell me how to get to the station? [3]
駅への道を教えていただけませんか。

I'm **a stranger** here. この辺りはわからないんです。

Is there a post office near here?
この近くに郵便局はありますか。

How long does it take? — It takes 10 minutes on foot.
どのくらいかかりますか。—徒歩 10 分です。

さらに詳しく

❶答える時は，Yes, please. /No, thanks. I'll call back. などが使われます。

TIPS

❷ take a message「伝言を受ける」, leave a message「伝言を残す」
Can I leave a message?- Certainly. 「伝言をお願いできますか。- もちろんです」

❸ 他に，Could you tell me the way ～? や How can I get to ～? も使われます。

A: Could you tell me how to get to City Hall?
B: Let me see. Go to the next corner and turn left. Walk three blocks to Second Avenue and turn right. You'll see it on your right.

☑買い物

May I help you?　いらっしゃいませ。

I'm looking for a jogging shirt for my son.

息子にジョギングシャツを探しているのですが。

How about this shirt? ❹こちらのシャツはいかがですか。

Can I **try it on**?　試着をしてもいいですか。

Do you have **a smaller size**?

小さいサイズはありますか。

How much is this sweater?

このセーターはいくらですか。

I'll **take it**.　それをいただきます。

A: May I help you?
B: Yes, please. I'm looking for a T-shirt for my son.
A: How about this blue one?
B: This one is really cute, but a little expensive.

☑レストラン

What would you like?❺　何になさいますか。

For here or to go?

こちらでお召し上がりですか，お持ち帰りですか。

Anything else?　他にご注文はありますか。

A: May I take your order?
B: I'd like the beefsteak.
A: Okay. How would you like your steak? ❻
B: Medium [Rare, Well-done], please.
A: And would you prefer rice or a baked potato?
B: Hmm. I prefer a baked potato.
A: What would you like to drink with that?
B: Well... I'll have a glass of white wine.

さらに詳しく

❹It's too ... やI don't like ... などで希望するものを伝えられます。It's too large.「大きすぎます」

さらに詳しく

❺I'd like to have ～「～が欲しいです」を使って答えられます。

❻ステーキなどを頼むと焼き方（調理法）を尋ねられます。How would you like ～ ?「～はどういたしましょうか」

会話文②

頻出度 B

傾向＆ポイント 依頼・勧誘・許可などの表現には，助動詞を使った表現が多いです。日常生活でよく使われる表現なので，答え方も含めてしっかり覚えておきましょう。

1 依頼・勧誘・許可などの表現

☑ 依頼

Will[Can]you help me? 手伝ってくれませんか。❶

Sure[Certainly]. / Yes, of course.

いいですよ。/ もちろんです。

I wonder if you could tell me about the exam.

試験について教えていただけないでしょうか。

Would you do me a favor?

（親しい間柄の人に）お願いがあるのですが。

Please **let me know** when you have time.

今度あなたに時間があるときご連絡ください。

Do you mind if I ask you a question?❷

あなたに質問をしてもいいですか。

> A: What are you going to bring to the welcome party this Saturday?
> B: I'll bring some cookies. How about you?
> A: I haven't decided yet. Could you give me any suggestions?
> B: You are good at making an apple pie. Why don't you make it?

☑ 勧誘・提案

Will you have some coffee?❸ — **Yes, please. / No, thank you.**

コーヒーはいかがですか。—お願いします。/ 結構です。

さらに詳しく

❶「～してくださいませんか」と丁寧に言うときは，Would[Could] you～?を使います。断るときは，I'm sorry, I can't. などと答えます。

❷ Do you mind if ～?は「～したら気にしますか（→～してもいいですか)」と許可を求める表現になります。また，Do you mind A[A's]～ing ? と言い換えることもできます。質問に対して Yes と答えると「だめです」という意味になるので，「いいです」と答えるときは，No, of course not. などと答えます。

TIPS

❸ Would you like some coffee? は丁寧な言い方です。

Would you **like to** play tennis? — OK.
テニスをしませんか。—いいですよ。
Why don't you ask your teacher about the exam?
先生に試験について聞いてみたらいかがですか。
What do you say to becoming a pharmacist? ❹
薬剤師になるのはいかがですか。
Shall we［**Why don't we**］have Chinese food?❺ —
Yes, let's. / No, let's not.
中華料理を食べましょう。—そうしましょう。/ やめましょう。
How［**What**］**about** going on a picnic? ❹ /That's a good idea.
ピクニックに行くのはどうですか。—いい考えですね。

A: Have you decided what to do after graduation?
B: I want to become a preschool teacher, but I don't know how.
A: Why don't you go to the career counseling office?
B: Sounds good. Could you take me there after school?
A: Sure. Shall we meet here at four?

☑ 許可

May［**Can**］**I** ask you a favor?❻　お願いがあるのですが。
Sure［**No problem**］. いいですよ。
Do you mind if I tell your boss about the accident?
その事故についてあなたの上司に話してもいいですか。
No(, go ahead)./ **Not at all.**　いいですよ。
(**Yes,**) **I mind.**　やめてください。
Is it all right if I go out now?
今外出してもいいですか。

A: Excuse me, but do you mind if I smoke here?
B: I'd rather you didn't. Why don't you smoke outside?
A: OK.

英語

❹ What do you say to や How［What］about のあとは動名詞（ing 形）が続くことに注意しましょう。
❺ Shall we ～ ? は Let's ～ . と言い換えることができます。

❻ May［Can］I ～ ?「～してもいいですか」

8 文章読解

頻出度 B

傾向&ポイント 問題文の長さや文章の形式は自治体によってさまざまです。過去問を確認して出題傾向をつかみましょう。長文が出題される自治体を受験する場合には，速読のトレーニングをしておきましょう。

1 説明文❶❷

次の□内の英語が説明しているものを，下の①～④の中から１つ選びなさい。

a flat narrow piece of plastic, metal, wood etc, which is used for measuring things or drawing straight lines.

① ruler　② stapler　③ glue　④ eraser

正解：①　**解説**：和訳すると，「プラスチックや金属，木などで作られている，平らな，幅が狭いもので，物を測ったり，直線を引くときに使われる」となり，正解は①の「定規」。その他の選択肢は②ホチキス，③のり，④消しゴム。

'Respect-for-the-Aged Day' is a Japanese holiday for honoring the aged and wishing them a long and happy life. It is held on the third Monday in September every year.

①勤労感謝の日 ②敬老の日 ③成人の日 ④建国記念の日

正解：②　**解説**：日本の祝祭日に関する問題です。和訳すると，「'Respect-for-the-Aged Day' は老人を敬い，長寿を願う日本の祝日です。毎年９月の第３月曜日に祝われます。」となり，正解は②の敬老の日。その他の選択肢は英語で，① Labor Thanksgiving Day，③ Coming-of-Age Day，④ National Foundation Day❸。

one POINT

❶英語の説明文から説明しているものを考える問題は，英英辞書を引く習慣をつけておくと対応できます。
❷わからない単語はひとまず飛ばし，わかった単語から内容を推測しましょう。
flat「平らな」
measure「～を測る」
respect「敬う」
the aged「老人」
the + 形容詞 で「人」を表します。
例）the young 若い人，the rich 裕福な人

❸日本の祝祭日や行事など，日本のことを英語で簡単に説明できるようにしましょう。

2　案内文❹

次の案内文に書かれている内容について，正しいものを下の①～⑤の中からすべて選びなさい。

Sky Tower

Sky Tower is a symbol tower of Sorano City. It is a tower of 60 stories, completed in 2015. From the observatory at the top floor, you can enjoy the landscape of the town. You can also have a panoramic view of the ocean. Many people visit Sky Tower on the New Year's Day and see the first sunrise of the year.

● Opening Hours

Summer season (April-September) 10:00 ~ 22:00
Winter season (October-March) 11:00 ~ 21:00
(Open from 21:00 on December 31 to 11:00 on January 1)
*Last entry is possible 30 minutes prior to the above closing times.
*Sky Tower is normally closed on every second and fourth Monday of the month.
*Due to maintenance, Sky Tower is closed on the third Monday in the even-numbered month.
*There are cases in which the observatory will be closed due to unavoidable situations, such as a strong wind, heavy snow or other severe weather, and facility inspections to confirm safety.

● Ticket Information

Regular ticket: Adult(age 18+): 2000 yen Student: 1200 yen Senior(age 65+): 1800 yen
Annual pass: Adult 8000 yen Student: 6000 yen
*Preschool children can enter for free.
*Regular tickets can be purchased online or at the on-site ticket office.
*Annual passes can be purchased only online.

①スカイタワーの展望室からは広大な海が見える。　②９月の最終入場可能時刻は午後９時半である。
③スカイタワーの定休日は毎月第３月曜日である。　④未就学児は無料で入場できる。
⑤年間パスポートは，現地のチケット売り場で購入できる。

正解：①，②，④

解説：①は本文３，４文目に「最上階の展望室からは町の眺めを楽しむことができる。また，広大な海を見ることができる」，②③は Opening Hours に「9 月は 22 時に閉まる，そして最終入場はその 30 分前」，「スカイタワーは通常第２，第４月曜日は閉鎖」，④⑤は Ticket Information に「未就学児は無料で入場できる」，「年間パスポートはオンラインでのみ購入できる」とあります。

❹案内文などの文章は，見出し語をヒントにして，どこに何が書いてあるかを推測しましょう。

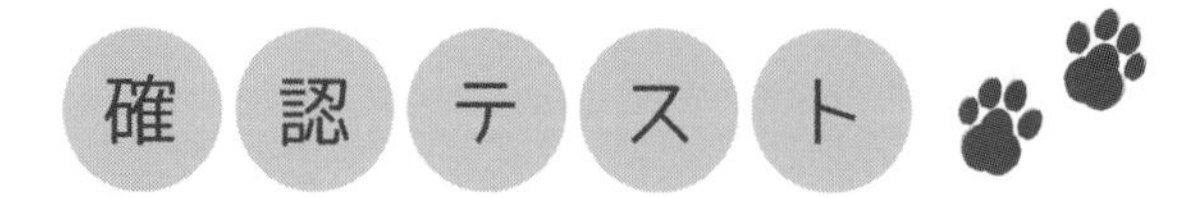

英語

1 次の各文の（　）内から適する語句を選べ。

(1) Wine is made（**ア** in　**イ** from　**ウ** of) grapes.

(2) I'll（**ア** put　**イ** get　**ウ** take）the party off to the next week.

(3) "Have you ever been to Hokkaido?"
"Yes, I have. I (**ア** have gone　**イ** had gone　**ウ** went）there last summer."

(4) Who is the boy（**ア** played　**イ** playing　**ウ** to play）basketball with my friend.

(5) My father（**ア** used　**イ** would　**ウ** should）to take a walk before breakfast.

(6) "I couldn't finish my homework yesterday."
— "If you（**ア** had asked　**イ** have asked　**ウ** should asked　**エ** would ask）me, I would have helped."

1

(1) イ
(2) ア
(3) ウ
(4) イ
(5) ア
(6) ア

2 次の質問文に適切な応答をあとの**ア**～**エ**から選べ。

(1) Can I ask who is calling?

(2) Would you like some help with your homework?

(3) Could you tell me where the post office is?

(4) Would you do me a favor?

ア Thanks, but I can do it by myself.

イ Sure, it's just around the corner.

2

(1) エ
(2) ア
(3) イ
(4) ウ

ウ　Sorry, I'm busy at the moment.
エ　I'm Emi, one of your students.

3　次の日本語のことわざに対応する英語を下の**ア**～**エ**から選べ。

(1)　郷に入っては郷に従え
(2)　覆水盆に返らず
(3)　早起きは三文の徳
(4)　溺れる者は藁をもつかむ

ア　The early bird catches the worm.
イ　When in Rome, do as the Romans do.
ウ　A drowning man will catch at a straw.
エ　It is no use crying over spilt milk.

3
(1)　イ
(2)　エ
(3)　ア
(4)　ウ

4　次の英文が説明しているものを英語で答えよ。

a book that gives a list of words in alphabetical order and explains their meanings

4
dictionary

5　次のＥメールを読み，その内容として，適切なものを下の**ア**～**ウ**から選べ。

Dear Mary,
How are you? Our school festival will be held on Saturday, June 11th, from 10:00 A.M. until 5 P.M. Would you like to come and join us? It will be so good to see you there.
Please let me know if you can come.
Looking forward to hearing from you.
Tomo

ア　贈り物への礼状　**イ**　友人への招待状
ウ　旅行日程の確認

5
イ

1 原始時代〜飛鳥時代

傾向&ポイント 原始時代は，人々のくらしや使われた道具などがポイントとなります。古墳時代以降は，用語の正確な意味も覚えておきましょう。

頻出度 B

1 原始時代

旧石器時代[1]

石を打ち欠いただけの**打製石器**を用い，狩猟・採集・漁撈(ぎょろう)によって生活しました。**相沢忠洋**(あいざわただひろ)が，**岩宿遺跡**(いわじゅく)（群馬県）を発見して日本の旧石器文化を確認しました。

縄文時代（約1万3000年前〜）

厚手でもろい**縄文土器**を使い，**竪穴住居**(たてあな)に住みました。祭祀用に女性をかたどった**土偶**を使用。**大森貝塚**[2]（東京都），**三内丸山遺跡**(さんないまるやま)（青森県）が主要な遺跡です。

弥生時代[3]（約2300年前〜）

大陸から**稲作**が伝わり，薄手で丈夫な**弥生土器**を用いるようになりました。**銅鐸**(どうたく)などの**金属器**，穀物を貯蔵する**高床式倉庫**(たかゆか)が登場しました。

「むら」から「くに」へ

貧富の差や身分が生まれ，争いも起きるようになります。漢に使いを送った**奴国**(なこく)の王（金印が現存），魏(ぎ)に使いを送った**邪馬台国の卑弥呼**[4]など，有力な王も登場しました。

2 古代国家の成立

古墳時代（3世紀後半〜）

奈良盆地に成立した**大和政権**（大和朝廷）[5]が，全国に支配を広げ，大王を中心とする古代国家を築きました。有力者の墓である**古墳**（**前方後円墳**など）がつくられました。

さらに詳しく
❶旧石器時代は氷河時代で，日本は大陸とつながっていました。旧石器時代の人々は，ナウマンゾウやオオツノジカなどを狩って暮らしました。

❷「貝塚」
食用にした貝殻や魚の骨などを捨てた場所のこと。

さらに詳しく
❸登呂遺跡（静岡県），吉野ケ里遺跡（佐賀県）などが主要な遺跡です。
❹卑弥呼の記述は，中国の歴史書『魏志』倭人伝に登場します。
❺大和政権の首長を大王(おおきみ)といい，のちの天皇となります。

☑ 氏姓制度

豪族たちは血縁によって**氏**（蘇我氏，物部氏など）でまとまり，**姓**（臣・連など）の地位を与えられました。

☑ 飛鳥時代（6 世紀末～）

奈良盆地南部の飛鳥に都があった時代です。**聖徳太子**[6]が推古天皇の**摂政**となり，仏教に基づいて天皇中心の国制を整えようとしました。

《 聖徳太子の政治 》

冠位十二階	才能によって役人を登用。
十七条の憲法	役人の心構えを示す。
遣隋使	小野妹子を隋に派遣。
法隆寺の建立	飛鳥時代を代表する仏教建築。

さらに詳しく
[6]近年の教科書では厩戸王と表記されるケースが増えていますが，厩戸王の名称は古代の文献には見られません。一方，聖徳太子の名称は『懐風藻』『日本三大実録』などの文献に広く見られます。

☑ 大化の改新

645 年，**中大兄皇子**（後の**天智天皇**）と**中臣鎌足**が協力して蘇我氏を滅ぼし，中央集権体制を目指しました。土地・人民を天皇の支配下におく**公地公民**，6 歳以上の男女に口分田を与え，死後に返還させる**班田収授法**などがあります。

☑ 白村江の戦いと壬申の乱

中大兄皇子は，**百済**救援のために軍を送りますが，**唐**・**新羅**の連合軍に大敗しました（**白村江の戦い**[7]）。天智天皇の死後には，後継者争いの**壬申の乱**が起きます。天智天皇の弟が勝利し，**天武天皇**として即位しました。

さらに詳しく
[7]古代の朝鮮半島には，**百済**・**新羅**・**高句麗**の 3 国がありました。百済・高句麗は滅ぼされ，新羅が統一します。

☑ 律令国家の成立

持統天皇[8]のとき，唐の都・長安をモデルに**藤原京**を造営。701 年，刑部親王や藤原不比等により**大宝律令**が成立しました。大宝律令は日本初の本格的な律令で，「律」は刑法，「令」は行政法などを指しています。

さらに詳しく
[8]持統天皇は，天武天皇の妻で，夫の死後に天皇になりました。

奈良時代～平安時代

傾向&ポイント 奈良時代に関しては，税制や土地制度の変化が重要です。主要な文学作品やその作者も覚えておきましょう。

頻出度 A

1 奈良時代

奈良時代の政治

710年，唐の都・**長安**にならって**平城京**❶が建設されました。東西に**市**が設けられ，**和同開珎**が流通。**遣唐使**❷を派遣し，唐の制度・文化を吸収しました。**聖武天皇**は仏教をあつく信仰し，奈良に**東大寺**，全国に**国分寺**・**国分尼寺**を建立し，**大仏**を造立しました。

権力の移り変わり

藤原不比等→長屋王（**長屋王の変**で自害）→藤原四子→橘諸兄→藤原仲麻呂（別名・恵美押勝。**藤原仲麻呂の乱**で敗死）→道鏡，と最高権力者が目まぐるしく変わりました。

農民の負担❸

租（収穫した稲の約3%），**庸**（労働の代わりに麻布），**調**（地方の特産物），**雑徭**（年60日以下の労役），**兵役**❹など，農民には重い負担がありました。

土地制度の変化

班田収授法の行き詰まりにより，723年に3世代まで新たに開墾した土地の私有を認める**三世一身法**が制定されました。743年，開墾した土地の永久私有を認める**墾田永年私財法**が制定され，公地公民制度は崩れました。

奈良時代の文化（天平文化）

歴史書の『**古事記**』『**日本書紀**』，歌集の『**万葉集**』，国ごとの地理や産物をまとめた『**風土記**』が成立しました。

さらに詳しく

❶平城京は，碁盤の目のように区画する条坊制が採用されました。中央には朱雀大路が通り，内裏や官庁が置かれました。

❷九州北部には太宰府が設置され，九州の統治や外交などを担当しました。

❸農民から確実に税をとるため，戸籍や計帳がつくられました。しかし，重い負担によって逃亡する農民が相次ぎました。

❹特に九州北部の警備兵は**防人**といいます。

2 平安時代

桓武天皇の政治

桓武天皇は，律令政治を立て直すため**平安京**に遷都しました。また，**坂上田村麻呂**（さかのうえのたむらまろ）を**征夷大将軍**に任命して**蝦夷**（えみし）[5]を討伐させました。

摂関政治

10 世紀以降，天皇家と婚姻関係を結んだ藤原氏が権力を握りました。**藤原良房**（ふじわらのよしふさ）が初の**摂政**[6]，その養子・**基経**（もとつね）が初の**関白**に就任。藤原氏は摂関を独占し，11 世紀の**藤原道長**（ふじわらのみちなが）・**頼通**（よりみち）父子の時代に全盛期となりました。

[5]「蝦夷」
東北地方に住んでいた，朝廷に従わない民のことです。

[6]「摂政」
幼少の天皇や女性の天皇に代わって政治を行いました。関白は成人した天皇を補佐して政治を行いました。

平安時代の文化

唐で学んだ**空海**は**真言宗**を開き，**高野山金剛峯寺**（こんごうぶじ）を創建。同じく**最澄**は**天台宗**を開き，**比叡山**（ひえいざん）**延暦寺**を創建しました。894 年には**菅原道真**[7]の建議で**遣唐使が停止**され，その後は**かな文学**などの国風文化が栄えました。

『源氏物語』	**紫式部**の長編小説。
『枕草子』	**清少納言**の随筆。
『古今和歌集』	紀貫之（きのつらゆき）らが編纂した勅撰和歌集。
寝殿造（しんでんづくり）	平安時代の貴族の邸宅の様式。
平等院鳳凰堂（ほうおう）	藤原頼通が建立した阿弥陀堂。

さらに詳しく

[7]菅原道真は宇多天皇に重用されましたが，藤原氏の陰謀で失脚しました。

武士の登場

9 世紀末から 10 世紀にかけて，地方の豪族などが武士に成長しました。関東の**平将門の乱**（たいらのまさかど），瀬戸内の**藤原純友の乱**（ふじわらのすみとも）など，武士の反乱も発生しました。

院政と武士の台頭

1086 年，**白河上皇**が藤原氏を抑えるため**院政**をはじめました。しかし，院政期の権力闘争は武士の**平清盛**[8]の発言力を高めます。**保元の乱**（ほうげん）・**平治の乱**（へいじ）に勝利した平清盛は，1167 年に武士として初めて太政大臣となりました。

さらに詳しく

[8]平清盛は，平治の乱で源義朝（みなもとのよしとも）（頼朝の父）を破りました。また，兵庫の港（大輪田泊（おおわだのとまり））を整備して日宋貿易を行いました。

鎌倉・室町時代

傾向＆ポイント 鎌倉時代では仏教の宗派名と開祖を覚えておきましょう。北山文化，東山文化の区別もポイントです。

頻出度 A

1 鎌倉時代

☑ 治承（じしょう）・寿永（じゅえい）の乱（源平合戦）

1180 年に**源頼朝**が東国で挙兵。**源義経**らの活躍で，1185 年の**壇ノ浦の戦い**で平氏は滅亡しました。

☑ 鎌倉幕府の成立

源頼朝は初の武家政権を樹立しました❶。1185 年，頼朝は朝廷から全国に**守護**・**地頭**を設置する権限を得て，1192 年には**征夷大将軍**に就任しました。源氏の将軍は 3 代で途絶え，**執権**の**北条氏**❷が実権を握りました。

☑ 鎌倉幕府のしくみ

主人と従者は，土地の給与（**御恩**）と軍役（**奉公**）による主従関係で結ばれました（**封建制度**）。3 代執権**北条泰時**は，初の武家法として**御成敗式目**（ごせいばいしきもく）（貞永式目）を制定。

☑ 鎌倉時代の戦乱

1221 年，**後鳥羽上皇**が朝廷の復権を目指して挙兵するも敗れました（**承久の乱**（じょうきゅう））。戦後，京都に**六波羅探題**（ろくはらたんだい）が設置されます。1274 年と 1281 年には，**元**（げん）（モンゴル）が北九州に襲来❸しました（**元寇**）。元寇の後，窮乏する御家人❹を救済するため，**永仁の徳政令**（えいにん）が出されました。

☑ 鎌倉時代の文化

運慶・**快慶**が**東大寺南大門**に**金剛力士像**を制作。軍記物語の**『平家物語』**などが書かれました。念仏宗（法然の**浄土宗**，親鸞（しんらん）の**浄土真宗**，一遍（いっぺん）の**時宗**（じしゅう）），禅宗（栄西（えいさい／ようさい）の**臨済宗**，道元の**曹洞宗**（そうとうしゅう）），日蓮の**法華宗**といった新仏教も登場。

さらに詳しく

❶鎌倉幕府には，御家人を統制する侍所（さむらいどころ），一般政務を行う政所（まんどころ），訴訟を扱う問注所（もんちゅうじょ）が設置されました。

❷北条氏は，頼朝の妻政子の一族です。初代執権が北条時政，2 代執権が義時です。

❸ 1 度目は文永の役，2 度目は弘安の役といい，8 代執権北条時宗が対処しました。

❹御家人が窮乏した理由には，分割相続や貨幣経済の発展，元寇の恩賞が不十分だったことなどが挙げられます。

2 南北朝時代

建武の新政

1333年，後醍醐天皇の倒幕のよびかけに，**足利尊氏**ら御家人が応じたため鎌倉幕府は滅亡。後醍醐天皇の親政が行われますが，後醍醐天皇と足利尊氏の対立で崩壊しました。

南北朝の分裂❺

1336年に足利尊氏に敗れた後醍醐天皇は**吉野**に逃れ，**南朝**を開きました。尊氏も京都に天皇を擁立し（**北朝**），60年にわたって朝廷の分裂が続きました。

3 室町時代

室町幕府❻の成立

足利尊氏は1336年に**建武式目**を定め，政治の方針を示しました。1338年に尊氏は征夷大将軍❼に就任しますが，**観応の擾乱**❽などの戦乱が続きました。

足利義満の政策

3代将軍の**足利義満**は，南北朝の統一や有力守護大名の粛清などを行いました。また，明と通交し「日本国王」の称号を得て，**倭寇**❾を取り締まるとともに**日明貿易**（**勘合貿易**）をはじめました。

室町時代の社会

農村では，**惣**とよばれる自治組織が発達。都市では金融業者の**酒屋**や**土倉**，運送業者の**馬借**が見られました。民衆はしばしば**土一揆**を起こし，年貢の減免や徳政令などを勝ち取りました。

室町時代の文化

北山文化	3代将軍足利義満の時代。**観阿弥**・**世阿弥**の能，**金閣**など。
東山文化	8代将軍足利義政の時代。**雪舟**の水墨画，**書院造**（**東求堂同仁斎**），**銀閣**など。

さらに詳しく

❺鎌倉時代の後期，天皇家は持明院統と大覚寺統に分裂していました。北朝は持明院統，南朝は大覚寺統です。

❻「室町幕府」
足利義満が京都の室町に邸宅（花の御所）を建てたことから，「室町幕府」のよび名があります。

さらに詳しく

❼室町幕府において将軍を補佐したのは管領で，細川氏・斯波氏・畠山氏が就任しました。

❽「観応の擾乱」
足利尊氏と弟の直義の間で起きた内乱のこと。

❾「倭寇」
中国や朝鮮半島の沿岸を荒らした海賊のこと。

戦国・安土桃山時代

傾向＆ポイント 信長・秀吉の実施した政策の違いは要チェックです。この時代からの西洋との関わりもポイントです。

頻出度 A

1 戦国時代

応仁の乱

8代将軍足利義政の後継者争いや，有力守護大名の細川勝元・山名持豊（やまなもちとよ）の対立などが原因で，1467年に始まった内乱です。**戦国時代**❶が始まるきっかけとなりました。

頻発する一揆

正長の土一揆（1428）	近江坂本の馬借が起こした一揆をきっかけに，畿内に広がりました❷。
山城国一揆（くにいっき）（1485）	武士や農民が団結して守護の畠山氏を追放し，8年にわたる自治を行いました。
加賀一向一揆（1488）	浄土真宗（一向宗）の門徒が守護の富樫（とがし）氏を滅ぼし，約1世紀も自治が続きました。

戦国大名の支配

実力で領国支配を確立した大名が戦国大名です。独自の法令である**分国法**❸を制定し，家臣を統制しました。

西洋との接触

1543年，**種子島**（たねがしま）に漂着したポルトガル人が鉄砲を伝えました。1549年には，イエズス会の宣教師**ザビエル**が**鹿児島**に来航し，**キリスト教**を伝えました。

さらに詳しく

❶戦国時代にみられた，下位の者が上位の者を打倒する風潮を**下剋上**といいます。

❷土一揆を起こした人々は，借金帳消しである徳政を求め，高利貸しの酒屋・土倉を襲いました。

❸主要な分国法には，武田信玄（甲斐）の甲州法度之次第（こうしゅうはっとのしだい），今川氏（駿河）の今川仮名目録，朝倉氏（越前）の朝倉孝景条々（あさくらたかかげじょうじょう），伊達氏（陸奥）の塵芥集（じんかいしゅう）などがあります。

2 織田信長の天下布武

織田信長の統一事業

尾張（おわり）の戦国大名であった**織田信長**は，1560年の桶狭間（おけはざま）の戦いで駿河の今川義元を破りました。足利義昭を将軍に擁立して京都に入りますが，後に義昭と対立し，1573 年に室町幕府を滅ぼしました。1575 年には，鉄砲を活用して甲斐の武田勝頼（信玄の子）を破りました。

☑ 織田信長の政策

自由な営業活動を認める**楽市楽座**❹により，商業を振興。南蛮貿易の利益を得るためキリスト教を保護しました。

❹「楽市楽座」
商工業者が営業を独占した座を廃止する法令です。

3 豊臣秀吉の天下統一

☑ 豊臣秀吉の統一事業

1582 年，織田信長は家臣の明智光秀に襲撃され，自害しました（本能寺の変）。信長の家臣であった秀吉は，光秀を山崎の戦いで破り，信長の統一事業を引き継ぎました。1590 年，相模の北条氏を滅ぼし，天下を統一しました。

さらに詳しく
❺秀吉は検地を行うため，枡の容量を京枡に統一し，面積の単位も統一しました。

☑ 豊臣秀吉の国内政策

田畑の面積・収穫量を調査する**太閤検地**❺により，従来の貫高制にかわって**石高制**❻が確立しました。**刀狩令**は，農民から武器を没収する命令です。さらに，**人掃令（身分統制令）**によって兵農分離が進みました。

❻「石高制」
貫高は，土地の生産量を銭で表したものです。**石高**は，土地の生産量を米の体積で表します。

☑ 豊臣秀吉の対外政策

1587 年，宣教師の国外追放を命じる伴天連追放令を出しました。また，明の征服を目指し，2 度にわたる朝鮮出兵❼を行いましたが，失敗に終わりました。

さらに詳しく
❼朝鮮出兵は，1592 ～ 93 年の文禄の役，1597 ～ 98 年の慶長の役の 2 度にわたって行われました。

4 桃山文化

☑ 桃山文化の特徴

大名や豪商の気風を反映した豪華・壮大な文化です。ヨーロッパから伝わった南蛮文化の影響もあります。

障壁画	ふすまや屏風などの絵。狩野永徳など。
かぶき踊り	出雲阿国が始め，のちの歌舞伎に。
茶道（侘茶）	**千利休**❽が大成。商人や大名に流行。

さらに詳しく
❽千利休は織田信長や豊臣秀吉に重用されましたが，秀吉に切腹を命じられました。

江戸時代①

傾向&ポイント 江戸時代には多くの政治改革が行われました。政策の内容や目的を押さえておきましょう。

頻出度 A

1 江戸幕府の成立

☑ 徳川家康の天下統一

豊臣秀吉の死後，**徳川家康**が**関ヶ原の戦い**（1600年）[1]で勝利し実権を握りました。1603年に**征夷大将軍**となり，江戸に幕府を開きます。1614年の**大坂冬の陣**，15年の**大坂夏の陣**で豊臣氏を滅ぼし，天下泰平を実現しました。

☑ 江戸幕府のしくみ

幕府とその配下である大名（藩を支配）による統治体制を**幕藩体制**といいます。徳川一門の大名を**親藩**，古くからの徳川の家臣を**譜代大名**，関ヶ原の戦い前後に臣従した者を**外様**(とざま)**大名**といいます。政務は**老中**が執り行い，臨時の最高職として**大老**が置かれました。

☑ 大名の統制

1615年，2代将軍秀忠の時代に**武家諸法度**(ぶけしょはっと)[2]が制定されました。3代将軍**家光**は，諸大名に江戸と領地を1年おきに往復させる**参勤交代**を制度化しました。

2 禁教令と鎖国

☑ キリスト教禁制

江戸幕府は**キリスト教を厳しく弾圧**しました[3]。1637年には，キリスト教弾圧と圧政が原因で**島原・天草一揆**が発生しましたが，鎮圧されました。

☑ 鎖国政策

幕府は日本人の海外渡航を禁止[4]。1639年に**ポルトガ**

さらに詳しく
❶関ヶ原の戦いでは，徳川家康の率いる東軍と，石田三成が中心となった（総大将は毛利輝元）西軍が戦いました。

さらに詳しく
❷朝廷や公家を取りしまる禁中並公家諸法度(きんちゅうならびにくげしょはっと)も制定されました。
❸キリスト教徒を探し出す絵踏(えふみ)や，すべての世帯を寺院に登録させる寺請(てらうけ)制度が実施されました。
❹17世紀前半，朱印状（貿易の許可状）を持った朱印船が，アジア各地で活発に貿易を行い，東南アジア各地に日本町ができました。

ル船の来航を禁止し，幕府は長崎に出島を建設し，**鎖国**が完成します。**清・オランダ**との貿易を独占しました[5]。

3 産業と都市の発達

諸産業の発展

備中ぐわ，**千歯こき**，**唐箕**(とうみ)などの農具の開発で農業生産力が向上。工業では，**問屋制家内工業**から**工場制手工業**（**マニュファクチュア**）への転換が起きました。

交通と都市の発展

五街道[6]が整備され，河村瑞賢(かわむらずいけん)が**西廻り航路**・**東廻り航路**を開発。江戸・京都・大阪は「三都」と呼ばれ，商業の中心である大阪には**蔵屋敷**(くらやしき)が立ち並びました。

4 幕府の政治

おもな政治の動き

徳川綱吉	5代将軍。動物愛護令である**生類憐みの令**(しょうるいあわれみのれい)。**朱子学**を奨励した。
新井白石 （**正徳の治**(しょうとくのち)）	6・7代将軍に仕える。長崎貿易の制限。金の含有量を戻した**正徳小判**の鋳造。
徳川吉宗 （享保の改革）	8代将軍。新田開発や質素倹約で財政再建を狙った。**上米**(あげまい)[7]，**公事方御定書**(くじがたおさだめがき)（裁判の基準），**目安箱**（庶民の意見），**足高の制**(たしだかのせい)（身分によらない人材登用）。
田沼意次(たぬまおきつぐ)	**株仲間**を奨励，長崎貿易で銅や**俵物**(たわらもの)を積極的に輸出。印旛沼(いんばぬま)の干拓。
松平定信 （寛政の改革）	**寛政異学の禁**（幕府の学問所で朱子学以外を禁止），**囲米**(かこいまい)[8]，**棄捐令**(きえんれい)（旗本・御家人の債務放棄），風俗の取りしまり。
水野忠邦 （天保の改革）	**株仲間解散**（物価引下げを狙う），**上知令**(あげちれい)[9]，**人返しの法**（農民を農村に帰す）。

さらに詳しく

❺長崎以外にも，松前藩（アイヌ），薩摩藩（琉球王国），対馬藩（朝鮮）という対外窓口がありました。

❻東海道・中山道・日光街道・甲州街道・奥州街道を指します。

ことば

❼「上米」
大名に，一万石ごとに百石の米を幕府に上納させ，かわりに参勤交代で江戸にいる期間を短くする政策です。

❽「囲米」
飢饉に備えて，米を備蓄させる政策のことです。

❾「上知令」
江戸・大阪周辺の大名や旗本の領地を幕府の直轄にしようとした政策です。大名・旗本の反発により失敗に終わりました。

江戸時代②

傾向&ポイント 江戸時代の文化は時代ごとに特徴があります。人名と作品名の組み合わせも含めて覚えましょう。

頻出度 A

1 江戸幕府の文化

☑ 元禄文化

17世紀末～18世紀初めにかけて，**上方**（京都・大坂）の豪商の経済力を背景に**元禄文化**が発展しました。

文学❶	近松門左衛門	**『曽根崎心中』**『国姓爺合戦』
	松尾芭蕉	**『奥の細道』**（俳諧紀行文）
	井原西鶴	**『日本永代蔵』**『世間胸算用』
美術	**尾形光琳**	『燕子花図屏風』
	菱川師宣	『見返り美人図』（浮世絵）

☑ 化政文化

19世紀の初め，江戸の町人を中心に化政文化が発展。私塾❷や寺子屋での教育も普及し，学問も発達しました。

文学	十返舎一九	**『東海道中膝栗毛』**
	滝沢馬琴	**『南総里見八犬伝』**
美術	歌川広重	**『東海道五十三次』**
	葛飾北斎	**『富嶽三十六景』**
学問	杉田玄白・前野良沢	**『解体新書』**（蘭学❸）
	本居宣長	**『古事記伝』**（国学❹）
	伊能忠敬	『大日本沿海輿地全図』

さらに詳しく

❶近松門左衛門は**人形浄瑠璃**の脚本，井原西鶴は**浮世草子**とよばれる小説を書きました。

❷ドイツ人医師**シーボルト**の鳴滝塾，**緒方洪庵**の適塾は，多くの人材を育てました。

❸「蘭学」
オランダから長崎を通じて入ってきた西洋の学問のこと。

❹「国学」
日本の古典を研究することで日本人の精神を探究する学問のこと。

2 開国と幕末の動乱

☑ **外国船の来航**　1792年，ロシア使節**ラクスマン**が来航❺。以後，外国船が通商を求めて日本近海に現れるようになりました。1825年，幕府は**異国船打払令**を出します。1839年には，幕府の対外政策を批判した**渡辺崋山**・**高野長英**が処罰される**蛮社の獄**が発生しました。しかし，**アヘン戦争**❻の影響で幕府は方針を切り替え，1842年に**薪水給与令**を出しました。

☑ **日本の開国**　1853年，**浦賀**にアメリカ使節**ペリー**が来航。翌年**日米和親条約**を結び，日本は開国しました❼。1858年には，**ハリス**と大老**井伊直弼**が**日米修好通商条約**を締結し，欧米諸国との貿易が始まります。**領事裁判権**を認め，日本が**関税自主権**を持たない不平等条約でした。

さらに詳しく

❺ロシア使節の来航をきっかけに，**間宮林蔵**による樺太探検などの北方の調査が行われました。

❻1840年にイギリスが清を攻撃したアヘン戦争で清は大敗し，不利な条約を結ばされました。

❼ペリーに続いてロシア使節プチャーチンが来航し，**日露和親条約**を締結しました。

3 幕末の動乱と江戸幕府の滅亡

☑ **尊王攘夷運動**　開国にともなう混乱で，天皇を敬う尊王論と，外国を排除する攘夷論が結び付いた**尊王攘夷**の思想が広まりました。井伊直弼は反対派や過激派の尊王攘夷論者を処罰します（**安政の大獄**❽）。しかし，1860年に**桜田門外の変**で暗殺されました。

☑ **倒幕運動の展開**　幕末の政局は，**薩摩**・**長州**の雄藩が主導しました。**薩英戦争**と**四国艦隊下関砲撃事件**により，両藩は攘夷が不可能と悟り，倒幕論に転換❾。1866年，土佐の**坂本龍馬**の仲立ちで**薩長同盟**が成立しました。

☑ **江戸幕府の滅亡**　15代将軍**徳川慶喜**は，武力による倒幕を回避するため，**大政奉還**によって政権を朝廷に返上しました。しかし，薩長を中心とする討幕派は**王政復古の大号令**❿を発し，明治新政府を樹立。1868年の**鳥羽・伏見の戦い**で新政府軍と旧幕府軍が衝突し，**戊辰戦争**が勃発します。1869年までに旧幕府軍は降伏し，**明治維新**が達成されました。

さらに詳しく

❽松下村塾を開き，多数の人材を育てた**吉田松陰**などが処刑されました。

❾薩英戦争は，**生麦事件**（薩摩藩のイギリス人殺傷事件）への報復です。四国艦隊下関砲撃事件は，英仏米蘭が長州藩の攘夷運動に報復した事件です。

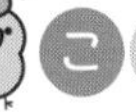

ことば

❿「王政復古の大号令」武家による政治から，天皇中心の政治に復帰するという宣言のこと。

明治時代①

傾向&ポイント 明治時代には，世の中が大きく変わる改革が行われました。その内容や目的を整理しましょう。

頻出度 A

1 明治維新

明治政府の成立

1868年，政治方針として**五箇条の御誓文**[1]が出されました。江戸は**東京**に改称され，一代の天皇の間は一つの元号を用いる**一世一元の制**が導入されます。

封建制度の解体

1869年，諸大名の領地と人民を朝廷に返上させる**版籍奉還**が実施されました。旧藩主が**知藩事**として引き続き藩の政治をしたため，1871年には藩を廃止して府県を設置する**廃藩置県**が断行されました。中央から**府知事・県令**が派遣されるようになり，中央集権体制が実現しました。

明治政府の改革[2]

学制[3]（1872年）	国民皆学を目指し，小学校教育の普及を目指した。
徴兵令（1873年）	富国強兵のため，満20歳以上の男子に兵役を義務付けた。
地租改正（1873年）	地券を発行し，地価の3%を金納させた。反対一揆により2.5%に引き下げた。

2 明治初期の外交

岩倉使節団

幕末に結ばれた不平等条約を改正するため，**岩倉具視**らを欧米に派遣しますが，交渉は不調に終わりました。留守政府では征韓論が強まり，使節団の帰国後に征韓論争が勃

さらに詳しく

❶庶民に対しては五榜の掲示が出されましたが，内容は江戸時代のものとあまり変わりませんでした。

❷産業の近代化としては，富岡製糸場などの官営模範工場を通じた殖産興業があります。1871年には新貨条例によって「円・銭・厘」の通貨単位を導入。翌年には，渋沢栄一を中心に国立銀行条例が制定されました。

❸学制の目指した改革は急激すぎたため，1879年の教育令によって改められました。1886年には，森有礼文部大臣が学校令を制定しました。

発。論争に敗れた**西郷隆盛**・**江藤新平**らが下野します。

☑ 北海道と沖縄

蝦夷地は**北海道**と改称され，**開拓使**が置かれました。琉球王国に対しては，1879年に明治政府は**沖縄県**を設置し，日本領としました（**琉球処分**）。

☑ 対外関係の樹立

日清修好条規	1871年締結の対等条約。
樺太・千島交換条約	1875年締結。樺太がロシア領，千島列島が日本領となった。
日朝修好条規❹	1876年に締結された不平等条約。

3 自由民権運動と憲法の制定

☑ 士族の反乱

四民平等❺，**秩禄処分**❻，**廃刀令**によって士族は特権を失い，不満が高まりました。不平士族は，江藤新平に率いられた**佐賀の乱**（1874），西郷隆盛に率いられた**西南戦争**（1877）などの士族反乱を起こしますが，鎮圧されました。

☑ 自由民権運動

西南戦争後は，言論による政治運動が活発になりました。薩長中心の**藩閥政府**を批判し，選挙による議会政治を求めたのが**自由民権運動**です。1881年，**明治十四年の政変**❼の結果，明治政府は国会開設を約束。**板垣退助**は**自由党**，**大隈重信**は**立憲改進党**を結成して国会開設に備えました。

☑ 大日本帝国憲法の発布

明治政府は立憲体制の樹立を進め，1885年に**内閣制度**を創設しました（初代総理大臣は**伊藤博文**）。**大日本帝国憲法**❽は1889年に発布されます。天皇は大きな権限を持ち（**天皇大権**），人権は法律の範囲内で認められました。**帝国議会**は**衆議院**と**貴族院**の二院制でした。

さらに詳しく

❹1875年に日朝間の紛争である江華島事件が起き，日本は朝鮮に圧力をかけて開国させました。

ことば

❺「四民平等」
明治初期，新政府による封建的身分廃止を掲げるスローガンとして実際に用いられました。ただし，士農工商とともに教科書での記載は少なくなってきています。

❻「秩禄処分」
明治政府は，士族に毎年秩禄を支給していましたが，財政負担が大きいためこれを廃止しました。

さらに詳しく

❼北海道開拓使の官有物払下げ事件をきっかけに起きた政変です。大隈重信が失脚し，明治政府は国会開設の勅諭を出しました。

さらに詳しく

❽大日本帝国憲法では，天皇は「神聖にして不可侵」とされ，内閣は天皇を輔弼（補佐）するとされました。

明治時代②

傾向&ポイント 明治時代の後半は対外的に大きな出来事が起きました。条約改正や日清・日露戦争は人名や用語を混同しないようにしましょう。

1 条約改正

☑ 不平等条約

幕末に欧米と結んだ条約は**領事裁判権**❶を認め，日本に**関税自主権**❷がない不平等なものでした。1880年代，**井上馨**は**欧化政策**❸による条約改正を目指すも失敗しました。

☑ 条約改正

1894年，**陸奥宗光**外相は**日英通商航海条約**を締結し，初めて**領事裁判権の撤廃**を実現。1911年，**小村寿太郎**外相が**関税自主権を回復**し，条約改正が完了しました。

2 日清戦争

☑ 朝鮮をめぐる対立

朝鮮は伝統的に中国（清）を宗主国としていましたが，日本が影響力を及ぼそうとしたため日清間で対立が起きました。1894年，朝鮮で農民反乱である**甲午農民戦争**が起き，日清両国が派兵したため，**日清戦争**が勃発しました。

☑ 下関条約

日本は優位に戦いを進め，1895年に**下関条約**❹で講和しました。日本は，賠償金2億両・**台湾**・**遼東半島**などを獲得し，朝鮮が独立国であると認めさせました。

☑ 三国干渉

冬でも凍結しない港を求めて南下政策を進めていた**ロシア**は，ドイツ・フランスとともに**遼東半島**を清に返還するよう日本に迫り，認めさせました。

❶「領事裁判権」
日本で犯罪行為をした外国人を，日本の法律で裁くことができないというものです。

さらに詳しく

❷輸入品にかかる税を**関税**といい，日本は自由に関税の税率を決めることができませんでした。

❸井上馨は，洋館の鹿鳴館を建設して舞踏会を行うなどの欧化政策を行いましたが，国内の批判もあり失敗しました。

さらに詳しく

❹下関講和会議の全権は，日本が伊藤博文と陸奥宗光，清が李鴻章でした。

3 日露戦争と韓国併合

☑ 北清事変

日清戦争後，清では列強による分割が進み，民衆の列強に対する反発が強まりました。1900 年，「扶清滅洋(ふしんめつよう)」を掲げる**義和団**が北京を占領。列強 8 か国が派兵して鎮圧しましたが，その後もロシア軍は満州に駐留を続けました。

☑ 日英同盟と日露戦争

ロシアの南下政策を警戒したイギリスは，1902 年に日本と**日英同盟**を結びました。1904 年に**日露戦争**が勃発。日本は**日本海海戦**などで勝利し，翌年にはアメリカの仲介を受けて**ポーツマス条約**で講和しました（日本全権：**小村寿太郎**，ロシア全権：**ウィッテ**）。日本は，**樺太(からふと)の南半分**や**旅順(りょじゅん/リューシュン)・大連(だいれん/ターリエン)の租借(そしゃく)権**などを得ましたが，賠償金は得られませんでした。これを不満とした民衆が**日比谷焼打ち事件**という暴動を起こしました。

☑ 韓国併合

1904 年以降，日本は 3 度にわたり**日韓協約**を結んで韓国を保護国化。義兵運動が活発化し，1909 年には安重根(あんじゅうこん/アンジュングン)が初代韓国統監(とうかん)の**伊藤博文**を暗殺しました。日本は 1910 年に**韓国を併合**し，**朝鮮総督府**を設置しました。

4 明治時代の文化と産業

☑ 近代文化

西洋の進んだ文明を紹介する**啓蒙(けいもう)思想**が広がり，**福沢諭吉**は**『学問のすゝめ』**を書きました。文学では，**坪内逍遥(つぼうちしょうよう)**は**写実主義**⑤を唱え，**二葉亭四迷(ふたばていしめい)**は**言文一致体**⑥の**『浮雲(うきぐも)』**を著しました⑦。

☑ 産業の発展

19 世紀末には日本における**産業革命**が起き，**綿糸**や生糸の輸出量が急増しました。1901 年には，官営の**八幡(やはた)製鉄所**が操業を開始し，重工業化が始まりました⑧。

❺「写実主義」
ものごとをありのままに書くという考え。

❻「言文一致体」
話し言葉に近い言葉で文章を書くこと。

さらに詳しく

❼文学では，夏目漱石『吾輩(わがはい)は猫である』『坊っちゃん』，与謝野晶子『みだれ髪』などが重要です。与謝野晶子は，『君死にたまふことなかれ』で日露戦争への反対を唱えました。

❽日本の工業化の結果，工場での重労働などの社会問題も起き，ストライキなどの労働運動も活発になりました。栃木県では，公害事件として有名な足尾鉱毒事件も起きています。

大正・昭和時代初期

頻出度 A

傾向&ポイント 第二次世界大戦へと至る流れは頻出分野です。二つの世界大戦に日本がどう関わったかを意識して学習しましょう。

1 日本の対外関係

第一次世界大戦と日本

1914年, **第一次世界大戦**が勃発します。戦場はヨーロッパが中心でしたが，日本は大陸への進出を目的に，**日英同盟**を理由として**連合国側**で参戦しました。1915年，**中華民国**❶に対して対華**二十一カ条の要求**を出し，ドイツの持っていた権益を引き継ごうとしました。

ヴェルサイユ条約

1919年に結ばれた, 第一次世界大戦の講和条約。同年，朝鮮では**三・一独立運動**，中国では**五・四運動**❷と，日本の帝国主義に反対する運動が起きました。

国際連盟

アメリカ大統領**ウィルソン**の提唱で設立。日本はイギリス・フランス・イタリアとともに常任理事国となりました。

2 大正デモクラシーと政党政治

大正デモクラシー

第一次世界大戦後に広まった，普通選挙や政党政治を求める風潮のこと。**民本主義**(みんぽん)❸を唱えた**吉野作造**らが主導しました。1913年には，政党政治家の**尾崎行雄**らが藩閥政府の**桂太郎**内閣を打倒した**第一次護憲運動**が行われました。

米騒動と本格的政党内閣の成立

日本は，ロシア革命に干渉して**シベリア出兵**を実行。米の買占めが起きたため, 富山県から**米騒動**が発生しました。

さらに詳しく

❶ 1911年，中国では孫文らの指導で辛亥(しんがい)革命が起き，清が滅亡して中華民国が建国されました。

❷ヴェルサイユ条約で日本の二十一カ条の要求が破棄されなかったことに中国民衆が不満を持ち，五・四運動が起きました。

❸「民本主義」
大日本帝国憲法の枠組みの中で民主主義の実現を唱えた思想です。

寺内内閣は総辞職し，初の**本格的政党内閣**である**原敬**内閣（**立憲政友会**[4]）が成立しました。

普通選挙の導入

1925 年，**加藤高明**内閣は**普通選挙法**を制定し，満 25 歳以上のすべての男子に選挙権を認めました。同年，社会主義取り締まりのため**治安維持法**も制定されました。

さらに詳しく
[4]立憲政友会は，1900 年に伊藤博文らが結成した政党で，原敬や犬養毅らの首相を輩出しました。

3 軍部の台頭と第二次世界大戦

長引く不況と満州事変

1920 年代には**金融恐慌**や**世界恐慌**といった不況が続き，社会不安が増大。1931 年，**関東軍**は南満州鉄道の線路を爆破する**柳条湖事件**を起こします。軍部はこれを口実に満州を占領し，翌年に**満州国**を建国しました[5]（**満州事変**）。

軍部の台頭と日中戦争

1932 年，海軍の青年将校が**犬養毅**首相を殺害（**五・一五事件**）。1936 年，陸軍の青年将校がクーデターを起こし，大臣らを殺傷しました（**二・二六事件**）。この過程で政党政治は終焉し，軍部が主導権を握りました。

日中戦争の勃発

1937 年，北京郊外の盧溝橋で日中両軍が衝突（**盧溝橋事件**）し，**日中戦争**が始まりました。同年の南京陥落時には**南京事件**が発生。戦局は泥沼化し，1938 年には**国家総動員法**が制定されました[6]。

太平洋戦争の勃発

1939 年にヨーロッパで**第二次世界大戦**が勃発。翌年**日独伊三国同盟**が締結され，米英との関係が急速に悪化しました[7]。1941 年 12 月 8 日，日本はハワイの**真珠湾**を攻撃し，日米が開戦しました。

日本の敗戦

1945 年 8 月 6 日に**広島**，9 日に**長崎**に**原子爆弾**が投下されました。同 8 日，**ソ連**が参戦[8]。14 日，日本は**ポツダム宣言**を受諾し，無条件降伏しました。

さらに詳しく
[5]国際連盟は満州国を承認しなかったため，1933 年に日本は国際連盟を脱退しました。
[6]戦時体制下で政党は解散させられ，大政翼賛会へと統合されました。
[7]第二次世界大戦の序盤，フランスはドイツに占領されました。日本はこれを受けてフランス領インドシナに進駐し，米英との関係を悪化させました。
[8]日本は，南方の資源を手に入れるため，ソ連とは日ソ中立条約を結んで北方の安全を図っていました。しかし，1945 年 8 月 8 日に条約は破棄され，ソ連が対日参戦しました。

10 戦後の日本

傾向&ポイント 第二次世界大戦後の現代史は勉強不足になりがちです。差をつけるため，政治の流れを中心に学習しましょう。

頻出度 B

1 占領と日本の民主化

GHQ の占領

日本の降伏後，マッカーサーを司令官とする GHQ[1]が日本を占領し，間接統治によって日本の民主化を進めました。

《GHQ の五大改革指令》

①**婦人の解放**→満 20 歳以上の男女に参政権
②**労働組合の結成**→団結権・団体行動権を保障
③**教育の民主化**→軍国主義的教育を廃止
④**圧政的諸制度の廃止**→治安維持法などを廃止
⑤**経済の民主化**[2]→**財閥解体**，**農地改革**を実行

民主化政策

戦争責任者は**極東国際軍事裁判**（**東京裁判**）で裁かれ，軍国主義者は**公職追放**となりました。自作農の創設のため**農地改革**が実行され，地主の土地を強制的に買い上げ，小作人に安く売却しました。1947 年には**教育基本法**が制定され，**六・三・三・四制**が導入されました。

2 冷戦体制化の日本

冷戦下の東アジア

日本が撤退した後，中国では**共産党**と**国民党**の内戦が再燃し，勝利した共産党が 1949 年に**中華人民共和国**を建国しました。敗れた国民党は**台湾**に逃れ，中華民国政府を継続。朝鮮[3]では北側に**朝鮮民主主義人民共和国**（**北朝鮮**），

❶「GHQ」
連合国軍最高司令官総司令部の略称です。

さらに詳しく

❷経済政策としては 1947 年の独占禁止法，48 年の経済安定九原則などもあります。この原則に基づき，GHQ 経済顧問のドッジがドッジ=ラインを実行し，経済の引き締めを行いました。

さらに詳しく

❸日本の植民地支配から独立した朝鮮は，北緯 38 度線を境として，北側をソ連・南側をアメリカに占領されました。そのため北朝鮮は社会主義，韓国は資本主義の国となりました。

南側に**大韓民国**（**韓国**）が成立します。1950年には**朝鮮戦争**[4]が勃発し，日本は**特需景気**となりました。

☑ 国際社会への復帰

1951年，日本は**サンフランシスコ平和条約**を締結し，独立を回復しました。同日，**日米安全保障条約**を締結したため米軍の駐留は続きます（**吉田茂**内閣）。しかし，ソ連をはじめとする社会主義国との講和は持ち越されました。1956年，**鳩山一郎**内閣は**日ソ共同宣言**に調印し，日本は**国際連合に加盟**しました[5]。

3　高度成長と冷戦後の日本

☑ 55年体制の成立

1955年，**日本民主党**と**自由党**が合流して**自由民主党**が結成されました（**保守合同**）。自民党は1993年まで一貫して政権を握り，**日本社会党**が最大野党として対立する**55年体制**が成立しました。

☑ 高度経済成長期の政治・外交

1960年に成立した**池田勇人**（いけだはやと）内閣[6]は，**所得倍増計画**を実施して経済成長を促進しました。**佐藤栄作**内閣は，1972年に**沖縄返還**を実現。**田中角栄**内閣は1972年に**日中共同声明**を発表して**日中国交正常化**を行いました。これにより，台湾の中華民国政府との国交は断絶しました。

☑ 高度経済成長の終わり

1973年，**第4次中東戦争**の影響で**石油危機**（**オイルショック**）が発生し，高度経済成長は終わりました。1980年代，**中曽根康弘**内閣が「小さな政府」[7]に向けた改革を行い，**電電公社**や**専売公社**，**国鉄**が民営化されました。

☑ 冷戦後の日本

1989年に**米ソ冷戦**は終結。1993年の総選挙で自民党は敗北し，**非自民連立政権**の**細川護熙**（ほそかわもりひろ）内閣が成立。55年体制は終焉しました。2009年には，自民党から**民主党**への政権交代も起きました（**鳩山由紀夫**内閣）。

さらに詳しく

❹日本は敗戦後軍備を解かれていましたが，朝鮮戦争を受けたGHQが警察予備隊を創設し，後の自衛隊となりました。

❺国連の常任理事国であったソ連は，日本の国連加盟に反対していました。

さらに詳しく

❻1965年には日韓基本条約が調印され，韓国との国交が成立しました。しかし，北朝鮮との正式な国交は現在までありません。

ことば

❼「小さな政府」
政府による経済への介入を最小限にし，政府の支出をおさえる政策のこと。電電公社はNTTに，専売公社はJTに，国鉄はJRにそれぞれ改称されました。

確認テスト

日本史

1

次の各文に当てはまる語句・人名を答えよ。

(1) 大陸から稲作が伝わったころにつくられた，穀物を貯蔵するための倉庫を何というか。

(2) 中国の歴史書『魏志』倭人伝に登場する，魏の皇帝に使いを送った邪馬台国の女王は誰か。

(3) 奈良盆地に成立し，全国に支配を広げて大王を中心とする古代国家を建設した政権を何というか。

(4) 701年，刑部親王（おさかべしんのう）や藤原不比等（ふじわらのふひと）らによって編纂された古代法典を何というか。

(5) 743年に出され，開墾した土地の永久私有を認めた法令を何というか。

(6) 律令政治を立て直すために平安京に遷都し，蝦夷の討伐などを行った天皇は誰か。

2

次の各文について，関係の深い人物を下の**ア**～**カ**から選べ。

(1) 壇ノ浦の戦いで平家を滅ぼした年，全国に守護・地頭を設置する権限を得た。

(2) 1221年，朝廷の復権を目指して挙兵するも，御家人らの軍に敗れた。

(3) 南北朝を統一したほか，明から「日本国王」の称号を得て日明貿易を始めた。

(4) 田畑の面積・収穫量を調査する太閤検地を行い，宣教師の国外追放を命じた。

ア 後醍醐天皇　**イ** 後鳥羽上皇　**ウ** 足利義満
エ 源頼朝　**オ** 織田信長　**カ** 豊臣秀吉

1

(1) 高床（式）倉庫

(2) 卑弥呼

(3) 大和政権（大和朝廷）

(4) 大宝律令

(5) 墾田永年私財法

(6) 桓武天皇

2

(1) エ

(2) イ

(3) ウ

(4) カ

3 次の各文について，関係の深い人物をA群から，また文中の空欄に入る語句をB群からそれぞれ選べ。

(1) 江戸幕府の8代将軍として享保の改革を行い，(　　)などの政策で財政を立て直した。

(2) 江戸幕府の老中として天保の改革を行い，(　　)などを実行したが，失敗に終わった。

(3) 江戸時代末期の大老として(　　)を調印したが，桜田門外の変で暗殺された。

[A群] **ア** 井伊直弼　**イ** 松平定信
ウ 水野忠邦　**エ** 田沼意次
オ 徳川綱吉　**カ** 徳川吉宗

[B群] (a) 囲米　(b) 上米　(c) 上知令
(d) 日米和親条約　(e) 日米修好通商条約

3

(1) カ，(b)

(2) ウ，(c)

(3) ア，(e)

4 次の各文に適する語句を下の**ア**～**コ**から選べ。

(1) 1871年に明治政府が実行した政策で，この結果，中央から府知事・県令が派遣されるようになり，中央集権体制が実現した。

(2) 朝鮮で甲午農民戦争が発生したことで開戦した戦争で日本が結んだ講和条約である。日本はこの条約で台湾や遼東半島などを獲得した。

(3) 1936年，陸軍の青年将校がクーデターを起こし，大臣らを殺傷した事件である。クーデターは鎮圧されたが，政党政治の終焉をもたらした。

(4) 1960年に成立した内閣で首相を務めた人物で，所得倍増計画を打ち出し，高度経済成長を実現した。

ア 五・一五事件　**イ** 二・二六事件
ウ 廃藩置県　**エ** 版籍奉還
オ 池田勇人　**カ** 佐藤栄作
キ 吉田茂　**ク** 下関条約
ケ 日清修好条規　**コ** ポーツマス条約

4

(1) ウ

(2) ク

(3) イ

(4) オ

1 古代文明

頻出度 B

傾向&ポイント ギリシャのアテネで行われた民主政はよく出題されます。エジプト文明とメソポタミア文明の違いなどを押さえておきましょう。

1 オリエント❶の古代文明

❶「オリエント」
「日が昇るところ」という意味で，ヨーロッパから見て東方を意味します。

人類の誕生

アフリカで最初期の人類**アウストラロピテクス**（猿人）が登場。原人を経て，約4万年前に**クロマニョン人**（新人）が登場しました。エジプト・メソポタミア・インダス・中国の**四大文明**が形成されます。

メソポタミア文明

楔形文字（くさびがた）・太陰暦を使用。前3000年頃，**シュメール人**が都市国家（ウル・ウルクなど）を形成。前18世紀，古バビロニア王国のハンムラビ王が**ハンムラビ法典**❷をつくりました。

さらに詳しく
❷ハンムラビ法典は，「目には目を歯には歯を」の復讐（ふくしゅう）法です。

エジプト文明

神聖文字（ヒエログリフ）・太陽暦を使用。古王国時代にピラミッドを建設しました。

ヘブライ人

古代パレスティナのユダ王国❸が，新バビロニア王国に滅ぼされ，住民が連行されました（**バビロン捕囚**）。この苦難から**ユダヤ教**が生まれました。

さらに詳しく
❸ヘブライ王国が，北のイスラエル王国と南のユダ王国に分裂しました。

オリエントの統一

前7世紀，アッシリアが全オリエントを統一。その滅亡後，前6世紀に**アケメネス朝ペルシア**が再統一します。

2　ギリシアの古代文明

☑ **ポリスの形成**　古代ギリシアの都市国家。民主政治が行われた**アテネ**，軍事国家だった**スパルタ**などがあります。

☑ **ペルシア戦争（前5世紀前半）**

アケメネス朝ペルシア最盛期の王・**ダレイオス1世**がギリシアに侵攻し，ギリシャはサラミスの海戦などで勝利。戦後，活躍した無産市民にも参政権が拡大❹しました。

☑ **ペロポネソス戦争❺（前5世紀後半）**

アテネの**デロス同盟**と，スパルタの**ペロポネソス同盟**が対立し，スパルタが勝利しました。

さらに詳しく

❹政治家ペリクレスの時代に，アテネの民主政が完成しました。

❺ペロポネソス戦争中から扇動政治家（デマゴーグ）が横行し，アテネの民主政は衰退しました。

3　アレクサンドロス大王の遠征

☑ **アレクサンドロス大王（3世）**

マケドニア王で，東方に大遠征を行いました。アケメネス朝ペルシアを滅ぼし，インダス川流域に至る大帝国を築きますが，彼の死後に帝国は崩壊します。ギリシャとオリエントの文化が融合した**ヘレニズム文化**が生まれました。

4　ローマの古代文明

☑ **共和制ローマ**

ローマは貴族による共和制でしたが，平民の権利が徐々に拡大しました。**カルタゴ**❻との**ポエニ戦争**に勝利。その後は混乱が続き，三頭政治❼が行われました。

☑ **帝政ローマ**

前1世紀，内乱を収めたカエサルが暗殺され，後継者**オクタヴィアヌス（アウグストゥス）**が帝政を開始。

トラヤヌス	五賢帝の一人。最大版図
ディオクレティアヌス	皇帝権を強化
コンスタンティヌス	キリスト教❽を公認
テオドシウス	ローマ帝国が東西に分裂

さらに詳しく

❻カルタゴはフェニキア人の都市国家。ポエニ戦争は3度にわたり行われました。

❼第一回三頭政治はカエサル・ポンペイウス・クラッスス。第二回はオクタヴィアヌス・アントニウス・レピドゥス。

❽キリスト教は1世紀のパレスティナで，イエス（キリスト）が始めました。ローマ帝国に広まりましたが，最初は弾圧されました。

2 アジアの歴史

頻出度 B

傾向&ポイント 中国の歴代王朝の順序は必ず押さえておきましょう。イスラーム教の特色，イスラーム王朝の違いなども覚えておくとよいでしょう。

1 中国の古代文明

古代の王朝

確認されている最古の王朝は**殷**(いん)で，**甲骨文字**❶を使用しました。次の**周**は**封建制**を採用。やがて諸侯が独立して**春秋・戦国時代**になり，**諸子百家**❷が活躍します。

中国の統一

前 221 年，**秦の始皇帝**が中国を統一。万里の**長城**❸の建設，**度量衡**(こう)・**貨幣**・**文字の統一**などを行いました。秦の後は**劉邦**（**高祖**）が**漢**を建国しました。**王莽**(おうもう)の**新**を挟んで，**前漢**と**後漢**に分かれます。

TIPS

❶甲骨文字は，占いで使う亀の甲や動物の骨などに刻まれた文字で，漢字のもとになりました。

さらに詳しく

❷諸子百家には，孔子・孟子（儒家），老子・荘子（道家），商鞅(しょうおう)・韓非(かんぴ)（法家），墨子（墨家(ぼっか)）などがいます。

❸北方の遊牧民・匈奴(きょうど)への対策で，漢も匈奴の圧迫に苦しみました。

2 中国の諸王朝

分裂と再統一

後漢が衰えると魏・呉・蜀(しょく)の**三国時代**に。**魏晋南北朝時代**という 400 年近い分裂時代になります。589 年，**隋**が中国を統一。隋の滅亡後には**唐**が建国されました。

中国の歴代王朝

唐 (618 ～ 907)	李淵(りえん)（高祖）が建国。都は**長安**。**律令制**や**租庸調**の税制を確立。
北宋 (960 ～ 1127)	趙匡胤(ちょうきょういん)が五代十国時代の動乱を収めて建国。契丹(きったん)人の**遼**，女真(じょしん)人の**金**など北方遊牧民の圧迫を受ける。
南宋 (1127 ～ 1279)	北宋が金に滅ぼされた後，江南に建国。儒学の一派・**朱子学**が発達した。

モンゴル帝国 (1206 ~)	**チンギス＝ハン**が建国し，ユーラシアの大半を征服。
元 (1271 ~ 1368)	チンギスの孫**クビライ**❹が国号を変更。南宋を滅ぼし中国を征服。
明 (1368 ~ 1644)	**朱元璋**（**洪武帝**）が建国。3 代**永楽帝**の時に最盛期で，**鄭和**をインド洋に派遣。
清 (1616 ~ 1912)	満州人（女真人）の**ヌルハチ**が建国。**康熙帝**・**雍正帝**・**乾隆帝**の時代に最盛期。1840 年の**アヘン戦争**❺でイギリスに敗れる。

さらに詳しく

❹クビライは，日本への２度にわたる遠征（元寇）も行いました。

❺明・清は海禁政策といって，海外貿易を統制する政策をとっていました。清は，自由貿易を求めるイギリスが仕掛けたアヘン戦争に敗れ，香港の割譲や5港の開港を認めました。

3　イスラーム世界

イスラーム教の成立

7 世紀，アラビア半島で**ムハンマド**が**イスラーム教**を開きました。唯一神**アッラー**を信じ，**コーラン**を聖典とします。イスラーム教団は**カリフ**❻に率いられ，西アジア～北アフリカの広域を征服しました。

イスラーム王朝の興亡

661 年，**ウマイヤ朝**が建国され，指導者が世襲に。750 年には**アッバース朝**が建国されました。アラブ人の特権を廃止し，全イスラーム教徒が平等になりました。アッバース朝が衰退すると，各地にイスラーム王朝が分立。

おもなイスラーム王朝

セルジューク朝 (1038 ~ 1194)	**イェルサレム**を占領し，十字軍の原因になった。
ファーティマ朝 (909 ~ 1171)	北アフリカの**シーア派**❼王朝。首都カイロを建設。
後ウマイヤ朝 (756 ~ 1031)	イベリア半島に成立し，文化が繁栄。首都**コルドバ**。
オスマン帝国 (1299 ~ 1922)	**コンスタンティノープル**（**イスタンブル**）を征服してビザンツ帝国を滅ぼし，三大陸を支配した。

さらに詳しく

❻カリフとは，ムハンマドの後継者でイスラーム教の指導者です。正統カリフは4代アリーの暗殺で途絶えました。

❼イスラーム教の少数派**シーア派**は，アリーの子孫のみを正統なカリフと認めます。一方の多数派は**スンナ派**です。

3 中世ヨーロッパ

頻出度 A

傾向&ポイント 中世のヨーロッパでは，キリスト教が大きな力をもちました。主要な教皇や各国の王・皇帝との関係を押さえましょう。

1 ヨーロッパ世界の形成

☑ ゲルマン人の大移動

4 世紀後半，**ゲルマン人**の諸族が**フン族**❶に圧迫されてローマ帝国内に移動。西ローマ帝国を衰亡させました。

☑ フランク王国の盛衰

ゲルマン人の諸国家のうち，クローヴィスの建国した**フランク王国**は，キリスト教❷を受け入れてローマ化しました。西ヨーロッパの大部分を支配した**カール 1 世**（大帝）は 800 年にローマ皇帝の冠を授かりました（**カールの戴冠**❸）。カールの死後，王国は東・西・中部フランクに分裂し，それぞれドイツ・フランス・イタリアの原型となります。

☑ 中世ヨーロッパの社会

土地を仲立ちとした君主と臣下の関係は**封建制度**といいます。君主が臣下の領土を保障し，臣下が軍役の義務を負いました。領主は，農民を農奴（のうど）として支配し，税を納めさせました（**荘園制**）。

さらに詳しく
❶フン族はアジア系の遊牧民で，アッティラ大王が東ヨーロッパに侵攻しました。
❷クローヴィスが受け入れたのは，ローマ帝国で正統とされたアタナシウス派です。
❸西ローマ帝国が滅んだため，ローマ教皇はカール 1 世に帝冠を授け，保護を受けようとしました。

☑ 西ヨーロッパ世界の形成

イングランド	11 世紀，ノルマン人の征服を受け**ノルマン朝**❹が成立。
フランス	10 世紀末，ユーグ・カペーがフランス王となり，**カペー朝**が成立。
神聖ローマ帝国	現在のドイツを領域とした帝国。10 世紀，東フランク王**オットー 1 世**がローマ皇帝の冠を受け建国しました。

さらに詳しく
❹ノルマン朝の建国者はウィリアム 1 世（征服王）です。

中世の東ヨーロッパ

東ローマ帝国（ビザンツ帝国[5]）は1453年まで存続。6世紀，**ユスティニアヌス大帝**の時が全盛期です。**キエフ大公国**（9～13世紀），**モスクワ大公国**（13世紀～）はロシアの原型となりました。

さらに詳しく
[5]ビザンツ帝国は東地中海世界を支配しました。ユスティニアヌス大帝の時代には『ローマ法大全』が編纂されました。

2　中世のキリスト教

教皇の絶対的権力

8世紀，教会は**ローマ＝カトリック教会**とコンスタンティノープル教会（後の**東方正教会**）に分裂。ローマ教皇は西ヨーロッパで絶対的な権威をもちました。1077年には，教皇**グレゴリウス7世**が神聖ローマ皇帝**ハインリヒ4世**を屈服させました（**カノッサの屈辱**[6]）。13世紀初頭の**インノケンティウス3世**の時代が教皇権の絶頂期です。

十字軍の遠征

11世紀末，聖地**イェルサレム**がイスラーム勢力に占領されたため，ローマ教皇**ウルバヌス2世**がクレルモン宗教会議を開き，十字軍を提唱。十字軍は7回にわたって派遣されますが，聖地奪還には失敗し，教皇権は衰えました[7]。

さらに詳しく
[6]カノッサの屈辱の原因は，聖職叙任権をめぐる争いでした。
[7]第4回十字軍は，同じキリスト教国であるビザンツ帝国を攻撃し，一時滅ぼしました。

3　中世ヨーロッパ社会の変容

百年戦争（1337～1453）

イングランドとフランスの間で，フランドルの領有権などをめぐって起きた戦争です[8]。**ジャンヌ＝ダルク**の活躍などでフランスが勝利。長い戦乱のため諸侯・騎士階級が没落し，中世の封建制度を崩壊させました。

バラ戦争

百年戦争後に起きた，イングランド王位をめぐるランカスター家とヨーク家の内乱。最終的にランカスター家の血を引く**テューダー家**が王朝を開きました。諸侯・騎士の没落を加速し，イングランドで絶対王政が成立する原因になります。

さらに詳しく
[8]フランスではカペー朝が断絶し，ヴァロワ朝が成立しました。イングランド王エドワード3世がフランス王継承権を主張したのが，百年戦争の原因の一つです。

近世ヨーロッパ

頻出度 A

傾向&ポイント ルネサンス，宗教改革，大航海時代が近世の幕開けとなります。近代的な国が形成され始めるので，主要国の動向を確認しましょう。

1 ルネサンスと宗教改革

ルネサンスの始まり

14～16世紀，古代ギリシア・ローマの文化の復興をめざして起きた文芸運動が**ルネサンス**です。イタリアの諸都市[1]で始まりました。

文学	ダンテ『神曲』，ボッカチオ『デカメロン』，エラスムス『愚神礼讃』，トマス＝モア『ユートピア』
美術	ボッティチェリ『ヴィーナスの誕生』，レオナルド＝ダ＝ヴィンチ『最後の晩餐（ばんさん）』，ミケランジェロ『最後の審判』，ラファエロ『アテネの学堂』

ルターの宗教改革

ローマ＝カトリック教会は，**贖宥状（しょくゆうじょう）**（**免罪符**）を販売するなど腐敗が進んでいました。1517年，ドイツ[2]の**ルター**は**95カ条の論題**を発表し，教会を批判。教会と神聖ローマ皇帝，ルター派と反皇帝派の諸侯が対立しますが，1555年の**アウクスブルクの宗教和議**でルター派が公認されました。

カルヴァンの宗教改革

カルヴァンは16世紀半ば，スイスで宗教改革を指導しました。カルヴァンは，魂が救済されるかは予め（あらかじめ）定まっているという**予定説**を唱え，勤労を重視しました[3]。

イギリスの宗教改革

ヘンリ8世は，離婚問題をめぐってローマ教皇と対立[4]。首長法を出して**イギリス国教会**を創始しました。

さらに詳しく

❶フィレンツェの富豪メディチ家は，多くの芸術家を保護しました。

❷ドイツはローマ＝カトリック教会から厳しい搾取を受けていたため，「ローマの牝牛」とよばれていました。

さらに詳しく

❸カルヴァン派はイギリスでは**ピューリタン**（**清教徒**），フランスでは**ユグノー**とよばれました。

❹カトリック側の対抗としては，イエズス会の結成などが挙げられます。

2　大航海時代

ヨーロッパ人の進出

15～16世紀ごろ，**香辛料貿易**などを目的に，**スペイン**や**ポルトガル**が航海に乗り出しました。インド航路を開いた**ヴァスコ＝ダ＝ガマ**，アメリカ大陸を発見した**コロンブス**，世界周航を達成した**マゼラン**一行らが重要です。

コンキスタドール[5]の活動

ポルトガルは主にアジア，スペインは主にアメリカ大陸で活動しました。スペインの**コルテス**は**アステカ王国**，**ピサロ**は**インカ帝国**を滅ぼしました。スペイン人は中南米を植民地化し，莫大な富を得ました。

❺「コンキスタドール」スペイン語で「征服者」という意味です。

3　絶対王政と宗教戦争

絶対王政

中世末期の諸侯・騎士の没落により，国王が絶対的な権力を握る**絶対王政**が成立します。**官僚制**や**常備軍**に支えられていました。スペインの**フェリペ2世**，イギリスの**エリザベス1世**，フランスの**ルイ14世**など[6]。

宗教戦争

16世紀後半，フランスではカトリックとプロテスタントの間の宗教内乱である**ユグノー戦争**が起きました。1598年，**アンリ4世**[7]が両派の信仰を認める**ナントの勅令**を出して終結しました。ドイツでは，1618～48年に宗教対立と周辺国の介入で**三十年戦争**が起きました。諸侯の独立性を認めた**ウェストファリア条約**によって終結し，神聖ローマ帝国は有名無実化しました。

啓蒙（けいもう）思想と啓蒙専制君主

18世紀ごろ，合理主義を重んじる**啓蒙思想**が流行しました。プロイセン[8]の**フリードリヒ2世**，オーストリアの**マリア＝テレジア**，ロシアの**エカチェリーナ2世**らは，啓蒙専制君主として国力を高めました。

さらに詳しく

❻フェリペ2世はポルトガル王を兼ね，「太陽の沈まぬ国」とよばれる広大な植民地帝国を実現しました。エリザベス1世は東インド会社の創設などを実施。ルイ14世はヴェルサイユ宮殿を造営しました。

❼ユグノー戦争中にヴァロワ朝が断絶し，アンリ4世がブルボン朝を開きました。

❽プロイセンはドイツの領邦の一つです。辺境の植民によって発展し，のちにドイツ統一を主導しました。

市民革命・産業革命

頻出度 A

傾向&ポイント フランス革命，アメリカ独立革命などの市民革命は頻出分野です。事件の暗記だけでなく，後世への影響も意識して勉強しましょう。

1 啓蒙思想と市民革命

☑ 啓蒙思想の発展

18世紀ごろ，人間の理性を重視して社会の矛盾を批判する**啓蒙思想**[1]がさかんになりました。**三権分立**を唱えた**モンテスキュー**（仏），**社会契約説**を唱えた**ルソー**（仏）などは，後の市民革命にも影響を与えました。

☑ ピューリタン革命

イギリスでは17世紀はじめに**ステュアート朝**が成立。**チャールズ1世**の専制に対して，**クロムウェル**率いる議会派が1642年に**ピューリタン革命（清教徒革命）**を起こしました。内乱の結果国王は処刑され，共和制となりますが，クロムウェルの死後王政が復活しました。

☑ 名誉革命

国王**ジェームズ2世**の専制に対して議会が反抗。1688年に王は亡命し，娘のメアリ2世と夫ウィリアム3世が即位します。翌年，**権利章典**が制定されました。

☑ アメリカ独立革命[2]

フランスとの植民地抗争が原因で財政難となったイギリスは，北米植民地への課税を強化しました。植民地人の反発が強まり，1773年には**茶法**に反対して**ボストン茶会事件**が発生。1775年に**独立戦争**が始まり，翌年**独立宣言**が発表されました。1783年，**パリ条約**によって独立承認。

☑ フランス革命

18世紀末，フランスではアンシャン＝レジーム[3]の矛

さらに詳しく

❶啓蒙思想家には，啓蒙専制君主と親交のあったヴォルテールなどがいます。

❷アメリカ独立戦争の司令官は，初代大統領となるワシントン。独立宣言起草者はトマス＝ジェファソンです。

❸「アンシャン＝レジーム」
「旧体制」という意味。聖職者が第一身分，貴族が第二身分，平民が第三身分とされていました。

盾が増大。政治的権利を持たない平民の不満から，フランス革命が勃発しました。1789 年の**バスティーユ牢獄襲撃**に始まり，国民議会は封建的特権の廃止を宣言。自由・平等をうたう**フランス人権宣言**が採択されました。

☑ 恐怖政治とナポレオンの台頭

革命派は国王**ルイ 16 世**を処刑するなど過激化。**ジャコバン派**の指導者**ロベスピエール**による恐怖政治が行われました。混乱の中で，軍事的才能をもった**ナポレオン＝ボナパルト**が台頭し，1799 年に**ブリュメール**[4]**18 日のクーデタ**で実権を掌握しました。

☑ ナポレオン戦争

ナポレオン[5]は 1804 年に皇帝に即位しました。相次ぐ戦勝でヨーロッパ大陸を支配下におきましたが，**ロシア遠征**の失敗をきっかけに没落。**ワーテルローの戦い**に敗れ，セントヘレナ島に流刑となりました。

☑ ウィーン体制

ナポレオン戦争後，列強は**ウィーン会議**を開き，保守反動的な**ウィーン体制**を形成しました。しかし，各国は国内の自由主義・民族主義を押さえられず，1848 年の革命[6]でウィーン体制は崩壊しました。

2 産業革命

☑ 産業革命

18 世紀のイギリスでは，**囲い込み**[7]で土地を追われた農民が工場労働者となりました。さらに，繊維工業での技術革新が相次ぎ，工業生産力が増大しました。

☑ 資本主義と社会主義

資本家が工場や機械を所有し，利潤を生み出す**資本主義**が発達。資本家と労働者の対立を生み出し，生産手段を社会で共有する**社会主義**の思想が 19 世紀に生まれました。ドイツの**マルクス**，**エンゲルス**は『共産党宣言』を発表。

❹「ブリュメール」
フランス革命時に定められた暦での月の名前の一つです。

さらに詳しく

❺ナポレオンは，ナポレオン法典の制定などの内政改革も実施しました。ナポレオン法典は，フランス革命の理念を反映した近代的な法典で，各国に影響を残しています。

❻ 1848 年にパリで二月革命が起きるとヨーロッパ諸国に波及。「諸国民の春」とよばれました。

さらに詳しく

❼囲い込みとは，地主層が所有権のあいまいな土地を囲い込んで農場を拡大しようとした運動です。多くの農民が土地を追われ，都市に流入しました。

6 帝国主義・第一次世界大戦

頻出度 B

傾向&ポイント 19世紀後半にはドイツやイタリアが統一され，列強諸国がでそろいました。西洋の国々がアジア・アフリカに与えた影響も意識しましょう。

1 19世紀の列強

☑ イギリスの帝国主義❶

産業革命によって工業化を果たしたイギリスは，ヴィクトリア女王の時代に繁栄し，**大英帝国**を築きました。

☑ フランス第二帝政

1848年の二月革命後，ナポレオン1世の甥であるナポレオン3世が権力を掌握し，1852年に皇帝に即位。積極的な対外政策を行い，クリミア戦争などに介入しました。1870年，プロイセン=フランス戦争（普仏戦争）に敗れて退位しました。

☑ ドイツ・イタリアの統一

1861年，サルデーニャ王国を中心にイタリア王国が統一を達成します。ドイツでは，プロイセンの宰相ビスマルク❷が鉄血政策を推進。プロイセン=フランス戦争に勝利し，1871年にドイツ帝国を成立させました。

☑ ロシアの南下政策

冬でも凍結しない港を求めて南下政策をとり，**オスマン帝国**を圧迫。1853年，クリミア戦争❸でオスマン帝国・イギリス・フランスと戦って敗れました。敗北後，**アレクサンドル2世**が**農奴解放令**などの近代化改革を実施。

☑ アメリカ❹南北戦争

商工業中心・保護貿易・奴隷制反対の北部と，農業中心・自由貿易・奴隷制維持の南部が対立。1861年に南北戦争が始まります。北部大統領のリンカンは，内戦中に奴隷解

❶「帝国主義」
金融資本と国家が結び付き，原材料の供給地や製品の市場として植民地を拡大するという考えです。

さらに詳しく
❷ビスマルクは，社会主義者の弾圧や社会保障制度の導入などの内政政策も行いました。
❸ロシアの南下を警戒した英仏の他，イタリア統一を目指すサルデーニャ王国も，発言力を強めるためクリミア戦争に介入しました。
❹アメリカは**モンロー教書**により，ヨーロッパの政治に干渉しない孤立主義をとっていました。

放宣言を出しました。1865年，北部の勝利で終結。

2 列強の世界分割

アヘン戦争とアロー戦争

イギリスが**三角貿易**でアヘンを清に密輸したことから，**林則徐**(りんそくじょ)がアヘンを取り締まったため，イギリスは1840年に**アヘン戦争**を始めました。清は敗れ，**南京条約**で**香港**割譲などを認めます。1856年には英仏が共同出兵し，**アロー戦争**を起こしました。列強の半植民地となった清[5]は，1911年の**辛亥革命**(しんがい)で滅び，**中華民国**が成立しました。

インド大反乱

1857年，イギリスの過酷な支配に対して反乱が勃発。イギリスは**ムガル帝国**[6]を滅亡させて直轄領とし，ヴィクトリア女王を皇帝として**インド帝国**を成立させました。

3 第一次世界大戦

列強の対立

19世紀末～20世紀初頭にかけて，独・墺(オーストリア)・伊の**三国同盟**[7]と英・仏・露の**三国協商**が形成されます。バルカン半島では民族主義が拡大し「**ヨーロッパの火薬庫**」とよばれていました。

第一次世界大戦

1914年，セルビア青年がオーストリア皇太子夫妻を暗殺する**サラエボ事件**が発生。イギリス・フランス・ロシアの**連合国**と，ドイツ・オーストリアの**同盟国**の間で第一次世界大戦が勃発しました。

ロシア革命

第一次世界大戦中の1917年，**ロシア二月革命**で皇帝**ニコライ2世**が退位。**十月革命**により，**レーニン**率いる**ボリシェヴィキ**[8]が権力を掌握し，社会主義政権が成立。列強の干渉戦争の後，1922年に**ソヴィエト社会主義共和国連邦（ソ連）**が成立します。

さらに詳しく

❺1851年からは**太平天国の乱**という民衆の反乱，1900年には列強の侵略に対し，**義和団事件**が起きました。

❻ムガル帝国は，16世紀に建国されたインドの王朝です。

さらに詳しく

❼イタリアとオーストリアの間には「未回収のイタリア」とよばれる領土問題があったため，第一次世界大戦ではイタリアは連合国につきました。

ことば

❽「ボリシェヴィキ」
ボリシェヴィキは「多数派」という意味で，社会主義政党であるロシア社会民主労働党の一派です。レーニンをリーダーとしてロシア革命を主導し，ソヴィエト共産党となりました。

第二次世界大戦

傾向＆ポイント 世界恐慌の原因，第二次世界大戦への流れを押さえ，なぜ大戦が起きたかを理解しておきましょう。

頻出度 A

1　第一次世界大戦後の世界

ヴェルサイユ体制

第一次世界大戦後に**パリ講和会議**が開かれ，**ヴェルサイユ条約**が結ばれました。敗戦国の**ドイツ**は海外領土を失い，莫大な賠償金を課されました❶。

国際協調の機運

悲惨な大戦の教訓から，戦後は国際協調の機運が高まりました。アメリカ大統領**ウィルソン**の提唱により，**国際連盟**が設立されました❷。本部は**ジュネーヴ**で，英・仏・伊・日が当初の常任理事国です。1921 ～ 22 年には**ワシントン会議**が開かれ，**海軍軍縮条約**などが結ばれました。

第一次世界大戦後の列強

第一次世界大戦で敗れたドイツでは革命で帝政が倒れ，生存権などを保障した**ヴァイマル憲法**が制定されました❸。戦勝国ではアメリカが覇権国となります。

激動するアジア

イギリスの植民地だったインドでは，**ガンディー**が**非暴力・不服従**の独立運動を展開しました。中国では中華民国成立後も混乱が続き，**蔣介石**（しょうかいせき）率いる**国民党**と**毛沢東**率いる**共産党**の内戦が続きました。

2　世界恐慌とファシズムの台頭

ファシズム❹

1922 年，イタリアで**ファシスト**党のムッソリーニが政

さらに詳しく
❶第一次世界大戦の敗戦国は，ドイツ，オーストリア，オスマン帝国（トルコ）などです。

さらに詳しく
❷アメリカは，議会の反対があったため国際連盟に加盟しませんでした。

さらに詳しく
❸第一次世界大戦後のドイツでは巨額の賠償金支払いなどで不況が続き，ファシズムが台頭する原因となりました。

❹「ファシズム」
ファシズムは全体主義とも訳されます。国家の利益を個人の自由や権利より優先させる思想です。

権を掌握。ドイツでは，**ヒトラー**率いる**ナチ党**が社会不安を背景に支持を広げました。

世界恐慌

1929年，ニューヨークでの株価暴落をきっかけに，世界中に不況が波及しました。アメリカでは，**フランクリン＝ローズヴェルト**大統領が**ニューディール政策**を実施。イギリスやフランスは**ブロック経済**によって恐慌を乗り切りました[5]。植民地に乏しいドイツや日本では**ファシズム**が台頭する結果となりました。**計画経済**を実施していたソ連では，恐慌の影響をほとんど受けませんでした[6]。

3 第二次世界大戦

ファシズム陣営と反ファシズム陣営の形成

1936年，ドイツとイタリアは**ベルリン＝ローマ枢軸**を形成。さらに日・独・伊の三国で社会主義ソ連に対抗する**三国防共協定**が結ばれました。英仏は，当初戦争を回避するため融和政策をとりました。1938年の**ミュンヘン会談**では，ヒトラーの領土要求を容認しました[7]。

第二次世界大戦

1939年9月1日，ドイツが**ポーランド**に侵攻したことで，英仏がドイツに宣戦布告しました（**第二次世界大戦**の勃発）。ドイツはフランスを占領し，1941年6月にはソ連と開戦しました（**独ソ戦**）[8]。

アジアへの拡大

1937年，日本が中華民国と開戦（**日中戦争**）。日本とアメリカの対立が深まり，1941年12月に日米が開戦しました（**太平洋戦争**の勃発）。

第二次世界大戦の終結

1945年2月，連合国の米・英・ソの三国が**ヤルタ会談**を行い，ソ連の対日参戦を決定。同年5月にドイツが降伏。8月，日本の無条件降伏を求めた**ポツダム宣言**が受諾され，第二次世界大戦が終結しました。

さらに詳しく

❺ニューディール政策は，公共事業などを通じて景気を刺激した一連の政策です。ブロック経済は，植民地と本国で経済圏をつくって自国の経済を守る方式です。

❻ソ連では1924年にレーニンが死去。後継者のスターリンが独裁的な権力を握りました。

さらに詳しく

❼ヒトラーは，チェコスロヴァキアのズデーテン地方の割譲を要求しており，ミュンヘン会談で認められました。

❽ドイツとソ連は，1939年8月に独ソ不可侵条約を結んでいました。しかし1941年6月，ヒトラーは条約を破棄してソ連に侵攻しました。

第二次世界大戦後の世界

傾向&ポイント 戦後の歴史は，現在の紛争を理解する上でも重要です。現代とのつながりを意識しながら学習しましょう。

頻出度 A

1 冷戦体制の成立

☑ 戦後体制の模索

1941年，チャーチル（英）とフランクリン＝ローズヴェルト（米）の間で**大西洋憲章**が取り決められました。この構想に基づき，戦後の1945年に**国際連合**が発足しました[❶]。

国際連盟		国際連合
1920年	結成	1945年
ジュネーヴ（スイス）	本部	ニューヨーク（アメリカ）
経済制裁のみ	権限	軍事制裁も行う

さらに詳しく
❶国際連合は総会，安全保障理事会，経済社会理事会などからなります。安全保障理事会の常任理事国は，米・英・仏・ソ（→ロシア）・中の五大国で，拒否権を発動できます。

☑ 冷戦の始まり

戦後まもなく，**資本主義**のアメリカと**社会主義**のソ連との対立が激化します。資本主義陣営は西欧，社会主義陣営は東欧を勢力圏としたため**東西冷戦**と呼ばれました[❷]。アメリカと西欧諸国は軍事同盟である**北大西洋条約機構**（NATO）を結成（1949年）[❸]。ソ連と東欧諸国も対抗して**ワルシャワ条約機構**を結成しました（1955年）。

☑ アジアへの波及

中国では，**国民党**との内戦に勝利した**共産党**が**中華人民共和国**を建国。敗れた国民党は**台湾**に逃れました。朝鮮では，北側をソ連・南側をアメリカが占領。それぞれ，**朝鮮民主主義人民共和国**（北朝鮮），**大韓民国**（韓国）となり，1950年には両国の間で**朝鮮戦争**が勃発しました。

さらに詳しく
❷敗戦国のドイツは東西に分断され，1961年に建設された「ベルリンの壁」は冷戦の象徴となりました（1989年に崩壊）。
❸アメリカのトルーマン大統領はソ連を警戒し，封じ込めとよばれる政策を実施しました。西欧への経済援助であるマーシャル・プランはその一環です。

2 冷戦体制の変容

☑ キューバ危機とベトナム戦争

1962年，社会主義国の**キューバ**でソ連がミサイル基地を建設しようとしたため，**キューバ危機**が発生。米ソの対話によって戦争を回避しました。東南アジアでは，**北ベトナム**と**南ベトナム**の紛争にアメリカが介入（ベトナム戦争）❹。アメリカは大きな犠牲を出して撤退し，アメリカの威信は大きく傷つきました❺。

☑ 第三世界の台頭

米ソいずれの陣営にも属さない国々を**第三世界**といいます。1954年，中国の**周恩来**とインドの**ネルー**が平和五原則を発表。1955年には，インドネシアの**バンドン**で**アジア=アフリカ会議**が開かれました。

さらに詳しく

❹フランスから独立したベトナムは，社会主義の北ベトナムと資本主義の南ベトナムに分断されていました。

❺アメリカはソ連に対抗するため，1972年にニクソン大統領が訪中し，中国に接近しました。

3 冷戦の終結と地域紛争

☑ 東欧革命と冷戦の終結

経済が停滞していたソ連では，1985年に指導者となった**ゴルバチョフ**のもとで**ペレストロイカ**とよばれる自由化改革が行われました。1989年，ポーランドなど東欧の社会主義体制が相次いで崩壊（**東欧革命**）。同年，米ソの首脳が**冷戦の終結**を宣言しました❻。

☑ 終わらない地域紛争

1948年，パレスチナにユダヤ人の国家**イスラエル**が建国され，周辺のアラブ諸国が反発。4次にわたる**中東戦争**が勃発しました。パレスチナ人はPLO（**パレスチナ解放機構**）を結成して対抗し，いまだ和平は実現していません。

☑ アメリカ一極集中とその限界

1990年，**イラク**が**クウェート**に侵攻しますが，アメリカを中心とする**多国籍軍**の攻撃を受け，撤退しました（**湾岸戦争**）。2001年9月11日，**アメリカ同時多発テロ**が発生。アメリカは報復として**アフガニスタン**を攻撃しました❼。

さらに詳しく

❻ 1989年，アメリカのブッシュ（父）とソ連のゴルバチョフがマルタ会談を実施し，冷戦の終結を宣言しました。

❼ 2003年には，イラクのフセイン政権が大量破壊兵器を保持しているとしてアメリカなどがイラクを攻撃（イラク戦争）。しかし，兵器保持の証拠は見つかりませんでした。

確認テスト

世界史

1

次の各文に当てはまる語句を下の**ア**～**サ**から選べ。

(1) 楔形文字・太陰暦を使用した文明。シュメール人が都市国家を建設した。

(2) ユダ王国が滅ぼされた際，住民が連行されるバビロン捕囚が起きた。この苦難から生まれた宗教。

(3) 李淵（高祖）が建国した王朝である。長安を都とし，律令制や租庸調の税制を確立した。

(4) ビザンツ帝国の首都であったが，オスマン帝国に征服された。

ア 隋　**イ** 秦　**ウ** 漢　**エ** 唐
オ ユダヤ教　**カ** イスラーム教　**キ** キリスト教
ク イェルサレム　**ケ** コンスタンティノープル
コ エジプト文明　**サ** メソポタミア文明

1

(1) サ
(2) オ
(3) エ
(4) ケ

2

次の各文に当てはまる語句や人物を答えよ。

(1) フランク王国最盛期の王で，800年にローマ教皇からローマ皇帝の冠を授かった。

(2) 中世ヨーロッパの制度で，君主が臣下の領土を保障し，臣下が軍役の義務を負った。

(3) 1077年，教皇グレゴリウス7世が，神聖ローマ皇帝ハインリヒ4世を屈服させた事件。

(4) 16世紀半ば，スイスで宗教改革を進めた人物である。予定説を唱えて勤労を重視した。

(5) フランスの宗教内乱を治めるため，国王アンリ4世によって出された命令。新旧両宗派の信仰を認めた。

2

(1) カール1世（カール大帝）
(2) 封建制度
(3) カノッサの屈辱
(4) カルヴァン
(5) ナントの勅令

3 次の各文に適する人物を下の**ア～キ**から選べ。

(1) ピューリタン革命（清教徒革命）の指導者で，国王チャールズ１世を処刑した。

(2) フランス革命の混乱の中で頭角を現した軍人で，1804 年にはフランス皇帝となった。

(3) プロイセンの宰相として鉄血政策を推進し，1871 年にはドイツ統一を達成した。

(4) ロシア革命の指導者で，ボリシェヴィキを率いて社会主義政権を成立させた。

ア レーニン　**イ** マルクス　**ウ** ビスマルク
エ ナポレオン＝ボナパルト　**オ** ルイ 16 世
カ ナポレオン３世　**キ** クロムウェル

3

(1) キ
(2) エ
(3) ウ
(4) ア

4 次の各文に適する人物を下の**ア～ケ**から選び，また，文中の（　）にあてはまる語句を書け。

(1) アメリカの大統領で，第一次世界大戦の反省から平和を維持する国際機関の設立を提唱。（　　）の設立に繋がった。

(2) ナチ党を率いてドイツの独裁者となり，領土拡張政策をとった。1939 年に（　　）に侵攻し，第二次世界大戦が始まった。

(3) 中国共産党の指導者で，20 世紀前半に中国国民党と内戦を繰り広げた。この内戦に勝利し，1949 年に（　　）を建国した。

(4) 1985 年にソ連の指導者となり，（　　）とよばれる自由化改革を行った。1989 年にはアメリカ大統領と会談し，冷戦終結を宣言した。

ア 蔣介石　**イ** 毛沢東　**ウ** 周恩来
エ ムッソリーニ　**オ** ヒトラー
カ ウィルソン　**キ** フランクリン＝ローズヴェルト
ク ゴルバチョフ　**ケ** スターリン

4

(1) カ，国際連盟
(2) オ，ポーランド
(3) イ，中華人民共和国
(4) ク，ペレストロイカ

1 世界の地形

傾向&ポイント 世界の様々な地形はよく出題されます。山地・海岸などの主な地形はしっかりと押さえておきましょう。

頻出度 B

1 地球の概要

地球の基礎データ

全周は約4万㎞。赤道の半径は約6400㎞。表面積は約5.1億㎢。地軸の傾きは**約23度26分**。南・北回帰線❶は約23度26分，北極・南極圏は極点から約66度34分まで。

❶「回帰線」
太陽の高度が，北回帰線では夏至の正午に，南回帰線では冬至の正午に90度（真上）になる緯線のこと。

緯度・経度

地球上での絶対的な位置を示す際，**緯度**と**経度**が用いられます。緯度は赤道を0度として南北をそれぞれ90度に分けたもの，経度はロンドン郊外の旧グリニッジ天文台を通る**子午線**（北極と南極を結ぶ南北の線）を経度0度の**本初子午線**とし，東西をそれぞれ180度に分けたものです。

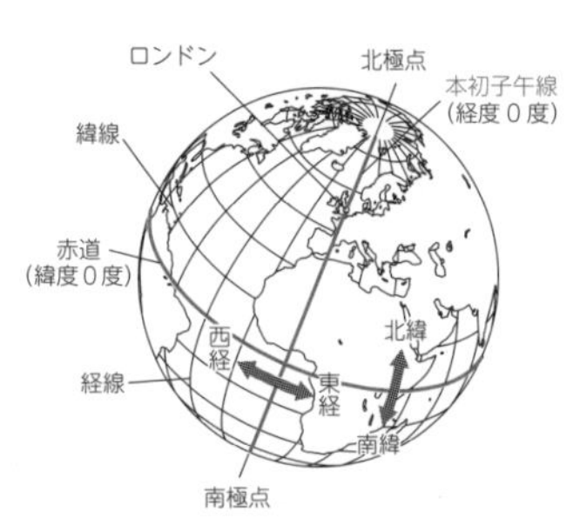

時差

地球はほぼ1日24時間で1回転しているので，経度差15度で1時間の**時差**が生じます。本初子午線に沿った場所の時刻を**グリニッジ標準時（GMT）**とし，東に15度離れるごとに1時間早め，西に15度離れるごとに1時間遅らせます。

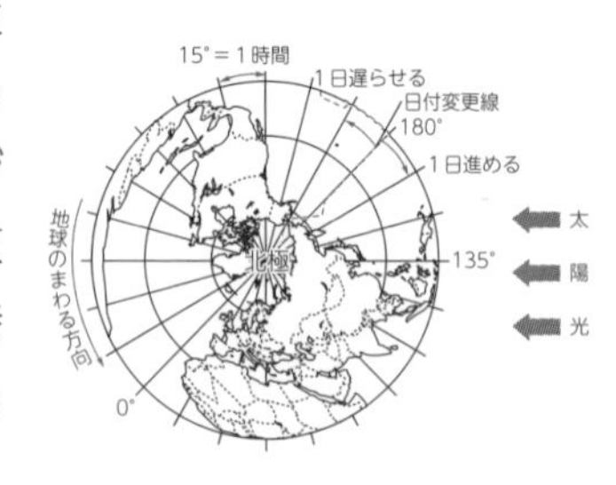

日付変更線は経度 180 度の経線にほぼ沿って引かれており，そのままでは国内の日付が２つになってしまうキリバスなどに対応して，多少屈曲しています。**日本標準時子午線**は東経 135 度で，グリニッジ標準時よりも９時間早い時刻が標準時となっています。

2　世界の地形

内的営力と外的営力

地形の形成には，地殻変動・火山活動など地球の内側からの力による**内的営力**と，気温の変化・風雨・流水など地球の外側からの力による**外的営力**があります。内的営力によってつくられる大陸・巨大山脈・弧状列島（島弧）などの大規模な地形を**大地形**といい，外的営力によってつくられる**扇状地・三角州・Ｖ字谷**などの比較的小規模な地形を**小地形**といいます。

大地形の分類

古期造山帯	古生代に造山運動が活発だった。	**アパラチア造山帯**，ウラル造山帯など
新期造山帯	中生代以降の造山運動によって形成。	**アルプス＝ヒマラヤ造山帯，環太平洋造山帯**
安定陸塊（りくかい）	古生代以後，地殻変動がほとんどない，地球上で最も古い陸地。	**卓状地**（中央平原・中央シベリア高原など）と，カナダ・ブラジルなどの**楯状地**❷

❷「卓状地と楯状地」
卓状地は古い岩層の上に水平に堆積岩がのった平坦地。楯状地は古い岩層が露出している平坦地。

海岸の小地形

離水海岸	土地の隆起や海面低下で海底が干上がる。	**海岸平野，海岸段丘**❸など
沈水海岸	土地の沈降や海面上昇によって形成。	**リアス海岸，フィヨルド**など

❸「海岸平野と海岸段丘」
海岸平野は平坦な海底が陸化した平野。海岸段丘は海底の平坦面が階段状に形成された台地。

世界の国々

傾向&ポイント 世界の宗教はよく出題されます。主な宗教の基礎知識についてはしっかりと押さえておきましょう。

頻出度 **B**

1 国家と領域

国家が成立する条件

国家が成立するためには，**主権**・**領域**・**国民**が必要です。主権とは他国の干渉を受けずに国家を統治する最高権力のことです。主権が及ぶ範囲を領域といい，**領土**・**領海**・**領空**によって構成されます。領域内で国家に帰属している人々を**国民**といいます。

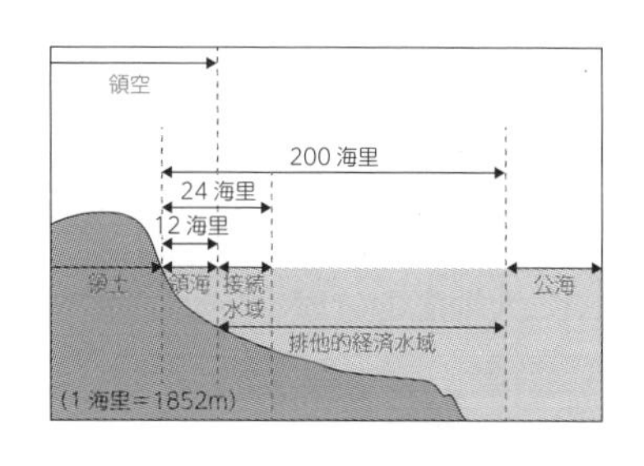

国境の形態

山脈・河川などが境界となった**自然的国境**と，緯線・経線などによって人為的に引かれた**人為的国境**があります。

国家の形態

	定義	特徴
中央集権国家	中央政府の権限が強い。	ピラミッド型の行政システム。
連邦国家	州や共和国が連合して構成される。	アメリカ・ドイツ・ブラジルなどで実施。
民族国家(国民国家)	民族を基盤として構成される。	共通の言語・文化・伝統をもつ。
多民族国家	複数の民族で構成される。	民族紛争を抱えているケースがある。

2 世界の人口

人口増加の原因

1950年に約25億人だった世界の総人口が，2020年には約78億人になりました。アジア・アフリカなどの発展途上国で死亡率が低下し，**人口爆発**とよばれる現象が起こったことが原因です。

人口の構成

先進国では，人口の構成は多産多死→多産少死→少産少死と変化してきました（**人口転換**〈**人口革命**〉）。その結果，人口構成を年齢段階・男女別にグラフ化した**人口ピラミッド**は日本の場合，下記のように変化しました。

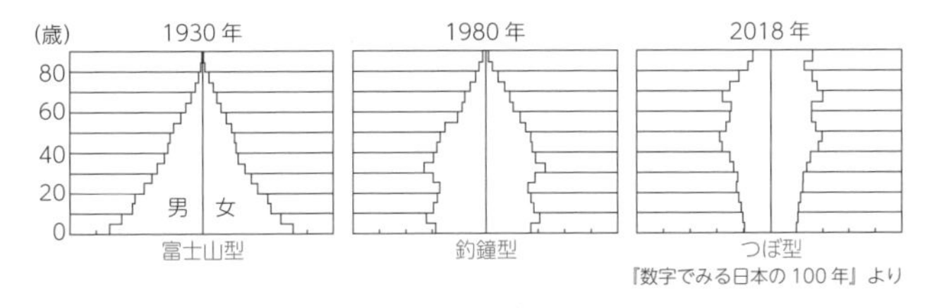

『数字でみる日本の100年』より

3 世界の宗教

世界宗教と民族宗教

世界の宗教には，人種や民族を超越した**世界宗教**と，特定の民族を中心に信仰される**民族宗教**（ユダヤ教・ヒンドゥー教・神道など）があります。

世界の宗教人口は多い順に，キリスト教❶，イスラーム❷，ヒンドゥー教，仏教❸となっています。

主な世界宗教

キリスト教	イエスを救世主として信仰。**カトリック・プロテスタント・正教会**など。
イスラーム	7世紀にムハンマドが創始，唯一神アッラーへの信仰を説く。**スンナ派**と**シーア派**に大別。
仏教	紀元前5世紀ごろにガウタマ＝シッダールタが創始。**上座仏教**と**大乗仏教**に大別。

さらに詳しく

❶キリスト教の宗派
カトリックはローマ＝カトリック教会の教え，プロテスタントは16世紀にルターがローマ＝カトリック教会に抗議して生まれた教え，正教会は東ローマ帝国で普及した教えです。

❷イスラームの宗派
スンナ派は「ムハンマドの言行に従う宗派」という意味で，90％近くを占める多数派です。シーア派はイランに多い少数派です。

❸仏教の宗派
上座仏教はインドから南方に伝わった教えで，東南アジアで広く信仰されています。大乗仏教は北方の中国・朝鮮・日本などに伝わった教えです。

3 各国のつながり

傾向&ポイント 国際連合（国連）はよく出題されます。主な組織・機関の基礎知識はしっかりと押さえておきましょう。

頻出度 B

1 国際連合の成立と組織

国際連合の成立

第二次世界大戦を防げなかった反省から，戦勝国の連合国側を中心として，**国際連合（国連）**が設立されました❶。本部はアメリカ合衆国のニューヨークに置かれ，原加盟国は51か国，2023年末現在の加盟国は193か国です。

国際連合の組織

総会…全加盟国で構成され，1国1票の平等な投票権があります。通常，毎年9月から始まります。

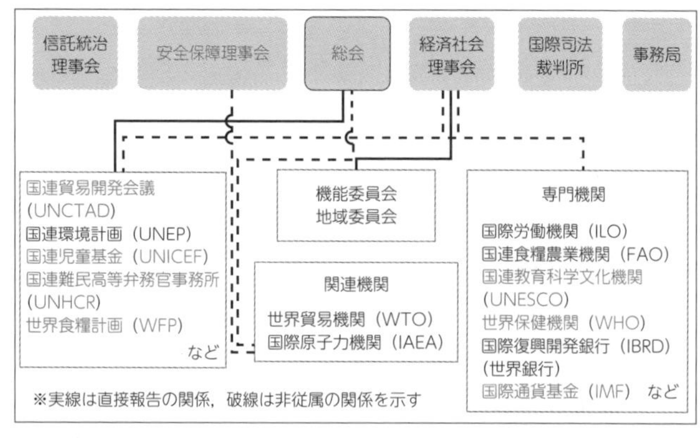

安全保障理事会…世界の平和と安全を維持するための組織で，アメリカ・イギリス・フランス・ロシア・中国❷の5**常任理事国**と，任期2年の10非常任理事国❸によって構成されます。常任理事国には，1国でも反対すると可決できない**拒否権**が与えられています。

さらに詳しく
❶1920年に設立された国際連盟は経済的な制裁のみで，軍事的な措置を取ることはできませんでした。

さらに詳しく
❷国際連合における中国の代表権は，1971年10月までは中華人民共和国ではなく，台湾の中華民国政府がもっていました。
❸日本はこれまでに加盟国中最多の12回にわたって非常任理事国を務めてきました。近い将来の常任理事国入りを目指しています。

2 国際連合の主な機関

総会によって設立された主な機関

国連貿易開発会議(UNCTAD)	発展途上国の貿易・開発に関する問題を先進国とともに協議する機関。
国連児童基金(UNICEF)	発展途上国の児童への食糧・医療などを援助して，児童の人権を守る機関。
国連難民高等弁務官事務所(UNHCR)	難民となった人々に食糧支援などの保護を行い，帰国または第三国での定住を援助する機関。

主な専門機関

国連教育科学文化機関(UNESCO)	教育・科学・文化を通じて世界平和の達成を、目指す機関。世界遺産の登録・保護活動も行っている。
世界保健機関(WHO)	人々の健康の維持と向上を目指す機関。感染症予防などの活動を行う。
国際通貨基金(IMF)	為替相場の安定や自由貿易の促進を図る機関。

3 平和の維持や回復のための国際連合の活動

PKO と PKF

国連平和維持活動（PKO）…国際連合が紛争地域の治安維持や監視のために派遣する小部隊や監視団のことです。

国連平和維持軍（PKF）…PKO を行う武装部隊のことです。日本は憲法上の制約等から限定的に活動しています。

WFP

世界食糧計画（WFP）…総会によって設立された機関で，紛争地域などに緊急食糧援助を行っています。

世界の気候

傾向&ポイント ケッペンの気候区分はよく出題されます。5大気候帯と13の気候区の特徴についてしっかりと押さえておきましょう。

頻出度 A

1 気候の成り立ち

気候要素と気候因子

大気の平均的な総合状態を**気候**といい，気温・湿度・降水量・気圧・風などの統計量で表されるものを**気候要素**，緯度・高度・地形・海流など，気候の分布を左右する要因を**気候因子**といいます。

大気の循環

風は気圧の高いところから低いところに向けて吹くため，高圧帯から低圧帯への大規模な風の流れができます（**大気大循環**）。赤道付近では**熱帯収束帯**，中緯度には**亜熱帯高圧帯**ができ，高緯度に向かって西寄りの**偏西風**，低緯度に向かって東寄りの**貿易風**が発生します。極付近では**極高圧帯**が形成され，**極偏東風**が吹きます。偏西風と極偏東風がぶつかる緯度60度付近には**亜寒帯低圧帯**ができます。

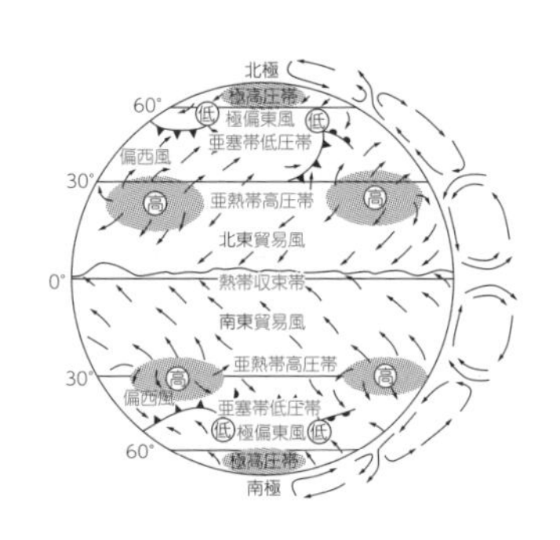

季節風と熱帯低気圧

夏と冬で風向きが逆になる風を**季節風**（**モンスーン**❶）といい，夏に吹く季節風は雨をもたらします。

低緯度の海上で発生・発達する渦巻状で前線のない低気圧を**熱帯低気圧**といい，北西太平洋では**台風**，インド洋な

ことば

❶「モンスーン」
モンスーンの語源はアラビア語で「季節」を意味するmawsimです。

さらに詳しく

❷ 2005年8月末にアメリカ南東部を襲ったハリケーン・カトリーナは死者1833人を出すなど，大きな被害をもたらしました。

どではサイクロン，大西洋などではハリケーン[2]とよばれます。

2 ケッペンの気候区分

気候区分

ある指標によって気候を分類することを**気候区分**といいます。ドイツの気候学者ケッペン[3]は世界の気候を植生分布と結びつけて５つの気候帯，13の気候区に区分しました。

熱帯	熱帯雨林気候（Af）	○ほとんどが赤道周辺 ○午後に**スコール**があることもある ○常緑広葉樹の密林
	熱帯モンスーン気候（Am）	○赤道付近の低緯度　○雨季と弱い**乾季**
	サバナ気候（Aw）	○夏の雨季と冬の乾季 ○低木が点在，雨季には丈の高い草
乾燥帯	砂漠気候（BW）	○ほとんどが年降水量 250mm 未満 ○**オアシス**周辺以外，植生はほとんどなし
	ステップ気候（BS）	○長い乾季と短い雨季 ○**ステップ**と呼ばれる丈の短い草原
温帯	温暖冬季少雨気候（Cw）	○夏は高温多雨，冬は温暖少雨 ○低地では常緑広葉樹
	温暖湿潤気候（Cfa）	○夏は高温多雨，冬は低温乾燥 ○熱帯低気圧による大雨
	地中海性気候（Cs）	○夏は高温乾燥，冬は温暖多雨 ○地中海沿岸には石灰岩が風化した**テラロッサ**
	西岸海洋性気候（Cfb）	○偏西風の影響で年中温和 ○降水量は年中安定　○ブナなどの落葉広葉樹
冷帯	冷帯湿潤気候（Df）	○おもに北緯 40 度以北に分布　○降水量は年中安定 ○北部には**タイガ**
	冷帯冬季少雨気候（Dw）	○夏はやや多雨，冬は少雨で著しく低温 ○タイガが広がる
寒帯	ツンドラ気候（ET）	○最暖月の平均気温が 0℃以上 10℃未満 ○短い夏に低木・草など
	氷雪気候（EF）	○最暖月の平均気温が 0℃未満 ○**大陸氷河（氷床）**で通常の居住は不能

さらに詳しく

[3]ケッペン（1846～1940）は植物学者でもあったので，世界各地の植生に着目しながら気候区分を完成させました。

地図

傾向&ポイント 世界地図の主な図法の種類についてはよく出題されます。それぞれの特徴についてしっかりと押さえておきましょう。

頻出度 B

1 世界地図の種類と主な図法

世界地図の種類

	特徴	例
正角図	角度が正しく表せる	メルカトル図法
正距図	距離が正しく表せる	正距方位図法
正方位図	方位が正しく表せる	正距方位図法
正積図	面積が正しく表せる	サンソン図法 モルワイデ図法 グード図法❶

❶「グード図法」
1923年にアメリカの地理学者グードが考案した図法で，低緯度地方はサンソン図法，高緯度地方はモルワイデ図法で描いて接合したものです。ホモロサイン図法ともいいます。

主な図法

メルカトル図法

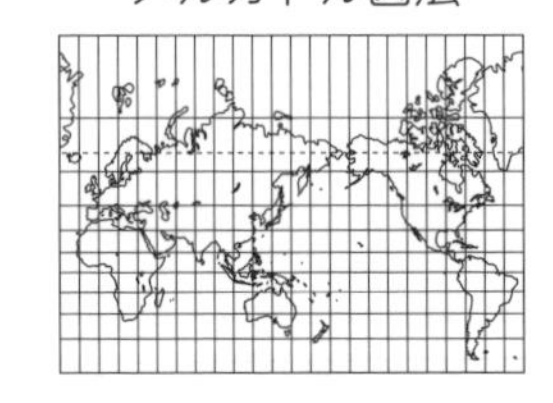

正距方位図法

モルワイデ図法

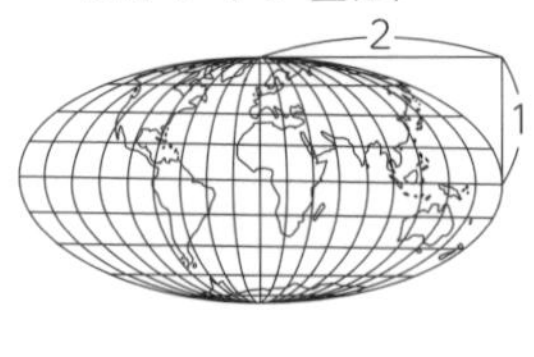

グード図法

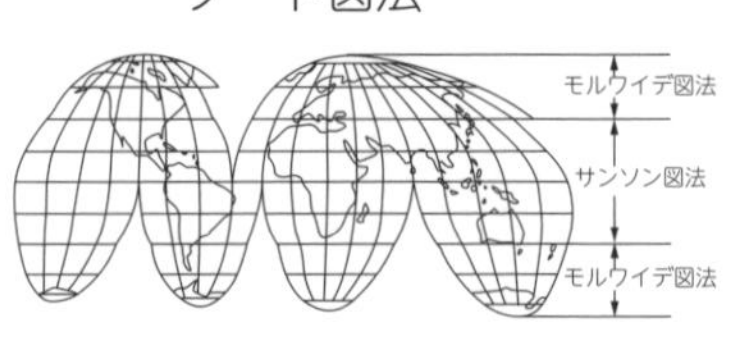

2 地形図・等高線・主な地図記号

☑ 地形図

国土交通省の**国土地理院**は２万５千分の１，５万分の１の地形図など国内のさまざまな地図を発行しています。近年は**地理情報システム（GIS）**を活用して電子国土基本図の整備を進め，インターネット上で**電子地形図 25000** が公開されており，学習･ビジネスなどに利用されています。

さらに詳しく
❷補助曲線は主曲線だけではわかりにくい場合に用いられます。

☑ 等高線

	5万分の1	2万5千分の1
計曲線	100 m毎	50 m毎
主曲線	20 m毎	10 m毎
補助曲線❷	10 m毎	5 mか 2.5 m毎
	5 m毎	

2万5千分の1地形図の例

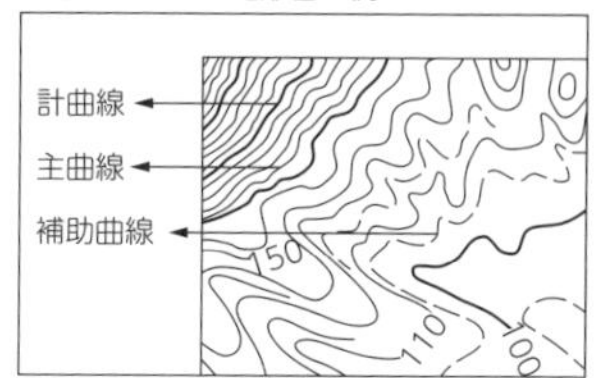

☑ 主な地図記号

◎	市役所		発電所等		港湾
○	町村役場		風車❸		漁港
	官公署	⛩	神社		送電線
	裁判所	卍	寺院	‖	田
	税務署		灯台	∨	畑
Y	消防署		城跡		果樹園
	病院	♨	温泉	∴	茶畑
⊕	保健所	⊥	墓地	Q	広葉樹林
	高塔		図書館	Λ	針葉樹林
	記念碑	🏛	博物館		竹林
	煙突	∴	史跡・名勝・天然記念物		荒地
	電波塔		老人ホーム❸		三角点
⊗	警察署	文	小・中学校		電子基準点
X	交番		高等学校	⊡	水準点
〒	郵便局			－156－	水面標高

TIPS
❸風車と老人ホームの地図記号は，2006 年に全国の小中学生による公募で決定されました。

日本の地誌①

傾向&ポイント 日本の地形と気候についてはよく出題されます。各地方の特徴についてしっかりと押さえておきましょう。

頻出度 B

1　日本の地形と気候の特色

日本の地形

日本列島はユーラシア大陸と太平洋にはさまれた**弧状列島**で，千島弧，東北日本弧，伊豆・小笠原弧，西南日本弧，琉球弧の５つの島弧からなります。その周囲には太平洋プレート，フィリピン海プレート，ユーラシアプレート，北アメリカプレートの４枚の**プレート**[1]が集まっています。

日本の気候

日本列島はユーラシア大陸の東岸に位置しているため，その気候は**季節風（モンスーン）**の影響が大きく，四季の変化がはっきりしています。初夏には**梅雨前線**が停滞し，北海道を除いて**梅雨**[2]になります。秋にかけては**台風**が接近します。

ことば

❶「プレート」
地球の表面を覆う厚さ100km程度の岩体で，地球上に合わせて十数枚あります。

TIPS

❷北海道にも６月ごろに10～15日程度，雨が多い季節があり，蝦夷梅雨（えぞつゆ）とよばれますが，他の地域の梅雨よりも短く，大雨にはなりにくいのが特徴です。

2 東日本の特徴

北海道地方

日本の最北に位置し，**亜寒帯（冷帯）**の気候に属します。北東側は**オホーツク海**，北西側は日本海，南側は太平洋に面しています❸。

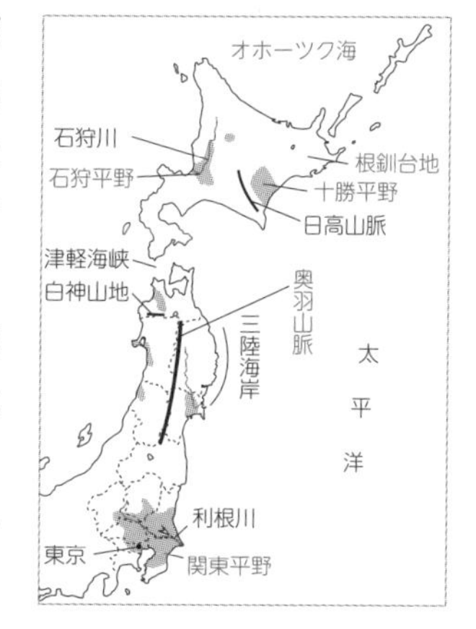

広大な土地をいかして大規模な農業が行われ，**石狩平野**では稲作，**十勝平野**では小麦・大豆・じゃがいもなどの畑作，**根釧台地**（こんせん）では酪農が盛んです。

東北地方

南北に**奥羽山脈**が走り，太平洋側と日本海側に区分されます。2011 年 3 月 11 日に発生した**東日本大震災**では，太平洋側の沿岸部を中心に大きな被害が出ました。

農業では米の生産量が全国の 3 割近くを占め，「**日本の穀倉地帯**❹」とよばれています。

工業では高速道路沿いに **IC（集積回路）**などの**先端技術産業（ハイテク産業）**が発達するとともに，南部鉄器・会津塗・天童将棋駒などの**伝統産業**も受け継がれています。

関東地方

日本一広い**関東平野**があり，首都の**東京**を中心に，全国の人口の約 3 分の 1 が集中しています。

工業では，**京浜工業地帯**・**京葉工業地域**・**北関東工業地域**という 3 つの工業地帯・地域があります。首都東京がある京浜工業地帯では印刷業，千葉県の沿岸部に広がる京葉工業地域では石油化学工業や鉄鋼業が盛んです。

農業では，大市場である東京に近いという利点をいかして新鮮な野菜や花を供給する**近郊農業**が盛んで，特に茨城県と千葉県の野菜と花の生産額は全国のトップクラスです。

さらに詳しく

❸北東部の歯舞群島・色丹島・国後島・択捉島からなる北方領土は，第二次世界大戦後にソ連（現ロシア）に占拠されたままとなっています。

TIPS

❹東北地方の太平洋側では，6～8 月にやませとよばれる冷たく湿った北東の風が吹いて収穫量が減る，冷害が起こることがあります。特に 1993 年の被害は深刻で，それによる混乱は「平成の米騒動」ともよばれました。

日本の地誌②

傾向&ポイント 日本の産業についての出題がよくみられます。各地方の農業・工業の特徴についてしっかりと押さえておきましょう。

頻出度 B

1 中部・近畿地方の特色

中部地方

日本海側の新潟県・富山県・石川県・福井県は**北陸**，内陸の山梨県・長野県・岐阜県北部は**中央高地**，太平洋側の静岡県・愛知県・岐阜県南部は**東海**に区分されます。北陸には**北陸工業地域**，東海には**中京工業地帯**と**東海工業地域**が広がっています。北陸は米の単作地帯が多く，中央高地では**抑制栽培**で高原野菜の生産が盛んです。

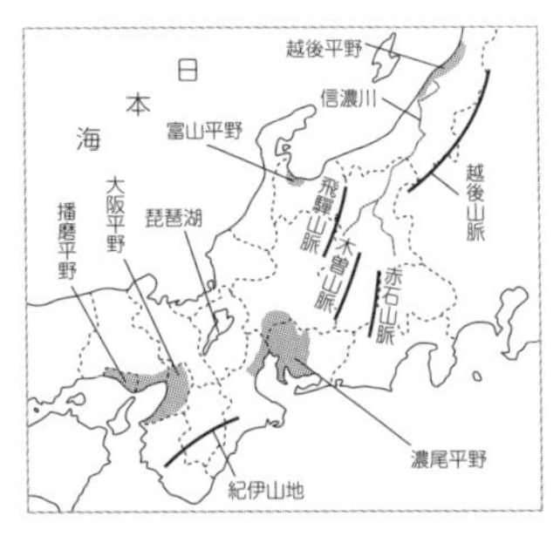

近畿地方

大阪市・京都市・神戸市を中心に三大都市圏の一つ**京阪神大都市圏**を形成しています。三大工業地帯の一つである**阪神工業地帯**は明治時代から紡績業などの軽工業が発達し，戦後は鉄鋼業や化学工業が発展しました。内陸部の東大阪市・八尾(やお)市などに中小工場が多いのも特徴です。1995年1月17日に発生した**阪神・淡路大震災**では神戸市などが大きな被害を受けましたが，防災・減災を重視しての都市計画に基づいて復興を遂げました。2025年には大阪湾の夢洲(ゆめしま)で日本国際博覧会（大阪・関西万博）が開催予定です❶。

TIPS

❶ 1970年には大阪府吹田(すいた)市の千里(せんり)丘陵で日本万国博覧会（大阪万博）が開催され，半年間で約6422万人が来場しました。

2　中国・四国，九州地方の特色

☑ 中国・四国地方

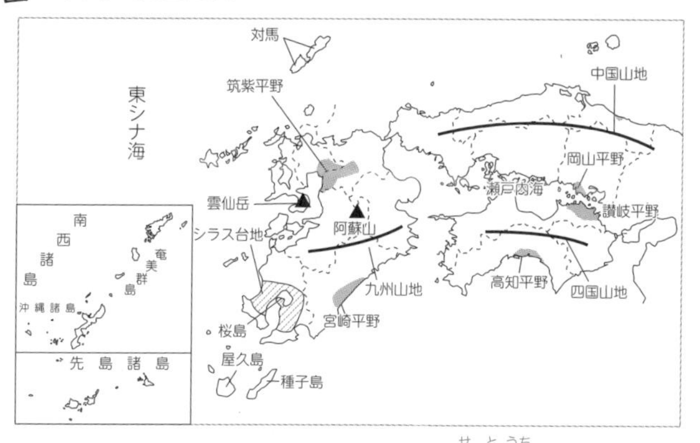

日本海側の**山陰**，瀬戸内海沿岸部の**瀬戸内**(せとうち)，太平洋側の**南四国**に区分されます。瀬戸内の中国地方側は山陰に対して山陽ともよばれます。瀬戸内は，冬の季節風が**中国山地**，夏の季節風が**四国山地**にさえぎられるため，一年中温暖で降水量が少ない**瀬戸内の気候**です。南四国の高知平野では，ビニールハウスを利用した野菜の**促成栽培**による**輸送園芸農業**❷が盛んです。

瀬戸内海の沿岸部の塩田跡や埋め立て地に，戦後多くの工場が建設され，**瀬戸内工業地域**が形成されました。

☑ 九州地方

九州と対馬(つしま)・壱岐(いき)など周辺の島々，薩南(さつなん)諸島・沖縄諸島・先島(さきしま)諸島・尖閣諸島などの南西諸島によって構成されます。**南西諸島の気候**は亜熱帯性の気候です。

九州地方には，世界最大級のカルデラの**阿蘇山**，**桜島**など多くの火山があります。1991年の**雲仙普賢岳**(うんぜんふげんだけ)の噴火では大規模な火砕流が発生し，大きな被害が出ました。

1901年に**八幡製鉄所**が操業を開始したのをきっかけに**北九州工業地帯（域）**が発達し，四大工業地帯とよばれましたが，1960年代のエネルギー革命❸をきっかけに，その地位は低下しました。

ことば

❷「輸送園芸農業」
遠隔にある大消費地とは異なった気候（この場合はより温暖）をいかして，大消費地近郊と時期をずらして野菜などを出荷する農業のことです。九州の宮崎平野でも同様の農業が行われています。

❸「エネルギー革命」
1960年代にエネルギー源の中心が石炭から石油・天然ガスへと変わったことによる変革のことです。近くに筑豊炭田がある北九州工業地帯（域）の利点は失われ，九州や北海道では多くの炭鉱が閉山しました。

日本の産業と資源

傾向&ポイント 日本の工業についてはよく出題されます。工業の発達や変化についてしっかりと押さえておきましょう。

頻出度 B

1 日本の工業

日本の工業の特色

戦前は製糸業・紡績業などの**軽工業**が中心でしたが，戦後，特に1950年代後半に始まった高度経済成長期以降は鉄鋼業・造船業・機械工業などの**重工業**が発達しました。近年は高度な知識や技術が必要な**先端技術産業**（ハイテク産業）が発展し，特許権などの**知的財産権**がより重要になっています。

工業製品出荷額と内訳の変化

年・出荷額	機械	金属	化学	食料品	繊維（紡織）	その他
1930年 60億円	11.7%	8.4	15.1	16.0	36.5	12.3
1955年 6兆3960億円	14.7%	17.2	14.9	18.8	16.0	18.4
1980年 214兆6998億円	31.8%	17.1	15.5	10.5	5.2	19.9
2021年 330兆2200億円	44.5%	14.4	14.0	12.0	1.1	14.0

（『日本国勢図会（2024/25年）』ほか）

貿易摩擦と産業の空洞化

1980年代にアメリカ合衆国との間で自動車工業を中心に**貿易摩擦**❶が生じ，その解決のため，多くの企業が現地生産を行うようになりました。その後，賃金の安い海外への工場の移転も増え，**産業の空洞化**❷が起こっています。

❶「貿易摩擦」
2つの国・地域の間で貿易が原因で生じる問題のこと。特に，大量の輸出によって相手国・地域の産業に打撃を与えた場合には深刻な問題になります。

❷「産業の空洞化」
自国よりも労働コストや地価が安いなどの理由で工場が海外に移転した結果，国内の産業が衰退してしまう現象のことです。

2 日本の農業

日本の稲作の変化

戦後，米は政府がすべて買い入れたため，価格が保証されていましたが，1970年代に入ると米の消費が減り米の

主要農産物の農業総産出額の推移

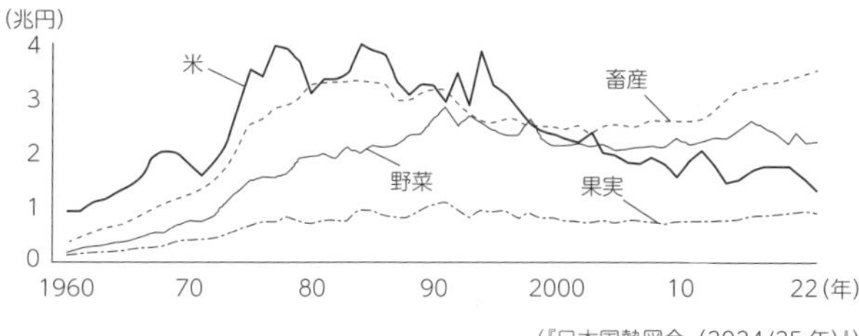

(『日本国勢図会(2024/25 年)』)

日本の農業就業人口と世代の変化

(万人)
2500
2000
1500
1000
500
0
49歳以下
50~59歳
60~64歳
65歳以上
1979 1989 1999 2009 2019(年)

(基幹的農業従事者数)

余剰が問題になったため，**減反政策**❸が始められました。1995 年に米の流通が自由化し，各生産地では**銘柄米**の開発を進めました。

☑ 日本の農業の課題

近年，日本では若者の就農が減り，高齢化が著しく進んでいます。また，**主業農家**❹の割合が減り，農業を副業とする農家の割合が高くなっています。

3 日本の資源・エネルギー問題

☑ 輸入に依存する日本の資源

日本では，第二次世界大戦中まで石炭は自給できていましたが，現在はほとんどを輸入に頼っており，自給できるのは**石灰石**と硫黄(いおう)程度となっています。そのため，主要エネルギー源である石油などの価格が上昇すると，経済的に大きな影響を受けることになります。

☑ エネルギー問題

日本は島国のため，輸送コストが比較的安価な**液化天然ガス**❺の輸入が増えています。また，省エネルギーの取り組みと技術開発を進めるとともに，太陽光・風力・地熱・バイオ燃料などの**再生可能エネルギー**を利用した発電の開発が進められています。

さらに詳しく

❸生産過剰となった米の生産量を抑制するため，休耕や小麦・大豆などへの転作を進めた政策が減反政策です。1971 年に本格的に始まり，2018 年まで続けられました。

❹「主業農家」
年に 60 日以上農業を行う 65 歳未満の人がいる農家のうち，農業所得が世帯所得の半分以上を占める農家のことです。

❺気体の天然ガスを液化ずると，気体に比べて体積が約 600 分の 1 になるので，天然ガスの大量輸送と貯蔵が可能になります。

日本の貿易

頻出度 B

傾向&ポイント 国家の経済活動の指標ともいえる貿易に関する出題が多くみられます。日本の貿易も，その相手国や品目の変化を経て現在に至るため，それらの推移と現状を押さえておきましょう。

❶日本の最大の貿易相手国はアメリカというイメージがあるかもしれませんが，中国です。今や made in China の商品が日本の街角に溢れる時代です。

1 日本の貿易相手国と品目

☑ **貿易相手国**❶　日本の貿易は，2005 年まではアメリカ合衆国が最大の相手国でした。しかし，現在は輸出入ともに**中国**が第 1 位になっています。以下，アメリカ，台湾，韓国，タイなど，アジア・太平洋地域の国々が上位にきます。近年，日中貿易は急速に拡大しており，2000 年から 2015 年にかけて，輸出入は 3 倍以上の増加となりました。その理由の一つとして，中国の安い**人件費**を求めて，日本企業が生産拠点を中国に移し，中国産の安価な工業製品が大量に**逆輸入**されたことが挙げられます。

☑ **日本の主な相手別貿易額と主要輸出入品（2022 年）**

	相手国	輸出入額(億円)	主な輸出入品（上段：輸出 / 下段：輸入）
1	中国	190037	半導体等製造装置などの機械類，プラスチック，自動車
		248497	通信機・コンピュータなどの機械類，衣類，金属製品
2	アメリカ	182550	内燃機関などの機械類，自動車，科学光学機器
		117589	航空機用内燃機関などの機械類，医薬品，液化石油ガス
3	オーストラリア	21727	自動車，建設・鉱山用機械などの機械類，石油製品
		116225	石炭，液化天然ガス，鉄鉱石
4	台湾	68575	集積回路などの機械類，プラスチック，自動車
		51094	集積回路などの機械類，プラスチック，鉄鋼
5	韓国	71062	半導体等製造装置などの機械類，鉄鋼，プラスチック
		44167	集積回路などの機械類，石油製品，鉄鋼，医薬品

（『日本国勢図会（2024/25 年)』）

貿易品目

第二次世界大戦前は，輸出品目が繊維・繊維製品などの軽工業製品で，輸入も繊維製品と食料品が中心でした。日本は鉱産資源に乏しいこともあり，戦後には原燃料を輸入して機械類や鉄鋼を輸出する**加工貿易**に移行し，1960～70 年代の**高度経済成長期**を経験しました。現在も輸出の中心が自動車や建設機械などの機械類，輸入もコンピュータや電気製品などの機械類となっています。

貿易品目（2022 年）

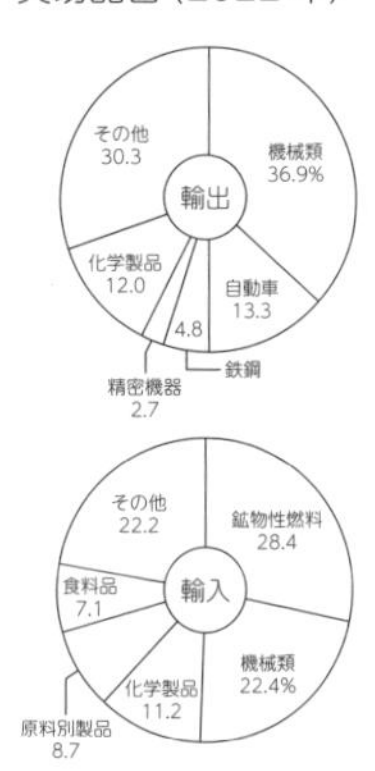

（『日本国勢図会（2024/25年）』）

2 日本の貿易の歴史

日本の貿易の推移❷

戦前の軽工業貿易，戦後の加工貿易，高度経済成長期を経て，工業国日本が確立されます。その後，二度の石油危機を経て，1980 年代以降は輸出超過が続き，アメリカとの**貿易摩擦**が生じます。1985 年にプラザ合意が成立し円高が進むと，日本の輸入も増加しましたが，日本企業は海外に現地法人を設立し，現地生産や現地での部品調達の割合を高めていきました。しかし，2008 年のリーマンショック以降は世界的な経済の後退が続きました。現在の日本の貿易収支は，円安傾向も手伝い，マイナス傾向で推移しています。

❷日本の貿易・経済の歴史と推移は頻出項目です。円高，円安と貿易の関係も復習しておきましょう。

❸名古屋港が輸出額のトップですが，工業地帯別でも京浜を抑えて中京がトップになっていることを押さえておきましょう。

3 日本の主な貿易港

主な貿易港の輸出品目

右の表は日本の主な貿易港の輸出額を表しています。**名古屋港**❸はトヨタ自動車関係の輸出が多く，**成田国際空港**は空輸であるため軽量な光学機器や装置，回路などが主です。海港の横浜，東京，神戸からは内燃機関やプラスチック，織物など重・軽様々な品目が輸出されています。

日本の主な貿易港と輸出額（2023 年）

輸出港	輸出額（億円）
名古屋	151877
成田空港	150468
横浜	85213
神戸	75116

（『日本国勢図会（2024/25 年）』）

10 世界の産業と資源

頻出度 B

傾向&ポイント 農牧業と鉱産資源については理解しておくべき特定事項があります。これらの第1次産業の分布は，自然環境を念頭に学習すると理解がしやすくなります。

1 世界の農牧業

自給的農業❶

人が自らの食料を得るために行う農業が**自給的農業**です。**遊牧**（乾燥気候地域のアジア・北アフリカのラクダ・羊・ヤギなど…家畜とともに人も移動），**焼き畑農業**（熱帯雨林地域のアフリカ中央部のキャッサバなど），**集約的稲作農業**（東南アジア～中国南部など），**集約的畑作農業**（中央アジア～北アフリカの乾燥地域）などに分類されます。集約的稲作・畑作農業は商業的農業を兼ねる場合もあります。

❶農業，特に自給的農業は気温や降水量などの自然環境の影響を受けるため，ケッペンの気候区を参照・比較すると理解しやすいです。

商業的農業

商品としての農産物を主に栽培する農業が**商業的農業**です。**酪農**（北ヨーロッパ・北アメリカなど…乳牛の飼育・

酪農	イギリス・デンマーク・北アメリカなど	乳牛を飼育して牛乳・バター・チーズを生産。
混合農業	中部ヨーロッパ	穀物（小麦やライ麦），飼料作物（えん麦・大麦・牧草），家畜（肉牛・豚・鶏）を輪作。
園芸農業	大都市近郊	野菜や果実・花卉など市場性の高い作物の栽培，遠隔地への輸送園芸。
地中海式農業	地中海沿岸から内陸部，アメリカ・アフリカの地中海性気候地域	夏はオリーブやレモン，オレンジ，グレープ，コルクガシなどの栽培。 冬は麦作とヤギ，羊の飼育（アルプス山脈の移牧：夏は山地に羊を移動させ飼育）。
プランテーション農業	東南アジア・西アフリカ・ラテンアメリカなどの旧植民地	旧宗主国・先進国資本による単一耕作（バナナ・油やし・天然ゴム・コーヒー・カカオなど）。

乳製品の生産)，**混合農業**[2]（中部ヨーロッパ…小麦やライ麦・飼料作物などの輪作と家畜〔肉牛・豚・鶏〕の飼育)，**園芸農業**（大都市近郊での野菜・果実・花卉(かき)などの栽培)，**地中海式農業**（地中海周辺地域，アメリカ大陸・アフリカ大陸の地中海性気候区…夏はオリーブやレモン，オレンジ，ブドウ，コルクガシなど，冬は麦などの栽培）が挙げられます。なお，混合農業と地中海式農業（冬期の麦）は，自給的に行われる場合もあります。現在は，商業的農業も更に発展して，穀物メジャーなどの大規模企業による**企業的農業**が展開されています。商品作物の大量生産はもちろん，**バイオテクノロジー**の応用による遺伝子組み換え作物，バイオエタノールの生産なども増えています。

TIPS
[2]日本ではなじみのない混合農業は，世界史の教科書でおなじみの中世ヨーロッパの三圃式(さんぽしき)農業がもとになっています。

2 世界の鉱産資源

産業革命以降，工業をはじめとする世界の諸産業をになってきたのは石炭，石油，鉄鉱石などの鉱産資源です。**石炭**は**古期造山帯**を含むアメリカ・中国・ロシア・オーストラリアなどに多く分布します。**原油**[3]は西アジア（サウジアラビア・イランなど)，中央アジア（カスピ海周辺)，東南アジア（インドネシア・ブルネイ・マレーシアなど)，ロシア，北アメリカ，中南米（ベネズエラ・メキシコ）などに多く，**天然ガス**もそれらの地域で多くなります。**鉄鉱石**は地質年代の古い**安定陸塊**(りくかい)のブラジル・中国・オーストラリアなどで多く産出されます。

ちなみに，国別の生産量１位をみると，石炭が中国，原油と天然ガスがアメリカ，鉄鉱石がオーストラリアとなっています。

TIPS
[3]原油が精製されて石油になります。原油のもとは生物の遺骸(いがい)で，地質時代に生物の遺骸が溜まりやすかった場所が，現在の油田になっています。

鉱産資源の主要生産国（『日本国勢図会（2024/25 年）』）

	石炭（2022 年）	原油（2023 年）	天然ガス（2022 年）	鉄鉱石（2021 年）
1	中国	アメリカ	アメリカ	オーストラリア
2	インド	ロシア	ロシア	ブラジル
3	インドネシア	サウジアラビア	イラン	中国

11 世界の貿易

頻出度 B

傾向&ポイント 現在，世界の貿易は拡大傾向にあり，かつての水平貿易と垂直貿易という先進国と発展途上国との貿易構造も変化しています。これらの貿易構造の現況を理解しておきましょう。

1 世界の貿易構造

貿易構造の変化

世界の貿易はアメリカ，日本，EU，さらに中国を加えた主要国間の**水平貿易**❶，およびEU，USMCAの**域内貿易**が増えています。一方，**垂直貿易**❷（南北貿易）とよばれる，かつてのEUの工業製品，アフリカの一次産品のような，先進国と発展途上国間の貿易構造，**南北格差**は変化しています。近年は中国やアジア・ASEAN諸国を中心とした工業の発展があり，先進国との間に水平貿易に近い動きが目立つようになりました。

❶「水平貿易」
主に先進国間の工業製品の貿易のこと。

❷「垂直貿易」
例えばEU諸国に発展途上国から原料となる一次産品が輸出され，EU諸国から完成品である工業製品が輸出されるような貿易構造を指します。

2 主要国の貿易

主要国の貿易

現在は**中国**❸が**輸出志向型**の工業化を進め，貿易総額，輸出額，貿易収支ともに世界1位となっています。アメリカは生産拠点の海外移転などで輸出と貿易収支が停滞して，貿易総額は中国に抜かれて世界2位になりました。EU諸国は，域内の関税や数量制限を廃した域内貿易がEUの貿易総額の3分の2を占めています。域内貿易が活性化したことで，フランス，ドイツ各国も従来のシェアを維持しています。

❸中国は一帯一路構想という，アジア，ヨーロッパ，アフリカを含めた経済圏構想も進めています。

主要国の輸出入貿易額の推移（単位百万ドル）

	輸出（2022）	輸入（2022）
世界	24925766	25670095
アメリカ	2064278	3375819
中国	3593523	2716151
ドイツ	1657577	1570752
フランス	617855	818260
オランダ	966708	898310
日本	746920	897242
韓国	683585	731370
イタリア	657039	689256
EU	7152741	7470059
USMCA	3241528	4584080
ASEAN	1959526	1879183

発展途上国の貿易

発展途上国は輸出志向型工業を進める国々（ASEAN，ブラジルなど）と，特定の鉱産資源や**商品作物**の輸出に依存する国々（ナイジェリア，ベネズエラ，コートジボワールなど）に分かれます。後者は**モノカルチャー経済**❹であるため，国際的な需要変動に左右される，不安定な経済構造となっています。

世界の地域間貿易関係

3 進む貿易の自由化と連携

世界の自由貿易体制

各国の保護主義的貿易政策も一因となったとされる世界大戦の反省から，自由貿易体制を目指して1947年に**GATT**（関税及び貿易に関する一般協定）が作成されました。1995年にはGATTの精神を引き継ぎつつ，国際機関の**WTO**（世界貿易機関）が発足しました。自由貿易を推進させるために，二国間，あるいは地域間に交わされる協定が**FTA**（自由貿易協定）❺，**EPA**（経済連携協定）❻です。

さらに詳しく

❹モノカルチャー経済の代表例としては，アラブ産油国やナイジェリア，ベネズエラの原油，チリの銅，コートジボワール，ガーナのカカオ豆などが挙げられます。

❺FTAは財やサービスの関税や数量規制の撤廃を行い，EPAは範囲を拡げての連携で，人材，知的財産権の保護や投資も含めた連携となっています。

❻TPP（環太平洋経済連携）はEPAの一種で，日本からの製品やサービスの輸出，加盟各国からの安価な商品の輸入が期待できます。一方，農産物輸入の自由化が進むと，日本の農家が打撃を受けることも考えられます。

12 東アジア・東南アジア

頻出度 B

傾向＆ポイント 日本も含む東アジア・東南アジア地域は，域内での交流や貿易，人・物・金（カネ）の行き来が大きく増加しています。日本と東アジア・東南アジア各国の関係について，押さえておきましょう。

1 東アジア

☑ 中国の自然環境

中国の地形は，東部の平野部，中央部の高原と盆地，南西部のチベット高原，ヒマラヤ山系に大別されます。**安定陸塊**（りくかい）が多くを占めて地下資源は豊富です。気候は**チンリン＝ホワイ川線**[1]を境に，南が湿潤気候地域，北が乾燥気候地域に大別されます。

❶チンリン＝ホワイ川線は，年降水量1000mmの境界線で，南側が水田稲作地域，北側が畑作地域として知られています。現在は品種改良などによって，北の黒竜江省が稲作の中心地になっています。なお，アメリカ合衆国の中央平原の農業も，年降水量500mm線を境に西の牧畜，東の畑作に大別されることに注目しましょう。

☑ 中国の社会的基盤と現況

社会主義体制から，1970年代末に対外開放政策に転じ，93年に市場経済を導入しました。2010年にGDPが世界2位となり，2013年以降は「**一帯一路**」経済圏構想のもと，東南アジア，アラビア半島，ヨーロッパ，さらにアフリカ諸国へ向けての経済活動も推進しています。**輸出志向型**の工業化も進み，貿易総額，輸出額，貿易収支ともに世界1位となりました。一方，国内においては地域間格差を是正するための**西部大開発計画**が推進されるほか，**チベット問題**，**ウイグル問題**，**香港**との関係などの多難な課題にも直面しています。

2 東南アジア

☑ 東南アジアの自然環境

東南アジアは，インドシナ半島を中心とした大陸部と，マレー半島から続く島弧群，フィリピン諸島等の島嶼（とうしょ）群からなります。**環太平洋造山帯**と**アルプス・ヒマラヤ造山帯**

の交差地域で，地震や火山活動が活発です。赤道を中心に**熱帯気候**区が広く分布し，北上するにしたがい雨季と乾季が明瞭な**熱帯モンスーン気候**へ移行します。

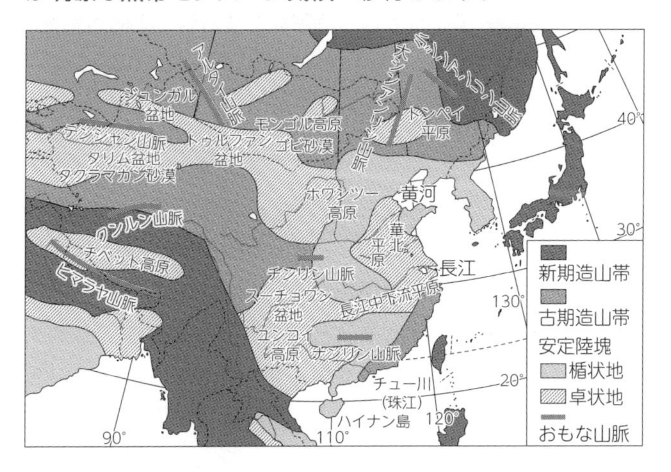

東南アジアの社会的基盤と現況

第２次世界大戦後，新たな国家体制と経済発展が開始されました。工業は**輸入代替工業**から出発し，**外国企業の誘致**，**輸出志向型工業**へと発展しました。安い労働力など優位な条件もあり，工業製品を輸出項目の１位とする国が増えて，東南アジア諸国連合（**ASEAN**[2]）のもと経済発展が図られました。**シンガポール**は第２・３次産業への特化を徹底し，アジアの金融センターとよばれる程の発展を遂げました。ベトナムは**ドイモイ政策**のもと，稲作農業[3]，繊維工業，食品工業，さらには観光業に力点を置いています。

農業は**緑の革命**を経て，タイ，インドネシア，ベトナム等が生産輸出の上位に並びます。かつては植民地支配下のプランテーションで天然ゴム，油やし等が栽培されましたが，1960年代以降，多国籍企業によるプランテーション農業が進み，フィリピンのバナナ，ベトナムのコーヒーなど世界的シェアを獲得する例も出てきました。

さらに詳しく

❷ASEANはインドネシア，カンボジア，シンガポール，タイ，フィリピン，ベトナム，ブルネイ，マレーシア，ミャンマー，ラオスの10ヵ国から構成されます。

❸水田稲作はジャワ島・バリ島の棚田(たなだ)耕作も有名です。

13 アフリカ・オセアニア

頻出度 B

傾向&ポイント アフリカは，豊富な鉱産資源，人的資源をいかし，成長を遂げようとしている地域です。オセアニアは諸産業，貿易を通して，日本とのつながりが深い地域です。主要な資源や産業について押さえておきましょう。

1 アフリカ❶

アフリカ大陸の自然環境❷

安定陸塊が大陸の多くを占めますが，東部の**アフリカ大地溝帯**は活動中で，**キリマンジャロ火山**や，タンガニーカ湖などの**断層湖**がみられます。**赤道低圧帯**が届く範囲に**熱帯雨林**が形成され，外側の乾燥地域には北部の**サハラ砂漠**，南部の**ナミブ砂漠**，**カラハリ砂漠**が分布します。

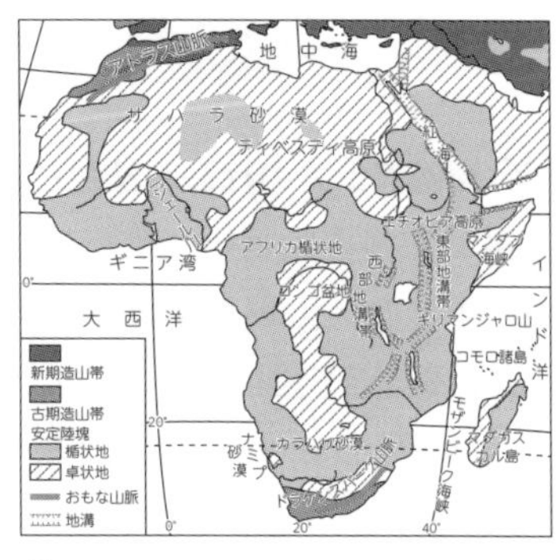

アフリカの産業・経済❸

国営及び民間企業による大規模農業が推進され，エジプトの**ナイルデルタ**の綿花や小麦栽培，サバナ地域の牧畜が盛んです。東アフリカのケニアでは輸出に特化した茶や花卉(かき)類の栽培が行われます。熱帯雨林地域はプランテーション農業が継続され，コートジボワールやガーナのカカオ豆のような**モノカルチャー経済**の国もあります。南アフリカは**地中海性気候**をいかしたブドウ栽培，ワイン製造が新たな輸出産業となりました。

地下資源は豊富で，南アフリカ楯状地の金・ダイヤのほか，南部のコンゴ，ザンビアの**銅**，**ニッケル**，北アフリカと中部アフリカの**原油**も多くの産出があります。**BRICS**

---

one POINT

❶白人と有色人種を分けて統治を進めた人種隔離政策のアパルトヘイト，2010年末から中東，北アフリカ地域で起こった民主化運動である**アラブの春**などもチェックしておきましょう。

さらに詳しく

❷アフリカの気候は熱帯雨林気候の赤道を中心に，南北対称で，サバナ気候，ステップ気候，砂漠気候へと移行し，共に地中海性気候で完結します。農業の限界域サヘルはステップ気候区に分布します。

one POINT

❸アフリカ諸国の貿易や，インフラ建設の請負も中国が主になりました。

の南アフリカ共和国は地下資源依存からの脱却を目指し，自動車，船舶などの各種工業に力を入れています。

2　オセアニア

☑ オーストラリア大陸の自然環境❹と産業❺

安定陸塊の**オーストラリア大陸**は，東部が**古期造山帯**の**グレートディバイディング山脈**，中央低地は**大鑽井盆地**など被圧地下水を含む盆地，西部は砂漠が広がります。北東海岸は**サンゴ礁**の世界的な観光地です。地下資源は豊富で，**鉄鉱石**・ボーキサイトなどが生産量世界１位，農業も羊・牛の牧畜が有名です。

☑ ポリネシア

ハワイ諸島，**イースター島**，**ニュージーランド**❻を結ぶ三角地域内の島々です。ニュージーランドは輸出の半分が農産物です。ハワイ諸島はプレート境界から外れた**ホットスポット**の火山列で，観光業と農業が主要産業です。イースター島は巨石文化遺跡で有名です。

☑ メラネシア

ニューギニア島，**ソロモン諸島**，**フィジー諸島**，**ニューカレドニア島**などで，多くが火山島，珊瑚島です。ニューギニア島は金と銅の産出があり，ニューカレドニア島は世界有数のニッケル鉱の産地です。フィジー諸島はサトウキビ栽培と水産加工業が盛んです。

☑ ミクロネシア

マリアナ諸島，**マーシャル諸島**，**ギルバート諸島**，**カロリン諸島**，パラオ諸島など。火山島は**マリアナ海溝**沿いに多く，周囲にサンゴ礁が発達しています。ナウルはリン鉱（1990年代まで），パラオはココナッツ栽培，グアムは観光業が主な産業です。

❹オーストラリア中央部の乾燥気候は，中緯度高圧帯が大陸の中央に固定されるためです。

さらに詳しく

❺オーストラリアの貿易相手国は1960年代までは旧宗主国イギリスが主でしたが，2021年は中国・日本・アメリカ合衆国・韓国の順です。

❻ニュージーランドは偏西風の影響を受ける西岸海洋性気候で，風上の西側は降水量が多く，東側は少なくなります。小麦栽培や牧羊は東側で行われます。

14 ヨーロッパ

頻出度 B

傾向&ポイント “世界の中心地域”と称されたヨーロッパは，アメリカ，中国などの大国の影響力が強まる現在，EUとしての国家間の結束が図られています。一方，ロシアは経済自由化に転じて30年，BRICSの一員としての今後が注目されます。

1 ヨーロッパ

ヨーロッパの自然環境

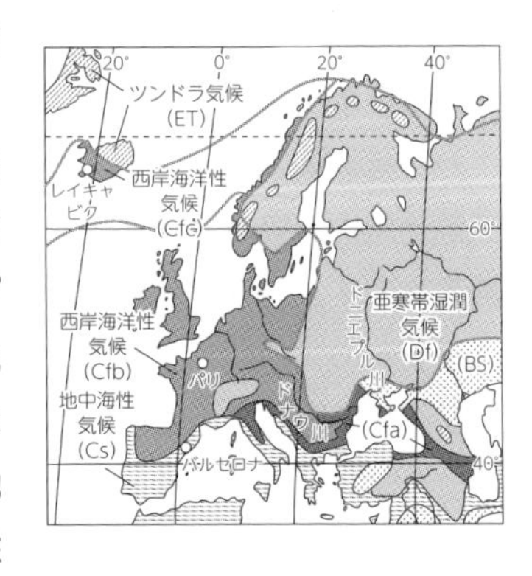

大陸の地形は北部が**バルト楯状地**や**古期造山帯**，中央部が**卓状地**の安定陸塊で，南部に**新期造山帯**のピレネー山脈，**アルプス山脈**，イタリア**火山地域**が分布します。気候は地中海地域から北へ，**地中海性気候**，**西岸海洋性気候**，さらに内陸部は**亜寒帯湿潤気候**へと推移します。

ヨーロッパの産業・経済❶

農業は地中海地域の**地中海式農業**，平原部は**混合農業**，西岸海洋性気候地域及び北部では**酪農**が主になります。工業は1970年代に燃料が石炭から石油中心に移ると，工業地帯も**ルール**地方，**ザール**地方のような内陸部から**ユーロポート**などの臨海部に移りました。

西ヨーロッパ

イギリスは近代に入り植民地貿易，産業革命によって世界経済をリードしました。1970年代に低迷期を迎え，現在は再生を目指しています。**フランス**は西ヨーロッパ最大の農業国であり，宇宙・航空機産業などの工業も**EU**❷経済の中心を担います。**ドイツ**は東西統一によってヨーロッ

さらに詳しく

❶かつては炭田（ルール，ザールなど），油田（北海），鉱山（キルナ）などの豊富な資源によって工業が盛んでした。

❷EUの現加盟国は27カ国です。主な非加盟国はイギリス，ノルウェー，スイスなどです。

パ最大の工業国となり，GDP はヨーロッパ域内第 1 位です。

☑ 南ヨーロッパ

イタリアは，北部を中心とした自動車・機械工業，南部の地中海式農業，歴史遺産の観光業も盛んです。**ギリシア**は 2009 年の経済危機で大きな打撃を受け，国民の多数が第 3 次産業就業者という偏りが指摘されました。

☑ 北ヨーロッパ

デンマークの酪農，**ノルウェー**の水産業，**フィンランド**の林業・製紙業など，それぞれ自然環境をいかした産業が発展しています。ノルウェーの水産業は，タラ，ニシン漁から，近年は**フィヨルド**を利用した養殖へと推移しました。

☑ 東ヨーロッパ❸

東ヨーロッパ諸国の多くは冷戦時に社会主義陣営に含まれていた国や，1991 年の**ソ連崩壊**に伴い独立した国です。貿易相手国は 2007 年以降，ロシアからドイツなどの EU 加盟国が中心になりました。広大な平原を中心とした混合農業や，原油・天然ガスの鉱業も盛んです。

2　ロシア

☑ ロシアの自然環境

東ヨーロッパ平原，西シベリア低地，中央シベリア高原，東シベリア山脈地域に区分されます❹。気候はカムチャツカ半島とレナ川以西が**亜寒帯湿潤気候**，東部が**亜寒帯冬季少雨気候**，北極海沿岸は**ツンドラ気候**となります。

☑ ロシアの産業・経済の現況

肥沃(ひよく)な**黒土地帯**が南部に広がり，小麦栽培など大規模な企業的農業が行われています。その北側の広大な**タイガ林**の木材も主要な輸出品目です。**ソ連時代**は計画経済の下，重工業優先の工業化が進められましたが，現在は豊富に産出される**原油**や**天然ガス**❺などの鉱産資源の輸出が，ロシア経済を支える主力となっています。

さらに詳しく

❸チェコは社会主義時代の軍需産業の技術蓄積があり，西ヨーロッパや海外からの企業進出が増えましたが，逆に西ヨーロッパ方面への労働者流出が目立つようになりました。

さらに詳しく

❹一般的な区分はウラル山脈を境に西がヨーロッパロシア，東がシベリア・極東ロシア。人口はヨーロッパロシアに大きく偏ります。ロシアは国土面積世界 1 位です。

❺チュメニ油田，ヴォルガ・ウラル油田などがあります。天然ガスはパイプラインで輸出されます。

15 南北アメリカ

頻出度 B

傾向&ポイント アメリカ合衆国は第一次世界大戦以降，世界の経済・産業，さらに国際情勢に影響を及ぼす大国に成長して，現在に至っています。南アメリカ諸国はかつてのモノカルチャー経済からの脱皮を目指し，産業の多様化が進んでいます。

1 北アメリカ

☑ 北アメリカの自然環境

西部にロッキー山脈など**新期造山帯**の山脈列，東部に**古期造山帯**のアパラチア山脈が位置します。カナダ楯状地に続く中央平原は北部に五大湖など氷河地形が多数みられます。気候は東部が亜寒帯湿潤気候と湿潤温暖気候，中央平原は**年降水量 500mm** 線を境に西が乾燥気候，東が湿潤気候です。太平洋岸地域は地中海性気候と西岸海洋性気候です。

☑ アメリカ合衆国

農業は適地適作❶で，多くは穀物メジャー❷などの企業が主導します。工業は先端技術産業，航空宇宙産業などへの集積が進んでいます。かつては大西洋岸のメガロポリスから五大湖沿岸地域のスノーベルト❸がアメリカを代表する工業地域でしたが，現在その役割は南部のサンベルトに移っています。宇宙航空産業，石油・石油化学産業のヒューストンが中心都市です。カリフォルニア州のシリコンヴァレーなどコンピュータ・先端技術産業の集積地もみられます。

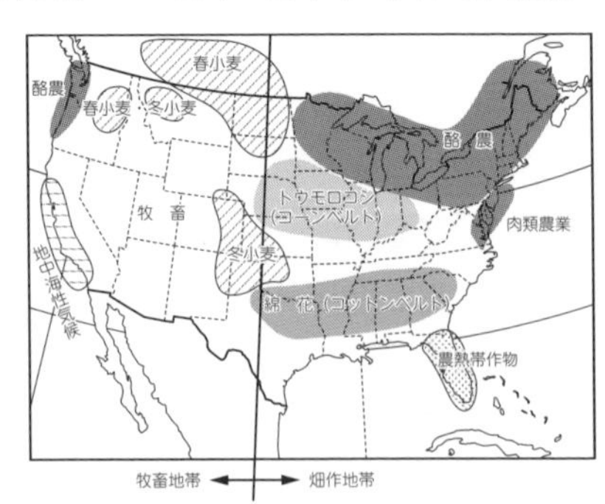

POINT

❶コーンベルトやコットンベルトもチェックしておきましょう。秋から初冬に種をまき，初夏に収穫するのが冬小麦，寒冷地域で春に種をまき，秋に収穫するのが春小麦です。

❷「穀物メジャー」
小麦やトウモロコシなどの穀物の国際的な流通に大きな影響をもつ大手商社のこと。

さらに詳しく

❸スノーベルトのかつての中心は鉄鋼のピッツバーグ，自動車工業のデトロイトなどでした。

カナダ

カナダは冷涼な気候から，国民の居住は国土の南部に集中しています。豊富な地下資源，農林資源に加え，近年は諸産業の発達も著しく，G7❹の一員に数えられています。移民が形成した多民族国家として，二言語・多文化主義をとり，近年は西海岸地域で中国系移民の増加が目立ちます。

メキシコ及び西インド諸島

メキシコはアメリカ合衆国との国境地帯，保税地区（マキラドーラ）に輸出向け工業が集中し，外国企業も誘致して電機や自動車工業が盛んです。メキシコ湾油田の原油も主にアメリカに輸出されます。西インド諸島諸国は鉱業，製造業，観光業の発展によりモノカルチャー経済は改善されましたが，現在も農業が主要産業です。

2 南アメリカ❺

南アメリカの自然環境

北米から続く**新期造山帯**が西部のアンデス山脈を形成しています。東部は楯状地のギアナ高地とブラジル高地からなり，中央低地がそれらを隔てています。気候は東部の高地がサバナ気候，ステップ気候で，中央のアマゾン低地は熱帯雨林気候です。

ブラジル

サトウキビ，コーヒー，さらに遺伝子組み換えの大豆栽培などの大規模農業が行われ，カラジャス鉄山など鉱産資源も豊富です。工業も，輸入を制限し国内生産を奨励する輸入代替工業から輸出工業に移行しました。

アルゼンチン

大豆，食肉用の牧畜などが盛んな農業国です。ブエノスアイレスの石油精製，自動車，ロサリオの鉄鋼など各種工業にも力を入れています。

❹「G7」
日本，米国，ドイツ，英国，フランス，イタリア，カナダの7か国による首脳会議のこと。ロシアを加えて「G8」とよぶこともあります。

さらに詳しく

❺他の南アメリカ諸国について，チリは輸出品目の約50％が地下資源の銅です。ベネズエラは原油の埋蔵量は世界1位ですが，政情不安が続いています。

確認テスト

地理

1 次の各文に適する語句を答えよ。

(1) 古生代以後，地殻変動がほとんどない，地球上で最も古い陸地。卓状地と楯状地がある。

(2) アメリカ，ドイツ，ブラジルなど，州や共和国が連合して構成される国家の形態。

(3) 世界の平和と安全を維持するための国連の主要機関のひとつ。アメリカ・イギリス・フランス・ロシア・中国の5常任理事国と，任期2年の10非常任理事国によって構成される。

(4) 2万5千分の1，5万分の1の地形図など国内のさまざまな地図を発行している国土交通省の機関。

1

(1) 安定陸塊

(2) 連邦国家

(3) 安全保障理事会

(4) 国土地理院

2 次の文章について，空欄に当てはまる語句を答えよ。

日本の気候は，夏と冬で風向きが逆になる（ 1 ）の影響が大きく，四季の変化がはっきりしている。北海道地方は日本の最北に位置し，（ 2 ）の気候に属している。（ 3 ）では，（ 1 ）が中国山地と四国山地にさえぎられるため，一年中温暖で降水量が少ない（ 3 ）の気候となっている。日本では，台風などの気候による災害だけでなく地形によるものも多く，1991年には（ 4 ）の噴火で大規模な火砕流が発生し，大きな被害が出た。

2

(1) 季節風（モンスーン）

(2) 亜寒帯（冷帯）

(3) 瀬戸内

(4) 雲仙普賢岳

3

次の各文について，文中の空欄に当てはまる語として正しいものを選べ。

⑴　日本では，1980年代に生じた貿易摩擦の後，賃金の安い海外への工場の移転が増え，（**ア**　産業の空洞化　**イ**　現地生産）が起こっている。

⑵　（**ア**　成田国際空港　**イ**　名古屋港）では，軽量な光学機器や装置，回路などが主な輸出品目となっている。

⑶　世界の農業のうち，中央アジア～北アフリカの乾燥地域で行われているものは（**ア**　集約的稲作農業　**イ**　集約的畑作農業）である。

⑷　世界の自由貿易体制を目指して1995年に発足した，GATTの精神を引き継いだ国際機関を（**ア**　FTA　**イ**　WTO）という。

3

⑴　ア

⑵　ア

⑶　イ

⑷　イ

4

次の各文に当てはまる国を下の**ア**～**カ**から選べ。

⑴　第二次世界大戦後，第2・3次産業への特化を徹底し，アジアの金融センターとよばれる程の発展を遂げた。

⑵　サンゴ礁で知られる世界的な観光地があり，地下資源である鉄鉱石・ボーキサイトなどが豊富。羊・牛の牧畜も有名。

⑶　北部を中心とした自動車・機械工業や，南部の地中海式農業が盛ん。歴史遺産の観光業も盛んであり，世界各国から多くの観光客が訪れる。

⑷　サトウキビ，コーヒー，さらに遺伝子組み換えの大豆栽培などの大規模農業が行われている。鉱産資源が豊富であり，輸出工業を中心としている。

ア　オーストラリア　　**イ**　ブラジル
ウ　シンガポール　　**エ**　中国
オ　フランス　　**カ**　イタリア

4

⑴　ウ

⑵　ア

⑶　カ

⑷　イ

1 西洋の思想（古代〜近世）

頻出度 B

傾向＆ポイント ギリシャ哲学やキリスト教の思想は直接出題されるだけでなく，後の時代に出てくる思想を理解するためのヒントにもなります。先行して押さえておくことで，他の単元につながる効率的な学習を進めることができます。

1 ギリシア思想

★思想の大まかな流れを眺めよう

自然哲学	➡	ソフィスト	➡	三大哲学者	➡	ヘレニズム期の哲学
対象は自然中心 根源（アルケー）		対象は人為中心 相対主義		対象は人為・自然 ポリスでの公共的生活		対象は人為・自然 自己の内面世界

☑ 自然哲学

世の中の事象の「なぜ」を，「神話（ミュトス）[1]」ではなく，「理性（ロゴス）」で明らかにしました。自然哲学者[2]は観察を通じて万物の根源（アルケー）を探し，タレスは「**水**」，ピタゴラスは「**数**」，ヘラクレイトスは「**火**」，デモクリトスは「**原子（アトム）**」が根源であると考えました。

☑ ソフィスト（知恵ある人，賢者）

「**人為（ノモス）**」の「なぜ」を明らかにする職業教師を指します。「**万物の尺度は人間**」と説いた**プロタゴラス**，不可知論を説いた**ゴルギアス**などがいます。彼らが主張した相対主義[3]や**弁論術**は，詭弁の横行を招きました。

☑ ソクラテス

普遍的な生き方として，自分が完成された存在ではないことを自覚（**無知の知**）し，真理を問い続けることを求めました（善く生きること）。**問答法**（**産婆術**）を用いました。

☑ プラトン

本質は**理性**で捉えるイデア界にあり，人間の魂は**感覚**で捉える現象界の中で，**肉体に閉じ込められている**と主張しました。哲人政治など「**理想主義**」を掲げました。

さらに詳しく

❶古代ギリシャではゼウス・ポセイドンなどオリンポス12神の神話が，ホメロスら吟遊詩人によって語られました。

❷自然哲学者は人数が多いので，「キーワード，名言，人物名」をセットで整理すると覚えやすいです。

❸「相対主義」
物事の価値や知識は，認識する人間によって変わり，絶対的なものはないとする考え方です。

アリストテレス

本質は現実の個物に内在するもの（**形相，エイドス**）で，**質料（ヒュレー）**を伴い個物がつくられると考えました。「**人間はポリス的動物である**」とし，正義などの徳が備わった人間どうしによる共和政治など，「**現実主義**[4]」を掲げました。

ヘレニズム期の哲学

アレクサンドロスによるポリス世界の破壊で，**自己の内面世界**のあり方に関心が向かいます。**ゼノン**は**禁欲主義**，**エピクロス**は**快楽主義**を主張しました。

TIPS

[4]アリストテレスとプラトンの考え方の違いは，ラファエロの『アテネの学堂』で，両者の手の形によって象徴的に描かれています。

2 キリスト教

前身	➡	はじまり	➡	発展	➡	動揺	➡	解放
ユダヤ教 選民思想		アガペー 隣人愛		国教化 教父哲学		普遍論争 スコラ哲学		ルネサンス 人文主義

キリスト教の前身（ユダヤ教）

唯一神**ヤハウェ**を信仰し，神との契約（**旧約**[5]）を守るユダヤの民の救済を説きました（**選民思想**，**律法主義**[6]）。

キリスト教のはじまり（イエスによる改革運動）

イエスは**律法の内面化**を求め，**神の無差別・無償の愛**（**アガペー**）を信じ，**隣人愛**の実践を求めました。

キリスト教の発展（迫害から国教へ）

当初の**迫害**を乗り越え，**392年にローマの国教**となります。**教父哲学**[7]でキリスト教の教義が確立します。

キリスト教の動揺（信仰と理性のせめぎ合い）

普遍論争で神の存在が問われることになりました。**スコラ哲学**[8]では**信仰と理性の調和**が図られました。

キリスト教からの解放（ルネサンス）

神中心の中世から人間中心の**ルネサンス**への変化が，文学・芸術の分野で起こり，**人文主義**（**ヒューマニズム**）が発展しました。**ダンテ**の『**神曲**』，**エラスムス**の『**愚神礼讃**』，**トマス＝モア**の『**ユートピア**』などが有名です。

[5]「旧約」
キリスト教の新約に対してユダヤ教の契約を旧約とよびます。

さらに詳しく

[6]パリサイ（ファリサイ）派が律法の厳格な遵守を求めました。

[7]『神の国』の著者アウグスティヌスは最大の教父といわれます。

[8]『神学大全』の著者トマス＝アクィナスが神学を確立させました。

2 西洋の思想（近世～近代）

頻出度 A

傾向＆ポイント 西洋の近世から近代にかけての思想は，中世キリスト教との対比によって宗教・人間・社会を見つめることが大切です。対比の視点は，他との違いを明確にすると同時に，個々の理解を深めることにもつながります。

1 宗教改革と科学革命（中世キリスト教を捉え直す）

★対比の視点で捉えよう

中世キリスト教
→（人間性を捉え直す）ルネサンス…前ページ参照
→（教義を捉え直す）宗教改革…ルター，カルヴァン
→（世界観を捉え直す）科学革命…ガリレイなど

☑ **宗教改革の先駆者たち**

ウィクリフは，イギリスで聖書を唯一の真理と主張し，**フス**は，ボヘミア（現チェコ）で贖宥状（しょくゆうじょう）[1]を批判しました。

☑ **ルター**[2] 「聖書のみ」，主著『キリスト者の自由』

ドイツを拠点に，**聖書を真理の源泉**と考え，教皇レオ10世の贖宥状を批判し，**95か条の意見書**を発表しました。

☑ **カルヴァン**[3] 「神の栄光」，主著『キリスト教綱要』

スイスを拠点に，**予定説**（救いは神が定めている）や**職業召命観**による**営利活動・蓄財の肯定**を主張しました。

☑ **科学革命** 科学的精神の発達

コペルニクスは，天体観測から**地動説**を主張しました。この説を**自作の望遠鏡**で確認したのが**ガリレイ**でした。また，**ケプラー**は**惑星運行の三法則**を発見しました。

ことば

❶「贖宥状（免罪符）」罪の償いが免除される証明書で，ローマ・カトリック教会が発行しました。

さらに詳しく

❷信仰によって救われるという「信仰義認説」や，教会の権威や聖職者の特権を批判する「万人司祭主義」を主張しました。聖書の翻訳も行いました。

❸職業は神から与えられ，奉仕することが神の栄光の実現に繋がると考えました。カルヴァン派の別名は，仏ではユグノー，英ではピューリタン。

2 モラリスト・経験論・合理論（人間を理性で見つめる）

モラリスト	経験論	合理論
人間の能力を謙虚に捉え反省	人間の能力（感覚）を最大限に信頼	人間の能力（理性）を最大限に信頼

☑ モラリスト　謙虚さと寛容の精神

16世紀の**ユグノー戦争**を契機に，**人間の生き方を正しく見つめ**，謙虚に反省することを説く思想家（**モラリスト**）が登場しました。**モンテーニュ**は，**「私は何を知るか（ク・セ・ジュ）」**を掲げ，**寛容の精神**を主張し，**パスカル**は，**「人間は考える葦(あし)」**を掲げ，**偉大さと悲惨さの両面**（**中間者**）を謙虚に自覚することの大切さを主張しました。

☑ 経験論　イギリス経験論，経験主義

知識や真理は，**感覚に基づいた経験**から得られるとする考え方です。創始者の**フランシス＝ベーコン**は，**「知は力なり」**の姿勢で**観察・実験を重視**し，真理探究の方法として「**帰納法(きのうほう)**❹」を用いました。また**ロック**は人間に**生得観念がない**ことを「**白紙（タブラ・ラサ）**」と表現しました。

☑ 合理論　大陸合理論，合理主義❺

知識や真理は，**理性に基づいた思考**から得られるとする考え方です。創始者の**デカルト**はあらゆるものを疑い（**方法的懐疑**），確実な真理として**自我**を発見しました（**われ思う，ゆえにわれあり**）。また**スピノザ**は確実な真理を**神**とする「**汎神論(はんしんろん)**」を主張しました（**永遠の相のもとに**）。

3 近代民主主義の精神（社会を理性で見つめる）

ホッブズ	ロック	ルソー
利己的 君主に譲渡（放棄）	理性的 政府に信託	自己愛と思いやり 社会全体に譲渡

☑ 社会契約説

国家は，自由・平等な個人同士の契約で成立するという考え方です。**ホッブズ**❻は人間が**利己的**な存在のため，自然権を**君主に譲渡**すべき，**ロック**❼は人間には**理性**があるが不確実のため，自然権を**政府に信託**すべき（**抵抗権あり**），**ルソー**は人間には**自己愛と思いやり**があるので，自然権を**社会全体（一般意志）に譲渡**すべきと主張しました。

❹「帰納法」
個々の具体的な事実から一般的な法則を見出す手法です。

さらに詳しく

❺イギリスで発展した帰納法に対して，大陸合理論では演繹法(えんえきほう)が発展しました。演繹法とは，一般的な法則から個々の具体的な結論を導く手法です。

さらに詳しく

❻ホッブズは自然状態を「万人の万人に対する闘争」とよびました。
❼ロックの間接民主制に対し，ルソーは直接民主制を，ロックの二権分立に対し，モンテスキューは三権分立を主張しました。

3 西洋の思想（近代～現代）

頻出度 A

傾向&ポイント 西洋近現代は，様々な近代的な価値観が整えられていくとともに，それに対抗する動きもみられ，思想が多岐にわたります。そのため，個々の思想や思想家と結び付くキーワードやその特徴に注目することが大切です。

1 経験論と合理論の派生（近代的人間観・社会観・自然観）

★キーワードやその特徴に注目しよう
ドイツ観念論 … 経験+理性　カント … 善意志，理想（主観）　ヘーゲル … 絶対精神，現実
功利主義 … 経験+幸福　ベンサム … 快楽計算，量　ミル … 精神的快楽，質
プラグマティズム … 経験+実用　パース … 行動，結果　ジェームズ … 有用，真理　デューイ … 道具，問題解決

ドイツ観念論　経験論と合理論の総合

カントは経験論と合理論の欠点❶を補い，総合した**批判哲学**を説きました。またコペルニクス的転回❷により，**主観中心**の認識論を展開し，人間は善意志に導かれて**道徳法則**に従うと考えました。ヘーゲルは，弁証法（べんしょうほう）で主観（個人・意識）と客観（社会）を統一させ，自由が本質の絶対精神が**現実的な世界に理性として表れ展開する**と考えました。

功利主義　経験論と快楽・幸福との融合❸

ベンサムは行為の善悪を**快苦や幸福の量**で判断（快楽計算）し，ミルは快楽には個人の**質的な差**があると考えました。

プラグマティズム　経験論と新世界との融合

パースは**観念の源泉は行動にある**と考え，ジェームズは**有用かどうかで観念の真理性（宗教なども）は決まる**と考え，デューイは**知性を問題解決のための道具**と考えました。

さらに詳しく
❶西洋近世思想の二大潮流の経験論と合理論は，それぞれ極限に達し，経験論は懐疑論（かいぎろん），合理論は独断論に陥っていました。

❷「コペルニクス的転回」
認識が対象に従うのではなく，対象が認識に従うという認識の在り方です。

さらに詳しく
❸「最大多数の最大幸福」はベンサム，「満足した豚であるよりは不満足な人間の方がよい」はミルの思想を端的に示した言葉として有名です。

2 近代的人間観，社会観，自然観への疑問・対抗

実存主義 … 自己の在り方　精神分析 … 無意識
現象学 … 判断中止（エポケー）　生の哲学 … 生の躍動
社会主義 … 唯物史観　ヒューマニズム … 生命の畏敬

☑ **実存主義**❹　客観的に人間を捉えることへの疑問・対抗

実存主義は**主体的で個としての人間**の在り方を求めました。キルケゴールは**主体的真理**❺に基づく**神の前の単独者**，ニーチェ❻は**運命愛**と**力への意志**に基づく**超人**，ハイデガーは**世界－内－存在**において存在の意味を問う**現存在**（ダーザイン），サルトルは本質に先立ち**社会参加**（アンガージュマン）する**投企的存在**を人間の在り方としました。

☑ **現象学**　意識の外で自然を認識することへの疑問・対抗

フッサールは**そのままの事実の受け入れ**を説きました。

☑ **社会主義**　意識が社会を規定することへの疑問・対抗

マルクスは物質や生産などの**下部構造**が**上部構造**（哲学・宗教・道徳）を規定する**唯物史観**（ゆいぶつしかん）を主張しました。

☑ **精神分析**　理性を人間の中心とすることへの疑問・対抗

フロイトは人間の行動のエネルギー（リビドー）が無意識（エス・イド）に蓄積されること，ユングは**集合的無意識**が神話や伝説に表れていることを主張しました。

☑ **生の哲学**　固定的に人間を捉えることへの疑問・対抗

ベルクソン❼は人間を含め生命には**流動的な進化の原動力**の**生の躍動**（エラン・ヴィタール）があると考えました。

☑ **ヒューマニズム**　自然を支配することへの疑問・対抗

シュヴァイツァーは**生命の畏敬**と**責任**を説きました。

3　哲学の多様化と現代思想

フランクフルト学派 … 批判理論	分析哲学 … 沈黙❽
倫理哲学 … 顔❾	構造主義 … ラング，野生の思考，狂気

☑ **哲学の多様化**　フランクフルト学派のホルクハイマーやアドルノはファシズムに奉仕した道具的理性を批判し，ハーバーマスは**対話的理性**を主張しました。構造主義のソシュールは言語が**ラング（言語体系）**に意味づけられる，レヴィ＝ストロースは**野生の思考と文明の思考に差はない**，フーコーは権力が**理性と狂気**を分けると主張しました。

❹有神論か無神論かで大別すると整理しやすくなります。

❺「主体的真理」
「あれか，これか」とも表現される自己の決断と行動で実現する真理。

さらに詳しく

❻当時のヨーロッパの退廃の一要因をキリスト教と捉え，キリスト教を否定するため「神は死んだ」と表現しました。

TIPS

❼ベルクソンは動物が栄養素を体内に取り込み，それを燃焼することでエネルギーが得られることに着目し，栄養素を「爆発物」と表現しました。

さらに詳しく

❽ヴィトゲンシュタインは，神・道徳・価値など現実の事象と対応しないものは「語りえぬ」ものと考えました。

❾レヴィナスは自己の倫理に訴えかけるものを「顔」と表現しました。

アジアの思想

頻出度 B

傾向&ポイント アジアの思想は，主張が重なりあっているものも多く，それぞれの特徴を理解するためには，共通点と相違点を整理することが大切です。そこでヴェン図などを用いて整理をすると特徴をはっきりさせることができます。

1 中国の思想

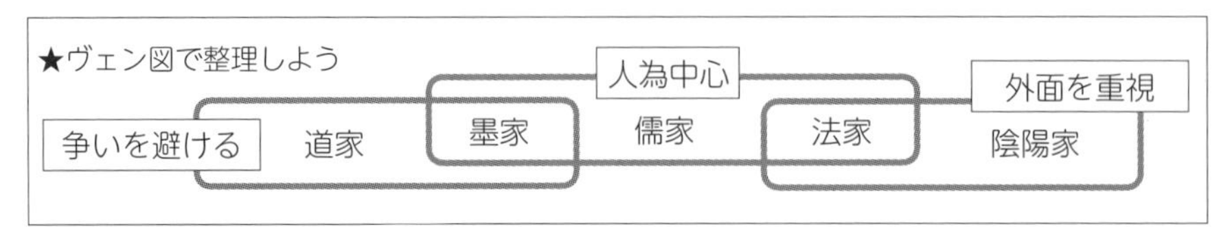

TIPS

❶『漢書』では学派は189家もあったとされています。また「百家争鳴」の語源にもなっています。

さらに詳しく

❷天命に基づき新しい王朝をたてる易姓革命を正当化し，平和的な禅譲だけでなく，武力による放伐も認めました。

❸「兼愛」
自他の区別のない平等な愛のことです。これはお互いが支え合う交利によって実現し，争いのない理想的な世の中に繋がると考えました。

☑ 諸子百家の登場

春秋戦国時代，各地の君主に対して，さまざまな思想や方策を説く学派が登場しました❶。

☑ 儒家　内面の仁と外面の礼を重んじる

儒家の祖である**孔子**は他者への親愛の情である**仁**と，それが外面化した**礼**を重んじ，**仁の徳を備えた君子による政治**（**徳治主義**）を説きました。**孟子**❷は**性善説**に基づき，四徳（**仁義礼智**）の芽生えの心である**四端**を育て，**徳を備えた政治**（**王道政治**）を説きました。**荀子**は**性悪説**に基づき，礼によって本性を矯正し人民を治める**礼治主義**を説きました。

☑ 法家　外面を重視し社会秩序を形成する

韓非子は，法や刑罰による**信賞必罰**という**外面的な強制力で，国の統治を行う法治主義**を説きました。

☑ 墨家　分け隔てのない愛を重んじ，争いを避ける

墨子は，儒家が説く愛を差別的な愛（別愛）とよんで批判し，**兼愛**❸を説きました。また**非攻**（非戦論）を主張しました。

☑ 道家　万物を生み出す自然の原理の「道」を重んじる

道家の祖である老子は無為自然❹を説き，**儒家の仁義を人為的だと批判**しました。**荘子**は，是非・善悪・貴賤など

は人為的な区別だと批判し（**万物斉同**（ばんぶつせいどう））, **対立のないありのままの絶対的で自由な世界を理想**としました（**逍遥遊**（しょうようゆう））。

☑ その他の諸子百家

陰陽家は**天体など自然の動き**で世界を説明しました。

☑ 儒家思想の展開（宋代の朱熹（しゅき）, 明代の王陽明（おうようめい））

朱熹は**理気二元論**や**性即理**など**理論重視**, **王陽明**は**心即理**（しんそくり）や**知行合一**（ちこうごういつ）❺など**実践重視**の思想を説きました。

2 インドの思想❻

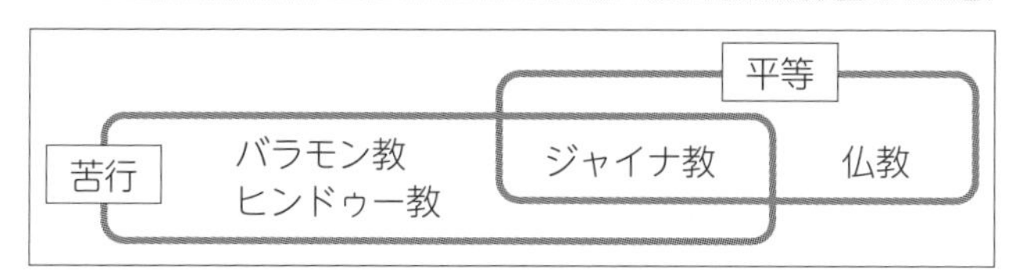

☑ バラモン教　苦行の肯定, ヴァルナ制

ヴェーダを聖典とし, **ヴァルナ**❼という身分制度の下, 司祭階級のバラモンを頂点とした宗教で, **梵我一如**（ぼんがいちにょ）により**輪廻**（りんね）からの**解脱**（げだつ）を目指しました。後に民間信仰が加わって**ヒンドゥー教**が成立することになります。

☑ 仏教　苦行の否定, 平等, 悟りによる解脱

開祖は**ブッダ**で, 執着を捨て, **苦の原因である煩悩**を**八正道**❽によって消すことで**涅槃**（ねはん）に至ることを説きました。

☑ ジャイナ教　苦行の肯定, 平等, 五戒による解脱

開祖は**ヴァルダマーナ**で, **不殺生**などを説きました。

3 イスラームの思想

イスラームは, 7世紀前半からの比較的新しい宗教です。開祖は**ムハンマド**で, 大天使ガブリエルから唯一神**アッラー**の啓示を受けました。主な聖地はメッカやメディナ, 聖典は**クルアーン**で, **六信五行**❾や偶像崇拝の禁止などの教えがあります。ジハード（聖戦）により, **アラブから世界へ拡大**しました。主な宗派は多数派のスンナ派と少数派のシーア派です。

さらに詳しく

❹無理をせず争わない生き方は柔弱謙下とよばれ, 水の在り方が理想とされました。

❺「知行合一」
知ることと行うことは本来同じで, 実践は良知の完成とされました。

❻四諦（したい）や五蘊（ごうん）など教義が数でまとめられているものが多いので, 表で整理しましょう。

❼「ヴァルナ」
バラモン, クシャトリヤ, バイシャ, シュードラの4身分で, カースト制度に繋がります。

さらに詳しく

❽修行方法で正見, 正思, 正語, 正業, 正命, 正精進, 正念, 正定の8つ。

❾「六信五行」
信仰対象（アッラー, 天使, 聖典, 預言者, 来世, 天命）と実践（信仰告白, 礼拝, 断食, 喜捨, 巡礼）。

5 日本思想

傾向&ポイント 日本思想は多くの思想家が登場し，細かい内容の理解も求められます。ただし，時代ごとで思想の大まかな特徴は異なるので，時代区分を意識すると理解しやすくなります。また細かい内容の理解にはマトリクスの整理が有効です。

頻出度 B

1 古代日本～中世日本の思想（仏教の興隆・分化）

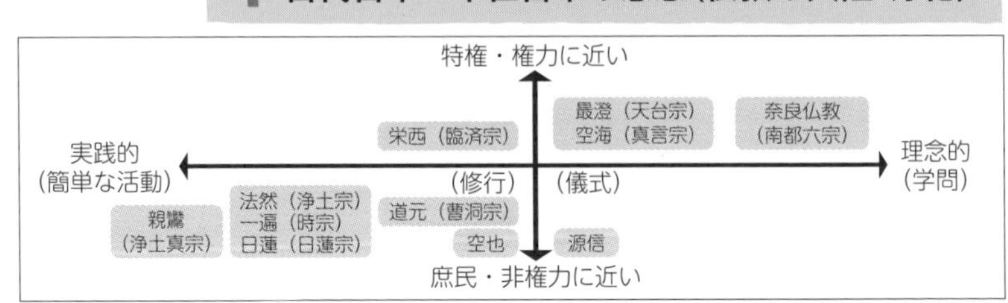

☑ 奈良仏教（三論・成実・法相・倶舎・華厳・律）

奈良時代の仏教は**鎮護国家思想**❶が中心で，聖武天皇の時代には全国に**国分寺**・**国分尼寺**が建立されました。また**南都六宗**は，宗教的な実践よりも**教義の研究が中心**でした。

☑ 平安仏教（天台宗と真言宗）

平安時代の仏教は，鎮護国家だけでなく個人の**現世利益**を求めた**加持祈祷**などの呪術的儀式が盛んになりました。**最澄**は**一切衆生悉有仏性**・**一乗思想**❷を説いて**天台宗**を開き，**空海**は**三密**・**即身成仏**❸を説いて**真言宗**を開きました。

☑ 平安末期：浄土信仰の広まり（空也と源信）

平安末期，**阿弥陀仏**にすがり**極楽浄土への往生**を望む**浄土信仰**が広まりました。**空也**は各地を遊行して**称名念仏**を，**源信**は「**厭離穢土**・**欣求浄土**❹」の**観想念仏**を説きました。

☑ 鎌倉仏教（その１：念仏…浄土宗・浄土真宗・時宗）

法然（**浄土宗**）は**他力**の救いを信じる**専修念仏**を，**親鸞**（**浄土真宗**）は**悪人正機**や**絶対他力**に基づく**報恩感謝の念仏**を，**一遍**（**時宗**）は全国を遊行し**踊念仏**を説きました。

ことば

❶「鎮護国家思想」
仏教の力によって国の安定や繁栄を目指す考え方。

さらに詳しく

❷最澄は，命あるすべてのものは成仏でき，法華経が根本であると考えました。

❸空海は，身口意の３つの修行により，この身のまま大日如来と一体化できると考えました。

ことば

❹「厭離穢土・欣求浄土」
穢れたこの世を離れ，極楽往生を願う考え方。

☑ **鎌倉仏教（その２：坐禅…臨済宗・曹洞宗[5]）**

坐禅は足を組み瞑想する修行です。**栄西**（**臨済宗**）は**公案による禅問答**を，**道元**（**曹洞宗**）は**只管打坐**[6]を説きました。

☑ **鎌倉仏教（その３：題目…日蓮宗（法華宗））**

日蓮[7]（**日蓮宗**）は，**他宗を折伏**する一方，「**南無妙法蓮華経**」という**題目**を唱えることで成仏できると説きました。

さらに詳しく

❺臨済宗は幕府の保護を受け，曹洞宗は地方武士に広まりました。

❻「只管打坐」
ただひたすらに坐禅に打ち込むこと。

2 近世日本の思想（儒学の復興・展開・派生）

☑ **日本朱子学（理を重視）と日本陽明学（実践を重視）**

林羅山は**上下定分の理**を説いて**官学の基礎**を築き，**中江藤樹**は**孝**と**時・処・位**による**実践**を説きました。

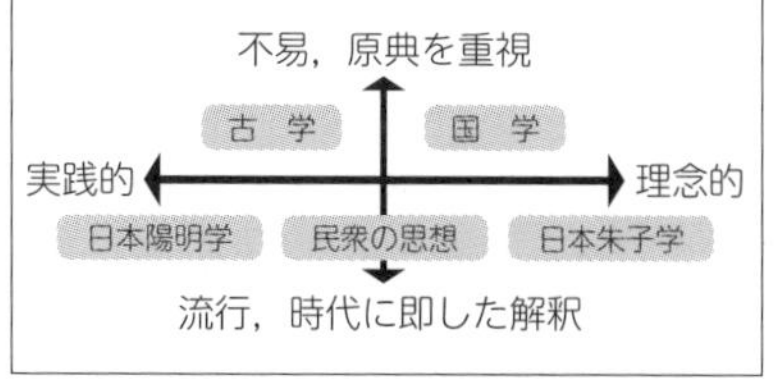

☑ **古学（孔子や孟子の原典を重視）**

山鹿素行は**士道**を，**伊藤仁斎**は**仁・愛と誠**を，**荻生徂徠**は**安天下の道**と**礼楽刑政**を説きました。

☑ **国学（仏教・儒教以前の日本独自の精神を研究）**

本居宣長は「**もののあはれ**」に**真心**を見い出しました。

☑ **民衆の思想（町人や農民の思想）**

石田梅岩は**正直と倹約**を，**安藤昌益**は**自然世**での**万人直耕**を，**二宮尊徳**は**天道・人道**と**報徳思想**を説きました。

TIPS

❼幕府に提出した『立正安国論』で，蒙古襲来を予言していました。

❽人物も思想も多様でまとめにくいので，表にするのも有効です。

3 近代日本の思想[8]（西洋思想の流入・受容）

☑ **幕末から明治期（啓蒙思想，民権思想，キリスト教思想）**

佐久間象山は「**東洋道徳，西洋芸術**」を，**福沢諭吉**は**実学尊重・独立自尊・脱亜論**を，**森有礼**は**夫婦の平等**を，**中江兆民**（**東洋のルソー**）は**恩賜的民権から恢復的民権への育成**を，**内村鑑三**は「２つのＪ[9]」・非戦論を説きました。

☑ **大正以降（大正デモクラシー，近代的自我，近代哲学）**

吉野作造は**民本主義**を，**夏目漱石**は**自己本位**や**則天去私**を，**西田幾多郎**は主客未分の純粋経験や**絶対無**を，**和辻哲郎**は**間柄的存在**[10]や**風土の三類型**を説きました。

❾「２つのＪ」
イエス（Jesus）への信仰と日本（Japan）の精神は，接ぎ木だが矛盾はしないとする考え方。

❿「間柄的存在」
人間は他者や社会との相互作用で成立する存在と捉える考え方。

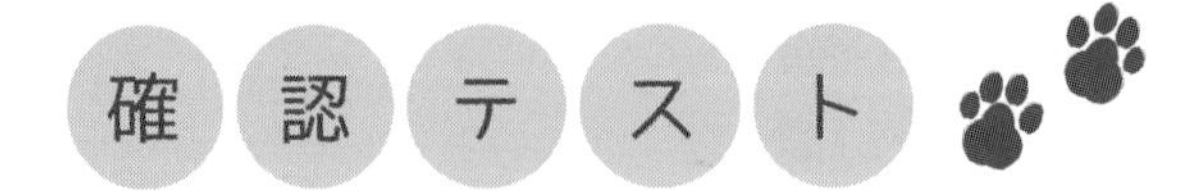

倫理

1

次の各文の下線部の内容が正しい場合には「○」，誤っている場合は正しい内容に直せ。

⑴　古代ギリシアの自然哲学の一人であるタレスは，万物の根源を「火」であると考えた。

⑵　代表的なソフィストの一人であるプロタゴラスは，「万物の尺度は人間」であると考えた。

⑶　ギリシア三大哲学者の一人であるプラトンは，イデアや哲人政治など「現実主義」の思想である。

⑷　律法の内面化・アガペー・隣人愛などは，ユダヤ教の特徴的な内容である。

⑸　ルネサンス期に人文主義の観点から『ユートピア』を著した人物は，トマス＝モアである。

⑹　宗教改革の代表的な人物で，スイスを拠点に，予定説や職業召命観を主張したのはルターである。

⑺　モラリストの一人であるモンテーニュの有名な言葉には，「人間は考える葦」がある。

⑻　イギリス経験論の思想家の一人であるフランシス＝ベーコンは，「知は力なり」で知られている。

⑼　社会契約説の思想家のうち，自然権を社会全体に譲渡すべきと主張したのはホッブズである。

⑽　ドイツ観念論の思想家で，善意志に導かれた道徳法則について述べたのはベンサムである。

⑾　キルケゴール，ハイデガー，サルトルなどは，共通して「功利主義」の思想家と考えられている。

⑿　野生の思考と文明の思考に差がないと主張した思想家は，レヴィ＝ストロースである。

1

⑴　ヘラクレイトス（タレスは水）

⑵　○（人間尺度論ともよばれる）

⑶　理想主義（現実主義はアリストテレス）

⑷　キリスト教（ユダヤ教は律法主義）

⑸　○（「羊が人を喰う」という言葉も有名）

⑹　カルヴァン（ルターはドイツが拠点）

⑺　パスカル（モンテーニュはクセジュ）

⑻　○（帰納法やイドラも彼のキーワード）

⑼　ルソー（ホッブズは君主に譲渡）

⑽　カント（ベンサムは量的功利主義）

⑾　実存主義（功利主義はベンサムやミル）

⑿　○（文化相対主義も彼のキーワード）

2 次の説明文について，関係の深い語句をA群から，また関係の深い人物をB群からそれぞれ選べ。

(1) 信賞必罰という強制力で国を治める。
(2) 苦の原因である煩悩を消すための修行法。
(3) 預言者や天使などを信じ，礼拝や断食を行う。
(4) 是非・貴賤などは人為的な区別にすぎない。
(5) 君子が備えた仁によって国を治める。

[A群] **ア** 徳治主義　**イ** 六信五行
　ウ 八正道　**エ** 法治主義
　オ 無為自然　**カ** 万物斉同

[B群] (a) 荘子　(b) 荀子　(c) 韓非子
　(d) 孔子　(e) ブッダ　(f) ムハンマド

2

(1) エ，(c)
(2) ウ，(e)
(3) イ，(f)
(4) カ，(a)
(5) ア，(d)
（無為自然は老子，また荀子のキーワードは礼治主義や性悪説）

3 次の(1)～(6)のX・Yの文に関する正誤の組み合わせとして適当なものを下の**ア**～**エ**からそれぞれ選べ。

(1) X：空海は一乗思想を説いて天台宗を開いた。
　Y：華厳宗は南都六宗の一つである。
(2) X：公案による禅問答は道元の思想の一つである。
　Y：法然は悪人正機を説いて浄土真宗を開いた。
(3) X：源信は「厭離穢土・欣求浄土」を説いた。
　Y：日蓮は念仏によって成仏できると説いた。
(4) X：仁・愛や誠は山鹿素行の思想とされている。
　Y：真心は古学の本居宣長の思想の一つである。
(5) X：朱子学者の林羅山は上下定分の理を説いた。
　Y：安藤昌益は万人直耕や報徳思想を説いた。
(6) X：イエスの思想と日本の精神は矛盾しないという「2つのJ」は，内村鑑三の思想として有名である。
　Y：福沢諭吉は，実学尊重や独立自尊を説いた。

ア X－正　Y－正　**イ** X－正　Y－誤
ウ X－誤　Y－正　**エ** X－誤　Y－誤

3

(1) ウ（一乗思想・天台宗は最澄）
(2) エ（公案は栄西，浄土真宗は親鸞）
(3) イ（日蓮は念仏ではなく題目）
(4) エ（仁・愛は伊藤仁斎，本居宣長は国学）
(5) イ（報徳思想は二宮尊徳）
(6) ア（どちらも正文）

1 音楽の基礎知識

頻出度 C

傾向&ポイント 音符や休符，強弱や速さなどの記号を理解して，基本的な演奏のしかたがわかるようにしましょう。日本の伝統音楽や，小中学校で扱う代表的な作曲家や作品名についても覚えておきましょう。

1 基礎知識

音符と休符❶

音符名	音符	長さ※	休符名	休符
16分音符	𝅘𝅥𝅯	4分の1	16分休符	𝄿
8分音符	♪	2分の1	8分休符	𝄾
4分音符	♩	1	4分休符	𝄽
2分音符	𝅗𝅥	2倍	2分休符	𝄼
全音符	𝅝	4倍	全休符❷	𝄻

※ここでは，4分音符・4分休符を基準とした時の長さを表している。

さらに詳しく

❶音符や休符には「付点」がつくものもあります。付点がつくと1.5倍の長さになります。

○付点8分音符♪.
8分音符の1.5倍の長さ（4分音符の3/4の長さ）

○付点2分休符𝄼.
2分休符の1.5倍の長さ（4分休符の3倍の長さ）

さらに詳しく

❷全休符は1小節すべて休むときにも使います。

音の強弱

pp	*p*	*mp*	*mf*	*f*	*ff*
ピアニッシモ（とても弱く）	ピアノ（弱く）	メゾピアノ（少し弱く）	メゾフォルテ（少し強く）	フォルテ（強く）	フォルティッシモ（とても強く）

< *cresc.*	クレッシェンド（だんだん強く）
> *decresc.*	デクレッシェンド（だんだん弱く）

速度表記

Adagio	*Andante*	*Moderato*	*Allegro*	*Presto*
アダージョ（ゆっくりと）	アンダンテ（歩くような速さで）	モデラート（中くらいの速さで）	アレグロ（速めに）	プレスト（とても速く）

楽譜に出てくる記号

	スタッカート	短く切る
	テヌート	じゅうぶんにのばして
	スラー❸	なめらかに演奏する
	タイ❸	同じ高さの音をつなげて演奏する
	フェルマータ	じゅうぶんにのばす
	アクセント	その音を強く

❸異なる音をつないでいる場合は「スラー」，同じ音をつないでいる場合は「タイ」です。

2　日本音楽史

日本音楽の種類

雅楽…大陸からの音楽をもとにした宮廷音楽。

声明（しょうみょう）…経文に旋律をつけた仏教音楽で，平曲や能楽に大きな影響を与えました。

平曲…琵琶の音色を伴奏に物語を弾き語る音楽。

能楽…観阿弥・世阿弥が大成した芸能で，音楽，美術，演技・舞踊から構成されます。

浄瑠璃❹…三味線を伴奏にした語り物。

箏曲…箏を使った音楽。八橋検校によって広められました。

長唄…三味線を使った，長い歌詞をもつ歌舞伎の音楽。

さらに詳しく

❹江戸時代の初めに，竹本義太夫が発展させた浄瑠璃を**義太夫節**といいます。

明治以降の音楽

明治時代には音楽が学校教育に取り入れられ，文部省唱歌❺が誕生しました。

岡野貞一　多くの文部省唱歌を作曲。
『春の小川』『故郷』『われは海の子』『もみじ』

滝廉太郎『荒城の月』『花』『箱根八里』『お正月』

山田耕筰『この道』『赤とんぼ』『待ちぼうけ』

宮城道雄『春の海』『水の変態』『さくら変奏曲』

中田喜直『夏の思い出』『ちいさい秋みつけた』

❺「文部省唱歌」
明治から昭和にかけて，学校の音楽教育のために作られた曲のことをいいます。

2 西洋音楽史

傾向&ポイント 世界の主な出来事と関連付けて，時代ごとの音楽の特徴や代表する作曲家と曲を覚えておきましょう。

頻出度 B

❶「オペラ」
歌唱を中心に作品が主として音楽によって表現される劇のこと。

さらに詳しく

❷協奏曲はコンチェルトともよばれ，独奏楽器と管弦楽によって演奏される多楽章から成る楽曲を指します。特徴として，主旋律と伴奏で音色の違いや強弱などを表現することが挙げられます。

❸交響曲はシンフォニーともよばれ，管楽器，弦楽器，打楽器の編成によるオーケストラによって，演奏される楽曲のことを指します。

1 古代～中世の音楽

メソポタミア文明や古代エジプト文明，古代ギリシアで**儀式・祈り・楽しみ**のための音楽が生まれました。中世ではキリスト教の発展とともに発達し，クラシック音楽の始まりといわれる**グレゴリオ聖歌**が誕生しました。

2 15 世紀以降の音楽

☑ **ルネサンス音楽**

オラトリオやオペラ❶などの音楽劇が登場し，合唱曲などの**世俗音楽**も盛んになりました。弦楽器や管楽器のもとになる楽器も誕生しました。

☑ **バロック音楽** 優雅で華やかな宮廷音楽で，オペラや協奏曲❷が発達しました。

●**パッヘルベル** オルガン奏者
『パッヘルベルのカノン』『コラール変奏曲集』

●**ヴィヴァルディ** カトリック教会司祭，ヴァイオリニスト
12 曲のヴァイオリン協奏曲集『四季』

●**バッハ** バロック音楽の集大成をした「音楽の父」
オルガンやチェンバロなど鍵盤楽器の奏者
『マタイ受難曲』『トッカータとフーガ』『G 線上のアリア』

●**ヘンデル** 最初のオペラ『アルミーラ』
『水上の音楽』『メサイア』（ハレルヤ）

☑ **古典派音楽** 形式美とよばれる，旋律のまとまりと均整を追求する音楽が発展しました。**交響曲**❸や**ソナタ形式**❹

が確立しました。

●ハイドン　「交響曲の父」

交響曲『驚愕』『ロンドン』

●**モーツァルト**　「音楽の神童」

交響曲『アイネ・クライネ・ナハト・ムジーク』『プラハ』

オペラ『フィガロの結婚』『魔笛』宗教曲『レクイエム』

●**ベートーヴェン**　難聴になり，ピアニストから作曲家へ。

交響曲『運命』『第九』『田園』

オペラ『フィデリオ』ピアノソナタ『月光』

☑ **ロマン派音楽**　オペラが発展し，喜怒哀楽をテーマに**転調**を多用。

●**シューベルト**　リート（歌曲）を確立。

『魔王』『白鳥の歌』『冬の旅』

●**ロッシーニ**　オペラで有名。『セビリアの理髪師』

●**シューマン**『詩人の恋』『謝肉祭』『トロイメライ』

●**ショパン**『子犬のワルツ』『別れの曲』

●**リスト**　ピアノの魔術師。『ハンガリー狂詩曲』

●**ワーグナー**　楽劇『ワルキューレの騎行』

●**ブラームス**　古典派を継承。『ドイツ・レクイエム』

●**チャイコフスキー**『白鳥の湖』『くるみ割り人形』

☑ **国民派音楽**　ロシアや東欧での自国の民謡や音楽の表現が始まり。ロシア５人組❺とよばれる音楽家が活躍しました。

●ボロディン『中央アジアの草原にて』

●ドヴォルザーク『新世界』

●グリーグ『ペールギュント』

☑ **印象主義音楽**　激しい喜怒哀楽の感情ではなく**雰囲気**を表現した音楽で，簡潔な音楽構成が特徴です。世界の民族音楽を取り入れました。

●**ドビュッシー**　自由な和声法を採用。

『海』『月の光』『アラベスク』

●**ラヴェル**『ボレロ』

❹「ソナタ形式」
提示部・展開部・再現部の３部で構成される演奏形式のこと。ソナタはイタリア語で「鳴り響く」という意味をもっています。

❺「ロシア５人組」
ロシアの伝統的音楽を大切にしようと集まった若手音楽家集団のことをいいます。バラキレフ，キュイ，ムソルグスキー，ボロディン，コルサコフの５人です。

1 美術の基礎知識・日本美術史

傾向&ポイント 色彩や簡単なモダンテクニックについて描き方を理解しておきましょう。日本の時代背景に沿ってどのような美術作品が作られたのかを覚えるとよいでしょう。

頻出度 B

1 美術の基礎知識

さらに詳しく
❶光の三原色は混ぜると明るくなり，白に近づいていく混色技法です。**加法混色**ともよばれ，パソコンなどの液晶画面やライトなどに使用されています。
❷色の三原色は混ぜると暗くなり，黒に近づいていく混色技法です。**減法混色**ともよばれ，印刷物などに使用されています。

色には**無彩色**（黒・白・灰）と**有彩色**があります。有彩色は無彩色以外のすべての色を指し，**色相**（色合い）・明度（明るさ）・彩度（鮮やかさ）の**色の三要素**があります。

- **光の三原色**❶（CG・TV）
  赤（レッド）・緑（グリーン）・青（ブルー）の３色
- **色の三原色**❷（絵具・塗料）
  赤紫（マゼンタ）・黄（イエロー）・青緑（シアン）の３色

☑ モダンテクニック

【意図的に表現する方法】

コラージュ	紙や糸などを貼り付けて表現する**貼り絵**。
スパッタリング	金網とブラシを使って絵の具を飛ばす。
フロッタージュ	物に紙を当て，模様を写し取る。

【偶然にできた形を利用して表現する方法】

マーブリング	水面に絵の具を垂らし形を紙に写し取る。
ドリッピング	絵の具を画用紙に落とし，指でたたいたり，傾けたりして模様を作る。（**吹き流す**方法もある）

☑ レタリング　文字をデザインして表現する方法。

- **明朝体**…縦線は太く横線は細く描きます。横線の終わりに毛筆のとめのような三角の「**うろこ**」が特徴です。
- **ゴシック体**…縦線も横線もほぼ同じ太さで描きます。

2 日本の美術史

飛鳥～平安

仏教の影響を強く受けた**華やか**な作品が特徴です。

【建築】平等院鳳凰堂，中尊寺金色堂

【絵画】『鳥獣戯画』

【彫刻】『金堂釈迦三尊像』（法隆寺）

鎌倉時代

武士の世を反映した**力強い**作品が誕生しました。

【絵画】似絵（にせえ）❸

【彫刻】『金剛力士像（運慶・快慶）』（東大寺南大門）

室町～安土桃山時代

武家文化と**公家**文化を融合した作品が生まれました。

【建築】寝殿造（**金閣**），書院造（**銀閣**）

【絵画】雪舟の**水墨画**『山水長巻』『秋冬山水図』

狩野永徳『唐獅子図屏風』『洛中洛外図屏風』

江戸時代

鎖国の影響で，日本独自の文化が発展し，庶民の生活や役者を描いた「**浮世絵**」が木版画の技法とともに多くの人に親しまれました。

【絵画】**俵屋宗達**『風神雷神図屏風』

尾形光琳『紅白梅図屏風』

【浮世絵】**歌川広重**『東海道五十三次』

菱川師宣（ひしかわもろのぶ）『見返り美人』

葛飾北斎❹『富嶽三十六景』

明治以降

西洋文化に大きく影響された作品が多く誕生しました。

【建築】辰野金吾『日本銀行本店』

【洋画】**岸田劉生**『麗子像』，**黒田清輝**『湖畔』

青木繁『海の幸』

【日本画】狩野芳崖『悲母観音』

横山大観❺『無我』『生々流転』

【彫刻】**高村光雲**『老猿』，高村光太郎❻『手』

❸「似絵」
大和絵の肖像画のこと。平安後期から鎌倉時代に流行し，人物の個性を捉えた描写が特徴です。

さらに詳しく

❹葛飾北斎は，ヨーロッパの印象派の画家たちにも影響を及ぼした日本を代表する浮世絵師であり，『北斎漫画』などでも有名です。
❺横山大観は，日本画家であり日本美術学校創設に携わりました。新しい時代の日本画を模索し，当時の日本美術の近代化に貢献した人物の１人です。

❻高村光太郎は，高村光雲の息子です。

西洋美術史

傾向＆ポイント 時代ごとの美術の特徴を押さえ，代表的な作品と作者を覚えておきましょう。

頻出度 B

1 中世の美術[1]

キリスト教の影響を強く受けた美術作品が多く誕生し，教会建築を中心に発展しました。**ロマネスク建築**（ピサ大聖堂），**ゴシック建築**（ミラノ大聖堂ドゥオモ）が代表的。

2 15～19世紀頃の美術

☑ **ルネサンス　キリスト教権力**が衰え，古代ギリシャ・ローマ文化の**再生**を目指しました。**遠近法**[2]の発達により**立体的な描写**がみられます。

- ボッティチェッリ『ビーナスの誕生』
- **レオナルド＝ダ＝ヴィンチ**『最後の晩餐』『モナ・リザ』
- ミケランジェロ『アダムの創造』『ダビデ（彫刻）』
- ラファエロ『アテナイの学堂』

☑ **バロック美術**[3]　豪華な**ヴェルサイユ宮殿**に代表される**絶対王政**時代の**宮廷文化**です。**躍動感**や**光**と**影**のコントラストなどで**感情**を表現しています。

- ルーベンス『レウキッポスの娘たちの掠奪』
- ベラスケス『ラス・メニーナス』『ヴァルカンの鍛冶場』
- レンブラント『夜警』
- ベルニーニ『アポロンとダフネ』(サン・ピエトロ広場彫刻)

☑ **ロココ美術**　**繊細**で**柔らかい**線や色彩が特徴で，フランスが中心となって発展しました。

- フラゴナール『ブランコ』
- ティエポロ『ヒュアキントスの死』

さらに詳しく
❶モザイク，フレスコ画，タペストリー，象牙彫刻，金属工芸なども発展しました。

❷「遠近法」
絵画や図面などの2次元の平面に，3次元の空間の遠近による距離感を移す技法のことです。この技法を用いて，絵の中に奥行きがあるように錯覚するほどのリアリティのある作品が，この時期から制作されていきました。

さらに詳しく
❸**フェルメール**『牛乳を注ぐ女』『真珠の耳飾りの少女』やカラヴァッジオ『聖母の死』なども有名です。

☑ **新古典主義**　古代都市**ポンペイ**の発掘により，古代ギリシャ・ローマの芸術が流行。**緻密**なデッサンが特徴です。

- ダヴィッド『ホラティウス兄弟の誓い』『ソクラテスの死』
- アングル『グランド・オダリスク』

☑ **ロマン主義**　**革命運動**の影響を受け，**民族意識**や**個人の感性**を重視。実際の事件を題材にした作品もみられます。

- ドラクロワ『民衆を率いる自由の女神』

☑ **写実主義・自然主義**　農民など**庶民**の**日常**を題材にありのままに描きました。

- ミレー『落穂拾い』『パンを焼く農婦』

☑ **印象派**❹　作品全体を意識し，**色彩**で**光**を表現しています。屋内よりも**屋外**の絵画が多いという特徴があります。

- **モネ**『日の出』『睡蓮』『散歩，日傘をさす女性』
- **ゴッホ**『種をまく人』『星降る夜』
- **ゴーギャン**『タヒチの女たち』『黄色いキリスト』

さらに詳しく

❹ルノワール『ムーラン・ド・ラ・ギャレット』，**セザンヌ**『リンゴとオレンジのある静物』，マネ『オランピア』『草上の昼食』，ドガ『エトワール』『舞台の踊り子』なども有名です。

3　20世紀絵画❺

☑ **アール・ヌーヴォー**　19世紀末から20世紀初頭の芸術運動。鉄やガラスを利用し，自由な**曲線**の組み合わせが特徴です。

- クリムト『接吻』

☑ **フォーヴィズム（野獣派）**　色彩や動きを**激しく**表現。

- マティス『ダンス』

☑ **キュビズム（立体派）**　対象を**解体**した後，幾何学的に**再構築**した表現。

- **ピカソ**『アヴィニョンの娘たち』『ゲルニカ』
- ブラック『ギターを持つ少女』

☑ **シュルレアリスム（超現実主義）**　フロイトやユングなどの**心理学**に影響を受け，**内面のイメージ**を描写。

- ダリ『記憶の固執』

☑ **抽象主義**❻　作品にする対象を抽象的に，**線・形・色**のみで表現。具体的なテーマやモチーフはありません。

さらに詳しく

❺第一次世界大戦後，様々な個性をもった芸術家がパリに集まり，**エコール・ド・パリ**とよばれる集団が誕生しました。**シャガール**や藤田嗣治もその一員です。藤田嗣治の作品は，日本画の技術と西洋絵画を融合させた点に特徴があり，「20世紀初頭の西洋において最も重要な日本人芸術家」として評価されています。

❻抽象主義を代表する作家としては，ジャクソン・ポロック，マーク・ロスコ，バーネット・ニューマンなどが挙げられます。

スポーツ

傾向&ポイント スポーツの世界での役割を知り，主なスポーツの簡単なルールを理解しておきましょう。オリンピックやサッカーＷ杯の開催地など，時事的な事柄についても押さえておくとよいでしょう。

1 国際大会

スポーツは人の生活を豊かにするための**文化**で，**世界平和**や**国際親善**の役割を果たしています。大きな国際大会には，オリンピック，サッカーワールドカップ，世界陸上など多くの大会があり，**世界各地**で開催されています。

開催地

開催年	オリンピック 夏と冬　それぞれ４年毎	サッカーＷ杯 ６－７月　４年毎
2006	冬：トリノ（イタリア）	ドイツ
2008	夏：北京（中国）	
2010	冬：バンクーバー（カナダ）	南アフリカ
2012	夏：ロンドン（イギリス）	
2014	冬：ソチ（ロシア）	ブラジル
2016	夏：リオデジャネイロ（ブラジル）	
2018	冬：平昌（韓国）	ロシア
2021	夏：東京（日本）❶	
2022	冬：北京（中国）	カタール
2024	夏：パリ（フランス）	
2026	冬：ミラノ，コルティーナ・ダンペッツォ（イタリア）	アメリカ，カナダ，メキシコ
2028	夏：ロサンゼルス（アメリカ）	
2030	冬：アルプス地域（フランス） 2024年７月正式決定	モロッコ，ポルトガル，スペイン 2024年正式決定
2032	夏　ブリスベン（オーストラリア）	

one POINT

❶ 2021年の東京オリンピックは2020年開催予定でしたが，新型コロナウイルスの影響で１年延期となりました。

2　スポーツのルール

☑ サッカー

1チーム**11**人，前後半45分ずつでゴールにボールを蹴り入れて点数を競います。コートからボールが出たら，**スローイン**（出たラインからコート内に投げる）・**ゴールキック**（攻撃側がボールに触れてゴールラインから出た場合，守りのゴールキーパーがキック）・**コーナーキック**（守備側がボールに触れてゴールラインから出た場合，攻撃側がコートの角からキック）などでゲームを続行します。

☑ バレーボール❷

1チーム**6**人または**9**人がネットを挟んでボールを打ち合います。相手から来たボールを3打以内に打ち返し，25点先取で3セットとったチームの勝利です。**オーバーネット**（相手コートにあるボールに触れる）・**フォアヒット**（チームで連続4回ボールに触れる）・**ダブルコンタクト**（一人が2回連続でボールに触れる）・**タッチネット**の反則があり，反則は相手の得点になります。

TIPS
❷世界から男女各24チームが参加するバレーボール世界選手権は，4年に一度（オリンピックの中間年）開催されています。

☑ ラグビー❸

1チーム**15**人，前後半40分ずつで，**ボール**（ボールを持っている人）が**先頭**にいる・**立った**状態でプレイをするという原則のもと，ボールを相手陣地に持ち込みます。得点方法は，**トライ**5点（相手のインゴールの地面にボールをつける）と**キック**（相手のゴールポストを越える）があります。キックには**コンバージョンゴール**2点（トライ後）・**ペナルティゴール**3点（反則行為を受けた時）・**ドロップゴール**3点（ワンバウンドしたボール）があります。

TIPS
❸ラグビーW杯はサッカーと同様に4年ごとに開催されています。2019年はアジアで初めて，日本で開催されました。2027年はオーストラリアでの開催です。

☑ バスケットボール

1チーム**5**人，10分4セットで，ゴールにボールを入れて得点を競います。反則をすると相手ボールになります。**トラベリング**（ボールを持ち3歩以上進む）や**ダブルドリブル**（ドリブルを2回する，両手でする）があります。

2 疾病と応急処置

頻出度 C

傾向&ポイント 生活習慣病の基本事項について確認しましょう。熱中症や救急時の対応のしかたを理解して，基本的な対応ができるようにしましょう。

1 生活習慣病

生活習慣病とは，**食生活の乱れ**，**運動不足**，**ストレス**，**疲労**，**喫煙**，**飲酒**などの**生活習慣**の積み重ねによって起きる疾患の総称です。**糖尿病**，**高血圧**，**動脈硬化**，**脳卒中**，**心筋梗塞**などがあります。生活習慣病の予防には，規則正しい生活を心がけること❶が大切です。初期では自覚症状が出にくいため，**健康診断**を積極的に受けることも予防につながります。最近では小学生でも**不規則な食生活**，**睡眠不足**，**運動不足**，**ゲーム**や**スマホ**の長時間使用によって将来の病気へのリスクが高くなっています。

POINT

❶日常の生活習慣を改善し，発病を予防することを一次予防といいます。2000 年からは，この**一次予防**に重点を置いた「健康日本 21」運動が展開され，2024 年からは「健康日本 21（第三次）」が推進されています。

2 熱中症

熱中症とは，**環境**（高温高湿度）と**からだ**（体調不良や寝不足）が原因となって，体温が上がり，体の**体温調節機能**❷がはたらかなくなったり，急激に大量の汗をかいて，体内の**水分**や**塩分**が失われたりして起こる体の不調のことをいいます。症状は大きく以下の 3 つに分けられます。

- Ⅰ度（現場での**応急処置**ができる軽症）めまい，頭痛，吐き気，立ちくらみ，失神，手足のしびれ，筋肉痛など
- Ⅱ度（**病院への搬送**を必要とする中等症）Ⅰ度の症状が重なり，嘔吐・倦怠感・虚脱感など
- Ⅲ度（**入院して集中治療**の必要がある重症）意識障害，けいれん，運動障害など

❷「体温調節機能」
暑いときには汗の腺（汗腺）を開いて熱を放散，寒いときには立毛筋と皮膚表面の血管を収縮させて熱を外に逃がさないなどの機能のことをいいます。

☑ **熱中症への対応**

涼しい場所へ移動し，衣服を緩め体を**冷やします**❸。両側の**首**，**脇**，**足**の付け根を冷やすと効果的です。可能であれば**水分**や**塩分**を補給します。Ⅱ度以上の危険な状態の場合は，病院に搬送します。

☑ **熱中症の予防**❹

- のどが渇く前にこまめに**水分補給**をします。
- 暑くなり始める前から**適度な運動**をして，暑さに強い体づくりをします。
- 熱中症は室内でも起こるため，小さい子供や高齢者はエアコンを利用して室内の温度や湿度を適度に保ちます。

3　応急手当と応急処置

☑ **擦り傷，切り傷**　清潔な水で洗い流し，異物を取り除きます。傷口が清潔になったら，切れた部分を寄せるようにして傷口をふさぎ，ばんそうこうやラップで覆います。

☑ **火傷**　患部を痛みが感じなくなるまで冷やします。

☑ **捻挫・打撲**❺　患部を動かさないように安静にし，冷やします。

☑ **骨折**　骨折した部位に添え木などをして固定し，冷やします。

☑ **鼻血**　体を横たえず，外側から鼻をつまみます。

いずれの場合も不安や心配がある場合は，病院へ搬送します。特に10歳未満の子供は，骨などが成長過程であるため，放置すると成長への影響が出ることがあるため注意が必要です。

☑ **救命処置（心肺停止状態になっている人への一次処置）**

①反応確認　②119番通報　③胸骨圧迫　④気道確保
⑤人工呼吸　⑥AEDによる電気ショック

救急隊に引き継ぐまで，③～⑥を適宜繰り返します。

人工呼吸が行えない場合は，省きます。

さらに詳しく

❸仰向けに寝かせ，頭低足高の体位にし安静に保ちます。

TIPS

❹気温と湿度をもとに定めた，「暑さ指数」を基準に発表する**熱中症警戒アラート**が2020年より施行されています。

さらに詳しく

❺捻挫や打撲時の応急措置として，**RICE処置**があります。
RICE処置とは，安静(Rest)・冷却(Ice)・圧迫(Compression)・挙上(Elevation)の4つの処置をいいます。

1 栄養と食品

頻出度 C

傾向&ポイント 食物アレルギーの原因となる食品やアレルギーの症状について理解し，対応できるようにしておきましょう。賞味期限と消費期限の違いを把握し，食中毒については，予防の基本知識を覚えましょう。

TIPS

❶主なビタミンのはたらき
ビタミンA…目のはたらきを助け，皮膚を健康に保つ
ビタミンB_1，B_2…炭水化物や脂質をエネルギーに変える
ビタミンC…血管を丈夫に保ち，傷の回復を助ける
ビタミンD…骨や歯などを丈夫に保つ

1 5大栄養素

炭水化物（糖質）…米，パン，めん類など
体を動かすエネルギーになります。

脂質…植物油，バターなど
体を動かすエネルギーになります。

たんぱく質…肉，魚，牛乳など
体をつくるもとになります。

無機質（ミネラル）…野菜，海藻など
体の調子を整えます。

ビタミン❶…野菜，果物，きのこなど
体の調子を整えます。

2 食物アレルギー

食物アレルギーとは，特定の食物を摂取したとき，**免疫**機能や**消化吸収**機能に問題が生じることで起こる，異物を撃退しようとする**免疫**反応です。

特定原材料

卵・乳・落花生・蕎麦・小麦・かに・えび・くるみの8品目です。これらを含む食品には，表示が**義務付け**られています。その他，「特定原材料に準ずるもの❷」とされているものは，可能な限り表示するように求められています。

さらに詳しく

❷「特定原材料に準ずるもの」とは，食物アレルギー症状を引き起こす食品のうち，重篤な症状数が特定原材料に比べると少ないもののことをいい，20の品目が登録されています。

症状

- 皮膚（蕁麻疹，かゆみ）
- 目（かゆみ，充血，腫れ）
- 鼻（くしゃみ，鼻水）
- 口（かゆみ，違和感，腫れ）

●呼吸器（息苦しさ，咳）　●消化器（腹痛，嘔吐，下痢）
●ショック症状（意識がない）

☑ **アナフィラキシーショック**

全身に**複数のアレルギー反応**が起き（アナフィラキシー），**血圧**が**低下**して危機的状況にある場合のことをいいます。症状が急速に進行する可能性が高いため，救急車を呼ぶ必要があります。**エピペン**®（アドレナリン）注射❸を持っている場合は，直ちに使用します。

さらに詳しく
❸ペン型の**アドレナリン**注射で**太もも**などに筋肉注射をします。即効性があり，血圧を上げ，呼吸を楽にする効果があります。エピペン®の使用で症状が緩和しても，必ず救急車を呼ぶようにします。

3　賞味期限と消費期限

☑ **賞味期限**　開封しないで保存方法を守っていれば，**おいしく**食べられる期限です。3か月以内のものは年月日で表示し，3か月を超えるものは年月の表示でも可です。（スナック菓子，缶詰，カップ麺など）

☑ **消費期限**　開封しないで保存方法を守っていれば，表示されている年月日まで**安全に**食べられる期限です。（サンドイッチ，生菓子，弁当など）

※どちらの期限も開封したら早めに消費しましょう。

4　食中毒

食中毒❹とは，細菌やウィルス，寄生虫などが付着した食品を食べることで，腹痛，下痢，嘔吐，発熱などの症状が出ることをいいます。

下痢や嘔吐の症状が出た場合は，**脱水症状**にならないように**水分**を十分に摂ります。自己判断で下痢止めなどの市販薬を飲むことは避けたほうがよいといわれています。

【予防の3原則】

つけない　調理器具を清潔にしたり，手洗いを徹底したりして菌やウィルスが付着しないようにします。

増やさない　素早く調理し，調理したものはすぐに食べるようにします。食品は冷蔵庫で保存します。

やっつける　75度以上の熱で中まで1分以上加熱します。

さらに詳しく
❹食中毒には，細菌，ウイルス，自然毒，化学物質の4つの原因が挙げられます。自然毒とは，フグやキノコなど，食物が本来もっている有毒成分のことを指します。有害な化学物質には，農薬，ヒ素・銅・鉛・スズなどが挙げられます。

2 住環境

頻出度 C

傾向&ポイント ユニバーサルデザインとバリアフリーの定義の違いについて理解しましょう。生活環境に関わる主なマークを覚えておきましょう。

1 生活環境のデザイン

ユニバーサルデザイン

国籍や**文化**，**言語**，**性別**，**年齢**に関わらず，**誰もが使いやすい**ことを考慮し，7つの原則にしたがって作られたデザインのことです。

①**公平性**（誰でも使うことができる） ②**自由**（体格や好みに合わせられる） ③**単純**（直感で使うことができる） ④**分かりやすい** ⑤**安全** ⑥**省体力**（少ない力で楽に使うことができる） ⑦**スペースの確保**（車いすなどを考慮した空間である）

バリアフリー

高齢者や**障害者**が生活する上で起こる**障壁を取り除く**ことをいい，大きく4つに分けられます❶。

①**物理的**バリア ②**制度的**バリア ③**文化・情報**のバリア ④**意識**のバリア

いろいろな立場の人の障壁を理解して，街中の設備をバリアフリーにするだけではなく，困っている人を見かけたら，手伝えることはないか声をかけるなど，**心のバリアフリー**を進めることが大切です。

シックハウス症候群

省エネルギー重視の住宅が増え，**高気密化・高断熱化**に対応する建材や家具が多く使われるようになると，**化学物質**が放出され室内の空気が汚れます。また，湿度や温度が高いとカビやダニが発生しやすくなります。その結果，鼻

❶4つのバリア
①物理的バリア…日常生活の中に存在する，道路や建物，公共交通機関などにおける物理的な障壁のこと
②制度的バリア…高齢者や障害者のもつ機会が，社会の制度やルールによって能力に関係なく妨げられてしまうこと
③文化・情報のバリア…情報の伝え方が十分でないために，必要な情報を知る機会が妨げられてしまうこと
④意識のバリア…他人の偏見からもたらされる障壁のこと

水，のどの乾燥，吐き気，頭痛，倦怠感，湿疹などの症状が起こることをいいます。

2　表示マーク

☑ **JAS**　日本農林規格のことです。品位，成分，性能，製造方法などの基準を満たした**食品**や**農林水産品**にマークを表示することができます。JASマーク，有機JASマーク，特定JASマーク，生産情報公表JASマークがあります。

☑ **JIS**　日本産業規格のことです❷。製品や技術に，形，大きさ，品質，加工技術の標準を定め，互換性や安全性を確保しています。

☑ **PSC**　消費生活用製品安全法のことです。消費者の生命や身体に危険を及ぼす可能性のある製品❸が安全性を認められると表示することができます。消費者の安全と利益を保護しています。

☑ **グッドデザインマーク**　グッドデザイン賞を受賞した証として使用することができます。良いデザインを示すマークです。

【グッドデザイン賞】デザインを通して産業や生活文化を高める運動です。もの・ことづくりを導く創発力，現代社会に対する洞察力，未来を切り開く構想力，豊かな生活文化を想起させる想像力，社会・環境をかたちづくる思考力を理念として，理想や目的を果たすために築いたデザインの質が評価され，贈られる賞です。

☑ **ウールマーク**　羊の新毛を使っていて，耐性や強度が基準をクリアした羊毛の製品につけられます。このマークがついた製品は品質が良く安心，安全だと考えることができます。

❷鉱工業品用・加工技術用・特定側面用の３種類に分かれています。

さらに詳しく

❸対象品目には，自己確認が義務付けられている特定製品と，その中でさらに第三者機関の検査が義務付けられている特別特定製品があります。特別特定製品は，乳幼児用ベッド，携帯用レーザー応用装置，浴槽用温水循環器，ライターの４つです。

確認テスト

音楽・美術・保健体育・家庭

1 次の各文に適する語句や人物を答えよ。

(1) 既存のキリスト教権力に対し，古代ギリシャ・ローマ文化の再生を目指した出来事を何というか。

(2) 印象派の一人で，『種をまく人』『星降る夜』などを代表作とする人物は誰か。

(3) 鎖国により日本独自の文化が発展した江戸時代に生まれた，庶民の生活や役者を描いた絵画のことを何というか。

(4) モダンテクニックのひとつで，金網とブラシを使って絵の具を飛ばす技法のことを何というか。

1

(1) ルネサンス

(2) ゴッホ

(3) 浮世絵

(4) スパッタリング

2 次の各文について，適する語句をA群から，文中の空欄に入る作曲者をB群からそれぞれ選べ。

(1) 「音楽の父」とよばれる（　）らを代表とする，オペラや協奏曲などの優雅で華やかな宮廷音楽。

(2) 旋律のまとまりや均整のとれた形式美を追求した音楽。『運命』『第九』を代表曲とする（　）らによって，交響曲やソナタ形式が確立した。

(3) 『子犬のワルツ』『別れの曲』などを作曲した（　）らに代表される，喜怒哀楽をテーマに，転調を多用した音楽。

(4) 激しい喜怒哀楽の感情ではなく雰囲気を表現した音楽。簡潔な音楽構成を特徴とし，代表的な人物に『月の光』『アラベスク』を作曲した（　）がいる。

2

(1) イ，(d)

(2) エ，(a)

(3) ウ，(e)

(4) ア，(b)

[A群] ア　印象主義音楽　　イ　バロック音楽
ウ　ロマン派音楽　　エ　古典派音楽
オ　国民派音楽

[B群] (a)　ベートーヴェン　　(b)　ドビュッシー
(c)　ハイドン　　(d)　バッハ
(e)　ショパン

3 次の各文の下線部の内容が正しい場合は○を，誤っている場合は×を選べ。

(1)　開封しないで保存方法を守っていれば，おいしく食べられる期限のことを<u>消費期限</u>という。

(2)　<u>アナフィラキシーショック</u>とは，全身に複数のアレルギー反応が起き，血圧が低下して危機的状況にある場合のことをいう。

(3)　国籍や文化，言語，性別，年齢に関わらず，誰もが使いやすいことを考慮し作られたデザインのことを<u>バリアフリーデザイン</u>という。

(4)　<u>JIS</u> とは，品位，成分，性能，製造方法などの基準を満たした食品や農林水産品につけられる，日本農林規格のことを指す。

3

(1)　×
(2)　○
(3)　×
(4)　×

4 次の各文に適する語句を答えよ。

(1)　夏季と冬季それぞれ 4 年ごとに開催される，スポーツの国際大会のことを何というか。

(2)　1 チーム 11 人で構成され，コーナーキックやスローインなどを主なルールとするスポーツは何か。

(3)　食生活の乱れや運動不足，ストレス，疲労などの生活習慣の積み重ねによる疾患を何というか。

(4)　体の体温調節機能がはたらかなくなったり，急激に大量の汗をかいて，体内の水分や塩分が失われたりして起こる体の不調のことを何というか。

4

(1)　オリンピック
(2)　サッカー
(3)　生活習慣病
(4)　熱中症

章末テスト

人文科学

1 次の空欄に当てはまる語句や単語を答えよ。

(1) 行くの謙譲語は（　　）である。
(2) （　　）は大伴家持らが編纂した現存最古の歌集である。
(3) "Have you ever been to Hokkaido? "Yes, I have. I (　　) there last summer.
(4) Wine is made（　　）grapes.
(5) 743 年に出され，開墾した土地の永久私有を認めた法令を（　　）という。
(6) （　　）は江戸幕府の老中として天保の改革を行い，上知令などを実行したが，失敗に終わった。
(7) （　　）は，フランス革命の混乱の中で頭角を現した軍人で，1804 年にはフランス皇帝となった。
(8) （　　）は，16 世紀半ば，スイスで宗教改革を進めた人物である。予定説を唱えて勤労を重視した。
(9) 日本では，1980 年代の貿易摩擦の後，賃金の安い海外への工場の移転が増え，（　　）が起こっている。
(10) （　　）は，サンゴ礁の世界的な観光地があり，地下資源である鉄鉱石・ボーキサイトなどが豊富な国である。羊・牛の牧畜も有名。
(11) ギリシャ三大哲学者の一人である（　　）は，イデアや哲人政治など「理想主義」の思想を説いた。
(12) （　　）とは，国籍や文化，言語，性別，年齢に関わらず，誰もが使いやすいことを考慮し作られたデザインのことである。

1

(1) 伺う
(2) 万葉集
(3) went
(4) from
(5) 墾田永年私財法
(6) 水野忠邦
(7) ナポレオン＝ボナパルト
(8) カルヴァン
(9) 産業の空洞化
(10) オーストラリア
(11) プラトン
(12) ユニバーサルデザイン

社会科学

1 政治思想史

頻出度 B

傾向＆ポイント 17，18 世紀の市民革命とその理論的根拠を示したホッブズ，ロック，ルソーの 3 人の思想家と近代民主政治の原理である三権分立論を説いたモンテスキューの考え方を中心に整理しましょう。

1 社会契約説❶

近代の政治思想

近代の政治思想においては，**ホッブズ，ロック，ルソー**が挙げられます。三者に共通する政治学説は「**社会契約説**」です。自然法思想❷にもとづき，社会・国家は人民の契約により成立すると主張するもので，絶対王政における王権神授説❸に反対する考え方といえます。

ホッブズ（英） 1588 ～ 1679	人間の**自然権**を重視し，「万人の万人に対する闘争」の状態から生命の安全を守るため，社会契約により主権を譲渡して国家主権に委ねよと説いた。 主著『**リヴァイアサン**』
ロック（英） 1632 ～ 1704	王権神授説に反対して社会契約説をとり，最高権力は人民にあり，政治は人民の同意のもとに行われねばならぬと主張し，アメリカ独立革命，フランス革命に影響を与えた。 主著『**市民政府二論**』
ルソー（仏） 1712 ～ 1778	ホッブズ，ロックの思想を発展させ，社会契約の目的を個人に自由をもたらす共同体の設立においた。フランス革命に大きな影響を与えた。 主著『**社会契約論**』

one POINT

❶ホッブズ，ロック，ルソーらは啓蒙思想家とよばれ，絶対王政を批判し，市民革命を思想面から支援した人物として知られています。啓蒙思想家と市民革命との関係や，モンテスキューの三権分立論が近代民主政治の基本原理となっていることに着目しましょう。

❷「自然法思想」
実定法に対し，自然の定めにより存在している法則や原理などのことをいいます。

❸「王権神授説」
国王の権限は神から与えられたものであり，不可侵であるということです。

2　権力分立論

国王に強大な権限が集中していた絶対王政[4]を批判し，国家の権力を複数の統治機関に配分して権力相互間における抑制・均衡によって政治を行う考え方を**権力分立論**といいます。

☑ ロックの権力分立論

ロックが提唱した権力分立の考え方は，国王による専制政治への深い反省に立ち，国王が独占している行政権よりも民意を代表する議会（立法権）の権限を優位に立たせるというものです。主著である『**市民政府二論**』でも述べられています。

☑ モンテスキューの権力分立論

18世紀になると，ロックの影響を受けた**モンテスキュー**は主著『**法の精神**』の中で，国家権力を**立法権**，**行政権**，**司法権**の三権に分立させ，相互に権限を牽制し合うとともに，互いに均衡を保つ必要性を説き，近代民主政治の原理を確立させました。

☑ 現代の政治形態

アメリカ合衆国は大統領と議会が明確に分離していて，モンテスキューが確立した三権分立を厳格に貫いていますが，イギリスはロックの影響を受け，立法権と行政権が融合した**議院内閣制**[5]をとっています。日本もイギリスを模範とした議院内閣制を採用しています。

3　民主主義の推進

アメリカ合衆国第16代大統領の**リンカン**は，南北戦争[6]の激戦地ゲティスバーグにおいて「『**人民の，人民による，人民のための政治**』を決して地上からなくしてはならない」と演説しました。

政治

さらに詳しく

❹絶対王政とは，16～18世紀にかけて，主にヨーロッパの国々で行われた国王による専制的な政治体制です。絶対主義ともいいます。

❺「議院内閣制」
議会内での多数党（連立の場合もあり）が内閣を組織するというもので，内閣の在職要件が議会の信任にもとづくというものです。

さらに詳しく

❻南北戦争は1861年から65年まで，アメリカ合衆国の南部と北部の諸州の間で起こった内戦です。リンカンは奴隷解放令を発表し，国内を統一し，民主政治を進めていきました。

2 日本国憲法①

頻出度 B

傾向&ポイント 日本国憲法はすべての法律の基本となる最高法規であり，国家の組織や国家統治に関する根本法規です。特に，基本的人権の尊重，国民主権，平和主義からなる三大原則はあらゆる一般常識の基本として捉えておくことが重要です。

1 日本国憲法の基本原則❶

☑ 日本国憲法の制定過程

1945（昭和 20）年，日本は**ポツダム宣言**❷を受諾し，第二次世界大戦は日本の無条件降伏による敗北で終結しました。**連合国軍最高司令官総司令部**（GHQ）の強い影響の下，1946（昭和 21）年 11 月 3 日に**日本国憲法**が公布され，翌 1947（昭和 22）年 5 月 3 日に施行されました。

☑ 国民主権　**国民主権**とは，国政に関する最終決定権が国民にあるという考え方で，日本国憲法の前文に規定されています。また，天皇の地位は政治に関与しない「**象徴としての天皇**❸」となり，「主権の存する日本国民の総意に基づく」（1 条）ことが規定されています。

☑ 平和主義　第二次世界大戦の惨禍とその反省にたち，日本国憲法の前文で「日本国民は，恒久の平和を念願し，(略)，平和を愛する諸国民の公正と信義に信頼して，われらの安全と生存を保持しようと決意した。」とするとともに，**第 9 条**において，「日本国民は，正義と秩序を基調とする国際平和を誠実に希求し，国権の発動たる戦争と，武力による威嚇又は武力の行使は，国際紛争を解決する手段としては，永久にこれを放棄する。」ことを規定しました。こうした考え方を**平和主義**とよんでいます。

☑ 基本的人権の尊重　**基本的人権**は，人間が人間らしく生きていくために欠くことのできない根本的な権利です。日本国憲法では「**個人の尊重と公共の福祉**」，「**自由権**」，「平

POINT

❶戦後の民主化政策を行う上での基盤となるものが日本国憲法であり，その三大基本原則は日本の政治制度の根幹であることを理解しておきましょう。

❷「ポツダム宣言」
1945（昭和 20）年7月にポツダム会談で米英中三国政府首脳の連名で日本に対して発せられた，降伏勧告の宣言です。

さらに詳しく

❸大日本帝国憲法下においては，天皇は統治権を総攬（そうらん）する国の元首とされていたことを再確認しておきましょう。

等権」，「社会権」，「参政権」，「請求権」，「国民の義務」などについて細かい内容を条文で明記しています。特に「国民は，すべての基本的人権の享有を妨げられない。この憲法が国民に保障する基本的人権は，侵すことのできない永久の権利として，現在及び将来の国民に与へられる。」（11条），「この憲法が国民に保障する自由及び権利は，国民の不断の努力によつて，これを保持しなければならない。（略）」（12条），「すべて国民は，個人として尊重される。（略）」（13条）の3つの条文については，保障される基本的人権の基本的な概念として整理しておきましょう。

2　精神的自由権

☑ **自由権の定義**　自由権は17～18世紀の**市民革命**において求められた国家権力の干渉を排除するための考え方であり，基本的人権の根幹となるものです。現代において，自由権には**身体的自由権**❹，**精神的自由権**，**経済的自由権**が考えられています。

☑ **精神的自由権の内容**　日本国憲法が保障する精神的自由権には，「**思想・良心の自由**」（19条），「**信教の自由**」（20条），「**表現の自由**」（21条），「**学問の自由**」（23条）があります。

3　経済的自由権

☑ **経済的自由権の定義**

産業革命の進展と資本主義の高度化により必要と考えられるようになった基本的人権のひとつです。行政による経済活動への干渉を制限する必要から生まれました。

☑ **経済的自由権の内容**

日本国憲法が保障する経済的自由権には，「**居住・移転の自由**❺」（22条の①），「**外国への移住・国籍離脱の自由**」（22条の②），「**職業選択の自由**❺」（22条），「**財産権の不可侵**（私有財産）」（29条）があります。

政治

❹「身体的自由権」
身体的自由権には，「奴隷的拘束からの自由」（18条），「適正手続の保障」（31条）などがあり，拷問を受けたり，不当に逮捕されたりしない権利のことをいいます。また，日本国憲法の（31条）から（40条）までの中で適正手続きの保障に関する規定が細かく示されていることにも注目しましょう。

❺「居住・移転の自由」や「職業選択の自由」については，個人の経済活動や利益を追求するためには欠かせない権利であり，資本主義の高度化に伴い考えられてきた人権として理解しましょう。

3 日本国憲法②

頻出度 A

傾向&ポイント 日本国憲法は戦後，GHQ の強い影響下で作成された民主的な憲法です。生存権，教育を受ける権利，勤労の権利などの社会権的基本権が保障されていることに留意し，体系的に整理しましょう。

1 社会権

社会権とは，**人たるに値する生活**を保障するため，国の積極的な施策により実現する権利で，「**国家による自由**」ともいわれています。

日本国憲法が保障する社会権には，**生存権**（25 条），**教育を受ける権利**（26 条），**勤労の権利**（27 条），**勤労者の団結権・団体交渉権・団体行動権**（28 条）があります。

☑ 生存権❶

「すべて国民は，健康で文化的な最低限度の生活を営む権利を有する。」と規定し，この権利については，健康保険法，生活保護法，児童福祉法などによって具体化されています。

> POINT
> ❶ 25 条に示された生存権については，具体的権利説とプログラム規定説との対立があり，最高裁判所はプログラム規定説を採用しています。

☑ 教育を受ける権利

「すべて国民は，法律の定めるところにより，その能力に応じて，ひとしく教育を受ける権利を有する。」と規定し，この権利と関連し，**教育基本法**，**学校教育法**，学校教育法施行令，学校教育法施行規則，**地方公務員法**，**教育公務員特例法**などがあります❷。

> ❷教育関連法では，学校教育法，地方教育行政の組織及び運営に関する法律，教育職員免許法，教育公務員特例法など目的について確実に整理・理解しておきましょう。

☑ 勤労の権利

「すべて国民は，勤労の権利を有し，義務を負ふ。」と規定し，この権利については，**労働基準法**，最低賃金法，児童福祉法，職業安定法，雇用保険法などによって具体化されています。

☑ 勤労者の団結権・団体交渉権・団体行動権

「勤労者の団結する権利及び団体交渉その他の団体行動をする権利は，これを保障する。」と規定し，この権利については**労働組合法**，**労働関係調整法**などによって具体化されています❸。

2 参政権

参政権とは，国民が政治に参加する権利であり，国民による政治を実現するための重要な権利です。

日本国憲法が保障する参政権には，**選挙権**❹として「公務員を選定し，及びこれを罷免することは，国民固有の権利である。」（15条）及び衆議院及び参議院議員の**被選挙権**（44条），最高裁判所裁判官**国民審査権**（79条），地方特別法制定同意権（**住民投票**❺）（95条），**憲法改正承認権**（96条）などがあります。

3 新しい人権❻

日本国憲法は戦後まもなく制定されましたが，その後の時代や社会の変化に伴い，日本国憲法には詳細に規定されていなかった**新しい人権**を認めるべきという考えから，日本国憲法13条の規定を根拠として，以下のような権利が主張されています。

☑ 新しい人権として判例等で認められている権利

一般的には，政府などの情報公開を要求できる「**知る権利**」，私生活等をみだりに公開されない「**プライバシーの権利**」，みだりに自己の容姿等を撮影利用されない「**肖像権**」，知る権利と関連して主張されるようになったものでマスメディアへの接近（アクセス）を可能とする「**アクセス権**」，市民がよりよい生活を享受するための「**環境権**」，個人の人格に関わる重要な事項を自分自身で決定できる「**自己決定権**」などがあります。

さらに詳しく

❸労働基準法，労働組合法，労働関係調整法を合わせて**労働三法**とよんでいます。

❹日本の公職選挙の選挙権年齢は，2016年に満20歳から18歳に引き下げられています。

❺憲法改正の国民投票や地方自治特別法の制定についての住民投票は直接民主制の一形態でもあり，レファレンダムともよばれています。

さらに詳しく

❻日本国憲法では，ここで触れた人権以外にも「**請願権**」（16条），「**国家賠償請求権**」（17条），「**裁判を受ける権利**」（32条），「**刑事補償請求権**」（40条）などの人権保障規定があることに注意しましょう。

民主政治

傾向＆ポイント 民主政治とは民主主義に基づく政治を意味するものであり，古代ギリシャの都市国家（ポリス）で行われ発展したものですが，一般的には，17～18世紀の市民革命以後の近代民主政治の原理として整理してよいでしょう。

1 民主政治とは

民主政治の定義[1]

近代民主政治が成立するためには，**国民主権**，**議会政治**，**基本的人権の保障**，**法の支配**，**権力分立制**の5つの原理が必要です。日本国憲法前文（1946年）では，「国政は，国民の厳粛な信託によるものであつて，その権威は国民に由来し，その権力は国民の代表者がこれを行使し，その福利は国民がこれを享受する。」とし，近代民主政治の原理が明確に示されています。

[1]近代民主政治と関連し，リンカンの「人民の，人民による，人民のための政治」（1863年ゲティスバーグ演説）とも関連させて理解しましょう。

法の支配

法の支配とは，イギリスやアメリカで発展した考え方であり，**絶対王政**時代の独裁的な「人の支配」を否定し，「すべての統治行為は国民の代表者である議会が制定した法に基づくこと，政府・国王，国民はすべて法に従う」という概念です。

権力分立制（三権分立制）[2]

国家権力が一箇所に集中することによる濫用を防止し，国民の政治的自由を保障するために，権力の分散を主張する思想および制度であり，一般的には，**立法権**，**行政権**，**司法権**の三権が分立しています。

[2]権力分立論については，ロック（「市民政府二論」1690年）やモンテスキュー（「法の精神」1748年）の考え方の違いについても関連させて整理しましょう。

[3]間接民主制は，奴隷制度とともに，古代ギリシアの民主政治と異なるポイントとして理解しましょう。

2 選挙制度

選挙制度の5原則

選挙は国民の代表者を決定し，**間接民主制**[3]の下で国民の意思を政治に反映するための制度であり，近代民主国家においては以下の５つの原則が確立しています。

普通選挙	身分，財産，納税額，学歴，性別，民族などに関わらず，国籍を有する成年全員の**選挙権**[4]，**被選挙権**を認めること。
平等選挙	選挙人の投票の価値をすべて平等に取り扱うこと。
秘密選挙	投票で不利益を受けぬよう投票内容を秘密にして，自由な投票を守ること。
直接選挙	選挙権のある有権者本人が直接，候補者に投票すること。
自由選挙	本人の自由意思で投票することができ，棄権も認められるとともに，選挙の干渉や強制的な投票も認められないこと。

☑ 選挙区制度

選挙区制度の種類は大別すると立候補者を選ぶ「大・中・小選挙区制」と政党を選ぶ「比例代表制」があります。

小選挙区制	１選挙区につき議員１名を選出。大政党に有利。
大選挙区制	１選挙区につき２名以上の議員を選出。小党分立を招く恐れあり。
比例代表制[5]	各政党の得票率に応じて議席を配分する。我が国では**ドント方式**という計算方式で議席数が決定される。顔の見えない選挙という批判もある。

3　世論とマスコミ[6]

☑ 世論

公共の問題について国民がもつ共通の意思や意見を世論といいます。

☑ マスコミ

マスコミとは，マス・コミュニケーションの略であり，新聞・テレビ・ラジオ・雑誌などの**マス・メディア**を媒体として大量の情報を伝達することを意味しています。

❹選挙権年齢について，2015年に公職選挙法が改正され，2016年から，投票できる年齢が「20歳以上」から「**18歳以上**」に引き下げられていることに注意しましょう。

さらに詳しく

❺日本では衆議院議員選挙において，１選挙区につき，３～５名の議員を選出する中選挙区制が採用されていましたが，1994年に廃止され，現在においては小選挙区比例代表並立制が採用されています。

❻民主政治のもとで政治と国民をつなぐ重要な役割として「政党」や「圧力団体」などの存在についても整理しておきましょう。

日本の統治機構①

傾向&ポイント 日本の民主政治を支える基本原則は，日本国憲法に示された国民主権，基本的人権の尊重，平和主義です。民主政治を実現するために立法権，行政権，司法権の三権の分立と議院内閣制が採用されていることを押さえておきましょう。

1 三権分立

日本の三権分立制度[1]

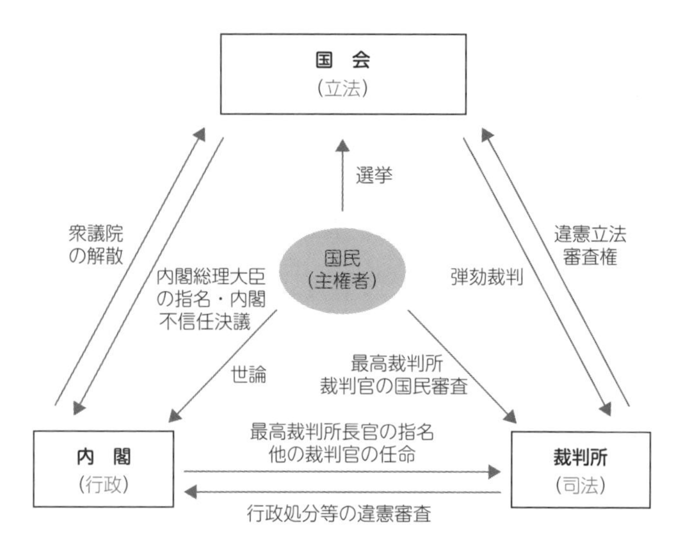

日本国憲法では，**立法権**に関する権限を**国会**[2]が，**行政権**に関する権限を**内閣**が，**司法権**に関する権限を**裁判所**が有する統治機構を定めています。また，行政権を担当する内閣は国会の信任を必要とする**議院内閣制**であり，国会は**国権の最高機関**であることが明示されています。三権の関係が対等の関係となっていないことに注意する必要があります。

三権分立の機能

立法権，行政権，司法権は互いに牽制する関係にあり，

POINT

❶日本国憲法では国民主権が確立していますが，大日本帝国憲法下においては，天皇主権であり，天皇が様々な権限を総攬していたことを確認しておきましょう。

❷日本国憲法では，「国会は，国権の最高機関であつて，国の唯一の立法機関である。」(41条) とし，法律は国会以外では制定することができないことに着目しましょう。

それぞれの均衡を保つしくみが存在しています。

国会は，内閣に対して**内閣総理大臣の指名**や**内閣不信任決議**を有するとともに，裁判所に対しては弾劾裁判の権限を有します。

内閣は，国会に対して**衆議院の解散権**❸を有するとともに，裁判所に対しては最高裁判所長官の指名と他の裁判官の任命権を有します。

裁判所は，国会が制定する法律や内閣が行った行政処分がそれぞれ憲法に違反していないかを審査する権限を有します（違憲審査権）。

こうした三権に対して，我が国では，国民が，国会には選挙による審判，内閣には**世論**の形成，裁判所には**国民審査**❹という権利を有しており，国民主権が実現しています。

2　議院内閣制

議院内閣制の定義

議院内閣制とは，国会の信任の下に内閣が成立し，国会に対して責任を負う制度です。日本国憲法では，「内閣は，行政権の行使について，国会に対し連帯して責任を負ふ。」（66条③）と規定し，日本が議院内閣制を採用していることを明らかにしています。

議院内閣制と政党政治

議院内閣制の下では，議会（国会）内で多数の議席を有する一つもしくは二つ以上の政党が政権を担当します。すなわち，政党を基軸として展開される政治を**政党政治**とよんでいます。

衆議院の解散と内閣不信任決議

日本国憲法では，「内閣は，衆議院で不信任の決議案を可決し，又は信任の決議案を否決したときは，十日以内に衆議院が解散されない限り，**総辞職**をしなければならない。」（69条）とし，国会と内閣相互の関係を示しています。

❸内閣総理大臣が有する衆議院の解散権は，国会からの内閣不信任決議への対抗措置のみならず，内閣総理大臣の意思により，衆議院議員の任期満了を待たずに行使できる強力な権限としても理解しておきましょう。

さらに詳しく

❹国民審査については，日本国憲法で「最高裁判所の裁判官の任命は，その任命後初めて行はれる衆議院議員総選挙の際国民の審査に付し，その後十年を経過した後初めて行はれる衆議院議員総選挙の際更に審査に付し，その後も同様とする。」（79条②）ことが規定されています。

政治

6 日本の統治機構②

頻出度 B

傾向&ポイント 日本国憲法が規定する三権を司る統治機構として，国会，内閣，裁判所の地位と機能を整理・確認しましょう。特に，国会に関する出題は多くみられるため，基本的事項について確実に理解しておくことが重要です。

❶三権分立の制度は確立していますが，その中でも国会が優越的な地位であることに着目しましょう。

❷二院制のメリットについては出題頻度が高いので，確実に整理しておきましょう。

❸衆議院と参議院の違いは議員としての任期，解散の有無，被選挙権の年齢などであり，ここも出題頻度が高くなっています。

❹ 2016年から選挙権年齢が**18歳以上**に引き下げられていることに注意しましょう。

1 国会❶

日本国憲法では，「国会は，**国権の最高機関**であつて，**国の唯一の立法機関**である。」（41条）とし，三権の中における国会の優位性が規定されています。

☑ **二院制** 「国会は，**衆議院**及び**参議院**の両議院でこれを構成する。」（42条）とし，**二院制**を採用。二院制のメリットは，国民の様々な意見を広く反映させる，審議を慎重に行える，一つの議院の行き過ぎを抑えるなどがあります❷。

	衆議院❸	参議院❸
議員定数	465人 小選挙区289人 比例代表176人	248人 選挙区148人 比例代表100人
選挙区	小選挙区　全国289区 比例代表　全国 11ブロック	選挙区（主に都道府県） 比例代表（全国単位 非拘束名簿式）
任期	4年（解散あり）	6年（解散なし） 3年ごとに半数が改選
選挙権❹	満18歳以上の男女	
被選挙権	満25歳以上の男女	満30歳以上の男女

☑ **日本国憲法に規定されている国会の権限**

法律の制定（59条①），予算の決定（60条①②），条約の承認（61条），**国政に関する調査**（62条），**弾劾裁判所**の設置（64条），内閣総理大臣の指名（67条），衆議院における内閣不信任の決議（69条），**憲法改正**の発

議（96条）

国会の種類

常会（通常国会）	毎年1月に1回招集。次年度の予算審議。
臨時会（臨時国会）	内閣が必要と認めたときに召集。
特別会	衆議院議員総選挙後30日以内に召集。 内閣総理大臣の指名。
参議院の緊急集会	衆議院の解散中に内閣が必要と認めたとき。

❺衆議院の優越については，法律案の再可決の手順などに細かい規定があります。憲法の条文を確実に理解しておきましょう。

日本国憲法に規定されている衆議院の優越❺

両院の議決が異なったとき，以下の事項については参議院よりも**衆議院の議決に優越的地位**が与えられています。法律案の議決（59条②），予算の先議権と議決（60条①②），条約の承認（61条），内閣総理大臣の指名（67条②）

さらに詳しく

❻三権分立との関係で，内閣が国会や裁判所に対して有する権限である内閣不信任決議，最高裁判所長官の指名及び裁判官の任命権などについて確認しておきましょう。

2 内閣

「行政権は，内閣に属する。」（65条）とし，その構成は「内閣総理大臣及びその他の**国務大臣**でこれを組織する。」（66条）としています。また，「内閣は，行政権の行使について，国会に対し**連帯して責任**を負ふ。」（66条③）とし，**議院内閣制**を明示しています❻。

日本国憲法（73条）に規定されている内閣の権限

- 法律の誠実な執行と国務の総理・外交関係の処理
- 条約の締結・予算の作成と国会への提出・政令の制定
- **大赦**，**特赦**，減刑，刑の執行の免除及び復権の決定

❼裁判所が扱う事件には刑事事件と民事事件があります。

3 裁判所❼❽

❽裁判所が国会や内閣に対して有する権限として，違憲立法審査権や行政処分等の違憲審査権については出題頻度が高いので確実に理解しておきましょう。

司法権は，**最高裁判所**及び**下級裁判所**（高等裁判所・地方裁判所・簡易裁判所・家庭裁判所）に属するとされています（76条）。また，裁判官は，その良心に従ひ独立してその職権を行い，憲法及び法律にのみ拘束される（76条③）とし，**司法権の独立**が保障されています。さらに，公正で慎重な裁判を行うために**三審制**が採用されています。

政治

7 地方自治

頻出度 B

傾向＆ポイント 「地方自治は民主主義の学校」といわれるほど，市民生活に直結した法令や制度が存在しています。今後の社会生活を送る上でも，社会人の常識として理解しておくべきことがたくさんある分野です。

1 地方自治とは❶

地方自治とは，都道府県や市町村などの**地方公共団体**における行政がその住民の手によって責任をもって処理されることです。日本国憲法では，「地方公共団体には，法律の定めるところにより，その議事機関として**議会**を設置する。」（93条）と規定しています。

☑ 団体自治と住民自治

地方自治には，住民が住民自身の問題を処理・運営する**住民自治**と，地方公共団体が国から独立して地方行政の運営を行う**団体自治**という概念があります。

☑ 地方自治の仕組み❷

地方自治は，**執行機関**である**首長**（都道府県知事・市町村長）と**議決機関**である議会，そして有権者である住民から構成されています。

☑ 住民の直接請求権❸

直接請求権の種類	請求に必要な有権者の署名数	請求後の措置。
事務監査	1/50以上	監査委員による監査及び議会・首長への報告。
条例の制定・改廃	1/50以上	議会に付し議会で表決。
議会の解散	1/3以上	投票に付し過半数の同意により解散。
議員・首長の解職	1/3以上	投票に付し過半数の同意により失職。

さらに詳しく

❶「民主主義の学校」とはイギリスの政治学者ブライス（1838～1922）の言葉です。

❷地方自治では執行機関や議決機関と並んで，教育委員会や公安委員会，選挙管理委員会などの行政委員会という機関もあることに注意しましょう。

さらに詳しく

❸重要事項における住民投票を**レファレンダム**，首長や議員に対する解職請求権を**リコール**とよんでいます。

首長と議会の関係

首長は議会が定めた条例及び予算に基づき，行政事務を執行します。また，条例や予算に対する**拒否権**❹，議会の**解散権**があります。一方，議会は条例の制定や予算を議決するとともに，首長に対する**不信任議決権**があります。有権者である住民は首長及び議員の選出についての選挙権を有し，アメリカ合衆国などの**大統領制**❺と近い関係にあります。

2 地方自治の課題

地方財政と３割自治

主な**歳入**は，地方公共団体の**自主財源**である**地方税**と国から使い途を指定されている**国庫支出金**，地域間の財政格差を是正するために国から交付されている**地方交付税交付金**，**地方債**などです。多くの地方公共団体では自主財源の地方税の割合が３～４割であり，国の補助に頼ることが多いため，こうした状況を**３割自治**などとよんでいます。主な**歳出**は，都道府県か市町村によっても異なりますが，一般的には社会保障費（特に衛生費），**教育費**❻，土木費などに占める支出の割合が高くなっています。

三位一体の改革

三位一体改革とは，地方分権改革を進める考え方として2004年に小泉内閣が示した改革案で，国からの「国庫支出金や地方交付税交付金を見直す」代わりに，税財源の一部を「国から地方に移譲する」というものです。

新たな自主財源確保に関わる課題

地方税は，地方税法により税目の定めがありますが，各地方自治体の条例で個別に定められる地方税のことを**法定外税**といいます。各自治体が特定財源を確保する目的のために，条例により住民に課す税のことで，最終処分場に搬入する産業廃棄物税，ホテルや旅館への宿泊税などがあり，住民の税負担が増すことが懸念されています。

さらに詳しく

❹首長の拒否権とは，議会の解散権とは別に，議決に対して異議があるとき，あるいは議会の議決や選挙が権限を超えている，法令違反などがあると認めたときに，再議や再選挙を行わせることができる権限です。

❺「大統領制」
大統領を国家の元首として有する統治形態のことで，アメリカ型大統領制では厳格な三権分立制がとられています。

❻各自治体の歳出総額に占める教育費の割合について，それぞれが受験する自治体の状況を必ず確認しておきましょう。

8 国際政治

頻出度 A

傾向＆ポイント 現代の国際政治は日々変化し，国際関係は複雑になっています。2000 年頃までの歴史的事象は出題されやすい内容です。特に，第二次世界大戦後の国際連合や国際政治については確実に整理しておきましょう。

1 国際関係

国際社会とは**主権国家**の間に成立する関係によって形成される社会であり，主権国家間で展開される政治を**国際政治**といいます。17 世紀にオランダの法学者**グロチウス**により，国家間の紛争を処理するためのルールとして**国際法**が体系化されました[❶]。

さらに詳しく
❶ 1648 年，三十年戦争を終結させたウェストファリア条約は世界で最初の国際条約といわれています。

2 国際連合の機関

国際社会をまとめる機関としては，第一次世界大戦後，1920 年に**国際連盟**[❷]が成立しましたが，アメリカ合衆国の不参加などにより十分な機能を発揮できず，第二次世界大戦後，1945 年に**国際連合**が発足しました。国際連合の加盟国数は現在 193 か国（2023 年末），本部はニューヨークです。

さらに詳しく
❷国際連盟では，日本はイギリス，フランスなどと共に常任理事国でした。

国際連合の主要機関と役割

機関	役割
国連総会[❸]	すべての加盟国で構成，国連の最高機関。
安全保障理事会[❹]	**拒否権**を持つ常任理事国のアメリカ・イギリス・フランス・ロシア・中国と任期 2 年の非常任理事国 10 か国で構成。
経済社会理事会	経済・社会・文化・教育・保健等に関する国際的事項について協議・勧告。
信託統治理事会	信託統治地域の行政監督機関。現在は休止。
国際司法裁判所	国際間の法的紛争を審議する司法機関。
事務局	国連の各機関の事務を運営する機関。

TIPS
❸国連総会は毎年 9 月の第 3 火曜日に開催されます。

さらに詳しく
❹安全保障理事会の議決では，5 つの常任理事国すべての賛成が必要です。1 か国でも反対すると議案は否決されるので，拒否権といわれています。

国際連合の主な専門機関⑤

国連児童基金 UNICEF	発展途上国の児童福祉のため，薬品・食糧・衣類などを提供。
国連教育科学文化機関 UNESCO	教育・科学・文化を通じて国際交流を推進し世界平和と安全に寄与。
世界保健機関 WHO⑥	感染症の撲滅や保健システムの強化などを図り健康な生活を拡大。
国際労働機関 ILO	基本的人権の確立と社会正義の実現による労働条件の改善と安定。
世界貿易機関 WTO	これまでのGATTに代わり，貿易障壁を削減・撤廃するための国際交渉。

3 現代の国際関係の状況

世界の集団安全保障機構　第二次世界大戦後の歴史的事象として，アメリカ合衆国を中心とする**資本主義陣営**とソビエト連邦を中心とする**社会主義陣営**の**東西対立**（冷戦），その後の東ヨーロッパ諸国の民主化，ドイツの統一，ソビエト連邦の崩壊，中華人民共和国の台頭などがあります。

北大西洋条約機構（NATO）	1949年設立。12か国で発足。
ワルシャワ条約機構	1955年，NATOに対抗するため，ソ連と東欧7か国で発足。

世界が直面している課題

①国連平和維持活動（PKO）⑦…現在でもアフリカや中東など世界の複数の地域での内戦が続いており，国連が統括した平和維持活動が継続しています。

②人権・人種問題…国連人権高等弁務官が世界的レベルでの格差や人権問題解決のための取り組みを行っています。

4 国連とSDGsの関係

SDGs⑧は，2030年までに**国際社会が一丸となって取り組むべき国際目標**です。2015年9月の**国連サミット**で全会一致で採択されました。

さらに詳しく

⑤国連の専門機関には，この他にも，国際通貨基金（IMF），国連食糧農業機関（FAO），国際復興開発銀行（IBRD），国際原子力機関（IAEA）などがあります。

⑥WHOは「新型コロナウイルス感染症対策」で知られている専門機関です。

さらに詳しく

⑦国連平和維持活動については，日本も1992年6月，「国際連合平和維持活動等に対する協力に関する法律（国際平和協力法，PKO法）」を制定し，国連を中心とした国際平和のための努力に対して，本格的な人的・物的協力を行っています。

⑧SDGsとは持続可能な開発目標(Sustainable Development Gols)の略称であり，「誰一人取り残さない」「よりよくするために」掲げられた国際目標です。

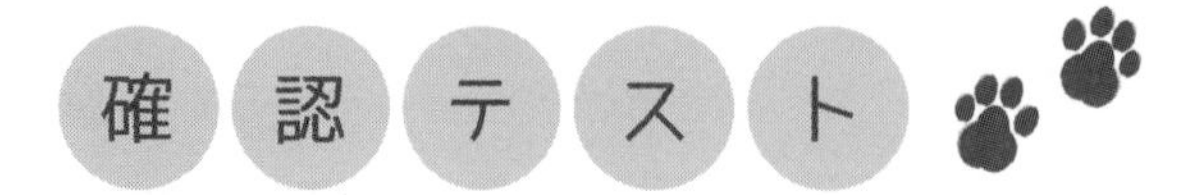

政治

1 次の各文が述べている人物をA群から，またその人物に関係が深い語句をB群からそれぞれ選べ。

(1) 王権神授説に反対して社会契約説をとり，最高権力は人民にあり，政治は人民の同意のもとに行われねばならないと主張した。

(2) 社会契約の目的を個人に自由をもたらす共同体の設立においた。フランス革命に大きな影響を与えた。

(3) 国家権力を三権に分立させ，相互に権限を牽制し合うとともに，互いに均衡を保つ必要性を説き，近代民主政治の原理を確立させた。

(4) 人間の自然権を重視し，「万人の万人に対する闘争」の状態から生命の安全を守るため，社会契約により主権を譲渡して国家主権に委ねよと説いた。

[A群] **ア** ホッブズ　**イ** モンテスキュー
ウ ルソー　**エ** ロック

[B群] (a) 社会契約論　(b) 市民政府二論
(c) リバイアサン　(d) 法の精神

1

(1) エ (b)
(2) ウ (a)
(3) イ (d)
(4) ア (c)

2 次の文章中の空欄に当てはまる語句を答えよ。

日本国憲法の三大原則とは，人間が人間らしく生きていくために欠くことのできない根本的な権利である（　1　），国政に関する最終決定権が国民にあるという考え方である（　2　），平和主義からなる。また，憲法における自由権とは，17～18世紀の（　3　）において求められた国家権力の干渉を排除するための考え方であり，身体的自由権，精神的自由権，（　4　）の

2

(1) 基本的人権の尊重
(2) 国民主権
(3) 市民革命
(4) 経済的自由権

3つが考えられている。その他，国の積極的な施策により実現する権利である（　5　）や，国民が政治に参加する権利である（　6　）などがある。

(5)　社会権

(6)　参政権

3　次の図の（　）に当てはまる語句を答えよ。

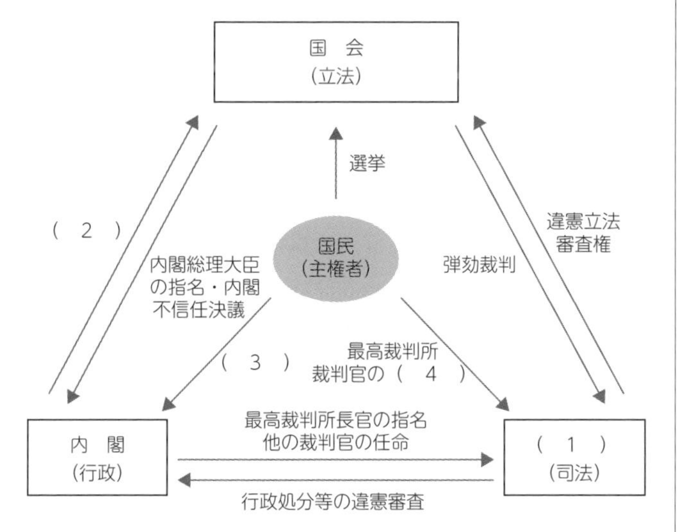

3

(1)　裁判所

(2)　衆議院の解散

(3)　世論

(4)　国民審査

4　次の文章の下線部のうち，正しいものは○を，誤っているものは正しい語句を答えよ。

(1)　地方自治とは，都道府県や市町村などの<u>地方公共団体</u>における行政がその住民の手によって責任をもって処理されることである。

(2)　地方自治の主な歳入として，国から使い途を指定されている<u>法定外税</u>などがある。

(3)　<u>安全保障理事会</u>は，拒否権を持つ常任理事国のアメリカ・イギリス・フランス・ロシア・中国と任期2年の非常任理事国10か国で構成されている。

(4)　教育・科学・文化を通じて国際交流を推進し世界平和と安全に寄与している専門機関を，<u>世界保健機関（WHO）</u>という。

4

(1)　○

(2)　国庫支出金

(3)　○

(4)　国連教育科学文化機関（UNESCO）

1 市場機構

頻出度 B

傾向&ポイント 資本主義経済の基本原理である市場メカニズムや価格の自動調節機能，需要曲線と供給曲線など語句を暗記するだけではなく，それぞれの内容についてもしっかりと理解しておくことが重要です。

1 資本主義経済と修正資本主義

☑ **資本主義経済の定義**[1] イギリスの**産業革命**を契機に成立し，**生産手段の私有**が認められ，**利潤**を追求して自由な経済活動が保障される経済体制を**資本主義経済**といいます。**社会主義経済**と対比して理解しましょう。

☑ **修正資本主義と主な人物** **修正資本主義**とは，生産手段の私有や自由競争など，資本主義の基本的な考え方に大きな変更を加えずに資本主義がもたらす**恐慌**や失業，貧困などの問題を解決しようとしたものです。

- **ケインズ**（英）（1883～1946）…資本主義の**自由放任経済**を否定して，国家の介入により公共事業や社会保障を拡大し，財政支出によって**有効需要**を創設することを主張しました。
- **フランクリン=ルーズベルト**大統領（米）…ケインズ理論に基づき**世界恐慌（1929年）**による不況克服政策である**ニューディール政策**を実施しました[2]。

2 市場メカニズム

☑ **市場**[3] **市場**とは，商品やサービスの買い手と売り手が出会う場，あるいは取引する関係です。魚市場，青果市場といった現物の取引や**金融市場**，**為替市場**などが代表例です。

☑ **商品・サービス** 売るために作られた品物や労働・運輸・通信・医療・教育などがあります。

さらに詳しく

❶資本主義経済に対しては社会主義経済という体制があり，マルクスの『資本論』（1867年）やレーニンの『帝国主義論』（1916年）が有名です。

❷アダム=スミスからケインズ，ルーズベルトなどの人物名と世界恐慌やニューディール政策などの歴史的事象といった世界経済史についても簡単に整理しておきましょう。

❸市場については，実際に現物の商品が取引される場だけでなく，通貨や株式などが取引される金融市場や為替市場などにも着目しましょう。

アダム＝スミス（英）の理論

アダム＝スミス（1723～1790）は著書『**国富論**』の中で，需要と供給に着目して「**神の見えざる手**」という言葉で**価格のメカニズム**を解明しました。

価格の自動調節機能❹　**自由競争市場**において，財やサービスの価格❺が需要量と供給量の関係で決まることを市場価格とよび，価格が需要量と供給量を一致させていることを指します。

価格の内容　貨幣によって決められる商品の価値であり，価格は商品の**生産費**（**原材料費・賃金・設備費・減価償却費**）に利潤を加えて決定されます。

❹需要と供給の関係や市場価格，価格の自動調節機能については，出題頻度が高いのでしっかりと整理しておきましょう。

❺価格には，生産価格，卸売価格，小売価格，自由価格，公定価格などといった名称があり，それぞれの価格のもつ意味について理解しましょう。

3　需要曲線と供給曲線

需要　**需要**とは，一定の価格の下で市場において生じる「買いたいという気持ち」であり，購買力とほぼ同義です。貨幣支出の裏付けをもった「買いたいという気持ち」を**有効需要**とよびます。

供給　**供給**とは，一定の価格の下で市場に売り出される商品またはサービスの「売りたいという気持ち」のことで，企業などが生産・販売する財やサービスの量を指します。

需要と供給の関係❻

需要と供給の関係で価格は決定され，需要量と供給量が一致している場合には過不足なく生産と消費が行われます。しかし，価格が上昇すると需要は減り**供給超過**となり，在庫を抱えた企業は価格を下げ在庫の解消を目指します。価格を下げると**需要超過**となり，物不足が発生し価格が上昇していくことになります。

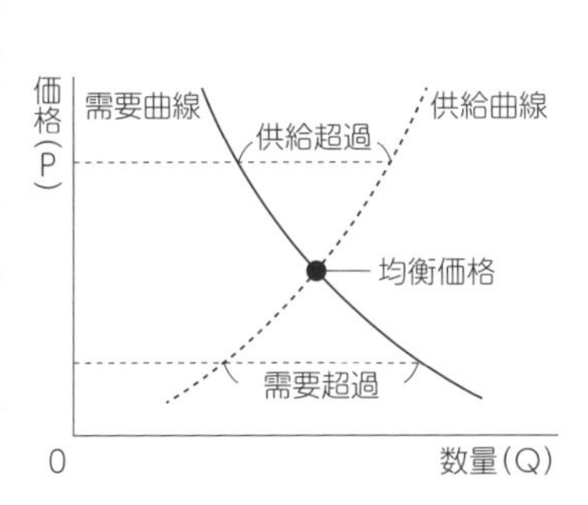

POINT

❻需要と供給の関係を示すグラフはよく出題されます。価格と需要量，供給量の関係について，記述して説明できるようにしておくことが重要です。

2 寡占市場と市場支配

頻出度 B

傾向&ポイント 寡占や独占など不完全競争市場における管理価格や価格の下方硬直性の問題，また，こうした状況を取りしまる公正取引委員会や独占禁止法の役割，さらには現代の企業の特色などがよく出題されています。

1 寡占市場[1]

完全競争市場と不完全競争市場　市場には**完全競争市場**と**不完全競争市場**があり，完全競争市場には，「個々の経済主体は自分の力で**市場価格**を変えることはできない」，「売り手と買い手が多数存在する」，「市場に関する情報を全ての市場参加者がもっている」，「買い手が売り手に対して特別の選好をもっていない」などの性質があります。一方で，不完全競争市場では，少数の企業が商品の生産や販売を支配し**市場メカニズム**が機能しない**寡占**や**独占**といった問題が生じています[2]。

寡占市場における価格の特徴　価格には，**需要と供給の関係**で決まる**市場価格**のほか，生産者と消費者の間の完全（競争）市場で決定される**自由価格**，1社または少数企業が価格を操作して一方的に決定される**独占価格**などがあります[3]。寡占市場では商品が供給過剰である場合，また**生産価格**が下がった場合であっても価格の低下が起きにくい**価格の下方硬直性**という問題が発生することがあります。

さらに詳しく
❶寡占市場とは，少数の大企業によって商品の生産や販売が集中し，価格などが支配されている状態です。売り手が1社しか存在しない市場を**独占市場**といいます。

さらに詳しく
❷ある企業の商品がその商品市場の中に占める割合を，市場占有率とよびます。
❸寡占や独占が進んだ市場においては，有力企業がプライスリーダーとして管理価格を形成しやすい状況となります。

2 市場支配

企業（生産）の集中による寡占・独占の状況

日本の市場において以下の商品に生産の集中がみられます。ビール・発泡酒，デジタルカメラ，粗鋼，乗用車，パソコン，アルミニウム，ナイロン，化学肥料，セメント，砂糖，造船，板ガラス，カラーフィルムなど。

市場支配の形態　企業の集中により寡占や独占が形成される形態には以下のようなものがあります。

- **カルテル（企業連合）**[4]…同じ産業の企業が結び付いて，価格や生産について協定を結ぶことをいい，価格カルテルや生産カルテルなどがある。
- **トラスト（企業合同）**…同じ産業の企業が一つに合同した企業の形態であり，他企業に対して強い競争力をもつ。
- **コンツェルン（企業結合）**[5]…銀行や大企業が株式をもったり，融資したり，役員を派遣したりして，様々な産業の企業を統制・支配する。

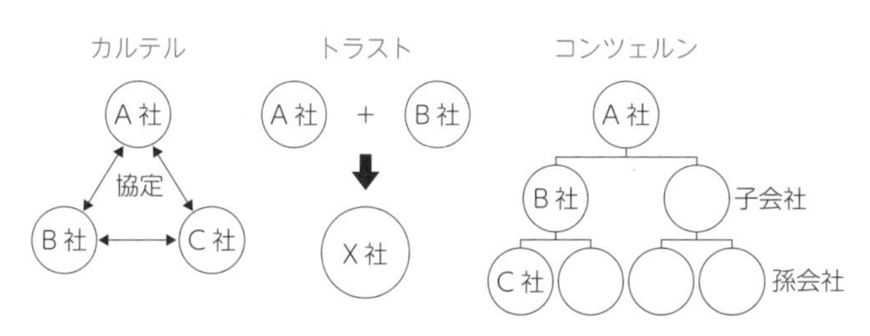

3　公正取引委員会と独占禁止法[6]

独占禁止法は1947年に制定され，企業の独占行為を禁止し，市場のはたらきを円滑にする目的で制定されました。正式名称は「私的独占の禁止及び公正取引の確保に関する法律」です。また，**公正取引委員会**とは，行政委員会の一つで，大企業の合併やカルテルなどの状況を審査し，独占禁止法の目的を達成するために設置された国の機関です。

4　現代の巨大企業

現代の巨大企業の形態では以下に着目しましょう。

コングロマリット（複合企業）　全く異なる企業を吸収合併（M & A）して多角化を目指した企業体。

多国籍企業　多くの国にまたがって子会社や系列会社をもち，世界的視野で意思決定や生産活動などを行う企業。

さらに詳しく

❹カルテルには生産量や価格以外にも，販売地域などについて協定を結ぶようなものもみられます。

❺第二次世界大戦前の三井・三菱・住友などの財閥は，コンツェルンの典型的な形態として整理しておきましょう。

❻寡占や独占という状況は，消費者に不利益を与え，自由な経済活動を妨げることから，国が適正な市場原理を確保することを目的として実施している政策であることに着目しましょう。

3 国民所得と景気

頻出度 A

傾向&ポイント 家計・企業・政府がそれぞれ関わりながら国民経済が展開されていることを押さえておきましょう。国の経済の状況を表す指標である国民所得や経済成長率など，さまざまな用語について理解することが重要です。

1 経済の主体

経済社会の構成単位としては，**家計・企業・政府**があり，３つの経済主体の間を財やサービス，所得や**通貨**などが流通しています。

☑ **家計**　家族生活を維持する経済活動を行い，企業などに**労働**を提供して**収入**を得て，その収入で企業が生産した財やサービスを買います。

☑ **企業**❶　**利潤**の獲得を目的として，機械設備，原材料，部品，労働力などの生産要素を購入し，それらをもとに財やサービスを生産します❷。

☑ **政府（地方公共団体）**　国民生活の向上と国民経済の安定を目的として，市場における一定のルールを設定し，家計や企業に対する政策や**財政**を通して公共活動を行います。

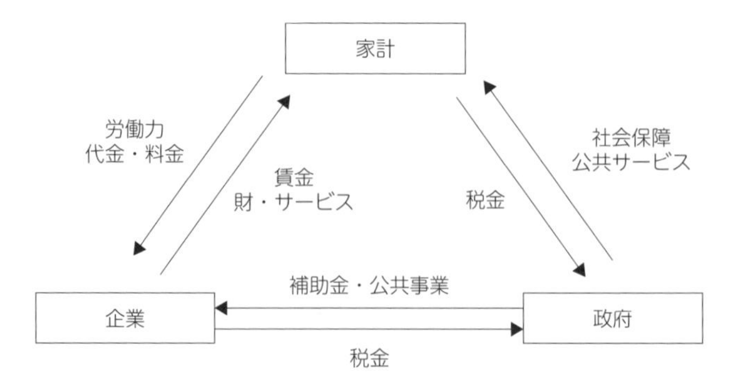

さらに詳しく

❶企業の種類には，公企業と私企業があり，私企業の中には組合企業と会社企業があります。会社企業としては，株式会社，有限会社，合資会社などの種類があります。

❷企業が生産を行うときに必要な土地，労働力，資本を**生産の三要素**といいます。

one POINT

❸国内総生産には，国民だけでなく，外国人による国内での生産も含まれます。

2　国民経済の規模の表し方

国の経済力を比較する際の「物差し」あるいは「尺度」としては**国内総生産，国民総所得，国民所得，経済成長率**などがあります。

☑ **国内総生産（GDP）**❸　一国の「国内」で，1年間に新たに生み出した財やサービスの総額。

☑ **国民総所得（GNI）**❹　国民が国の内外を問わず，1年間に新たに生み出した財やサービスの総額。

☑ **国民純生産（NNP）**　国民総所得（GNI）から，**減価償却費**（固定資本減耗）を差し引いたもの。

☑ **国民所得（NI）**　国民純生産（NNP）から間接税❺を引き，補助金❻を加えたもの。

☑ **経済成長率**❼　ある一定の期間において，国の経済の規模が拡大する「速度」のことを表し，通常は国民総生産（GNP）または国民所得（NI）の年間の増加率で表します。

3　景気の変動

資本主義経済においては，生産や供給と需要の関係などのアンバランスにより**好景気**と**不景気**が繰り返され，これを**景気の変動**（**景気の波**）とよびます❽。

☑ **景気変動の周期**　景気の変動には，①**好況期**→②**後退期**→③**不況期**→④**回復期**といったサイクルがあります。好況期から不況期へと急激に景気が落ち込むことを**恐慌**といい，**1929年の世界恐慌**が典型的な事例となっています。

☑ **インフレーション**　通貨の量が増えたり，輸入する原材料の価格が上昇したりして商品が不足し，物価が上昇すること。

☑ **デフレーション**　通貨量が減り需要が減少して商品があまり，価格が下がっている状態で，景気が低迷すること。

☑ **スタグフレーション**　原油など原材料価格の高騰などにより，不況にも関わらず物価が上昇すること。

❹かつてはGNP（Gross National Product）とよんでいましたが，GNI（Gloss National Income）に変更されました。

さらに詳しく

❺間接税は価格の中に含まれていますが，企業の儲けにはならないことから企業の所得としてカウントされません。

ことば

❻「補助金」
国または地方公共団体が，行政上の目的・効果を達成するため，公共団体，企業，私人などに支出する現金給付をいいます。

さらに詳しく

❼経済成長率には名目と実質の2種類があります。

❽景気の状況を表すものとして，消費者物価指数，完全失業率，実質賃金などの用語についても整理しておきましょう。

経済

財政

傾向&ポイント 財政政策や租税については，政府や地方公共団体の歳入・歳出と併せて出題される場合が多いです。受験する地方公共団体の財政収支についての個別の特色や課題について，数字データなども含めて整理しておきましょう。

1 財政政策

財政の役割 国や地方公共団体が国民や企業から**租税**等を徴収し，公共のために支出する経済活動を**財政**とよびます。財政には，**一般会計**❶の他にも，**特別会計**❶や**財政投融資**❷などの領域から構成されています。

財政の機能 財政の機能として次の３点が重要です。

①**資源配分の調整**…道路，橋，公園，警察，港湾，国防，消防など**社会資本**については，市場では適正に配分することができないことから，こうした**公共財**を提供し，市場メカニズムの欠陥を補います。

②**所得の再分配**…**累進課税制度（超過累進税率）**により，高額所得者に高率の税を負担させ，低額所得者等には**生活保護**や**雇用保険給付**などの**社会保障**を行うなど，資本主義経済における貧富の差を広げないようにし，所得の不平等を是正する機能です。

③**景気の調整**…国や地方公共団体が**歳入**や**歳出**をコントロールして経済を安定させるための機能で，具体的には次の３つの機能があります。

●**財政の自動安定化機能（ビルト・イン・スタビライザー）**
累進課税制度や社会保障制度などのように，財政制度に予め組み込まれた，景気変動を自動的に調節する機能。

●**弾力的な景気調整機能（フィスカル・ポリシー）**
財政政策の一つで，総需要を管理する安定政策の一環として，完全雇用の維持，物価の安定，**国際収支**❸の均衡など

さらに詳しく

❶地方公共団体において市民サービスの提供をはじめとする，行政運営の基本的な経費を計上している会計を**一般会計**といいます。一方，特定の収入をもって特定の支出に充てるため，一般会計と区別して経理する必要がある場合に設けられる会計を**特別会計**といいます。

❷財政投融資とは，国債の一種である財投債の発行などにより調達した資金を財源として，民間では対応が困難な長期・低利の資金供給や大規模・超長期プロジェクトの実施を可能とするための投融資活動です。

の目標を達成するための政策。補助的財政政策や呼び水政策（スペンディング・ポリシー）ともよびます。

●ポリシー・ミックス

金融政策，**財政政策**，**為替政策**などのいくつかの政策手段を同時に使い，政策目的を実現すること。

2　租税

国や地方公共団体が仕事をするために，国民や地域住民から徴収する金銭のことを**租税**とよびます。

☑ 税制度の基本的な3つの考え方❹

- **公平の原則**　特定の層のみ免税とするなど，税に関して特権階級をつくることは厳禁であり，収入や負担能力に応じて課税すること。
- **簡素の原則**　納税の方法について，できるだけ簡単にすべきということ。また，税は余分に集めることなく可能な限り最小限に抑えるべきであるということ。
- **中立の原則**　税制が個人や企業の経済活動における選択を歪めないようにすべきであるということ。また，税の納付時期や方法，額が明白であることも求められる中立性のひとつです。

☑ 税の種類

		直接税	間接税
国税		所得税　法人税❺ 相続税	消費税❻　酒税　揮発油税 たばこ税　関税
地方税	道府県税	道府県民税 事業税 自動車税	道府県たばこ税 ゴルフ場利用税
	市町村税	市町村民税 固定資産税	市町村たばこ税

☑ **公債**　国及び地方公共団体が資金の借り入れのために発行する債券で，一般的には**国債**や**地方債**とよびます。国の歳入不足を補うために発行される場合が**特例（赤字）公債**です。

❸「国際収支」
一定期間内に自国の居住者と外国の居住者との間で行われたすべての経済取引を体系的に記録したもので，資本収支と経常収支に分類されます。

さらに詳しく

❹課税の原則については，アダム＝スミスの4原則に加え，ワグナーの9原則が有名です。

❺ 2004年度から資本金1億円以上の企業には，外形標準課税として法人事業税が賦課されたことにも注意しておきましょう。

❻ 2019年10月に消費税率は10%になっています。うち2.2%は地方消費税とされています。

金融

傾向&ポイント　金融には，直接金融と間接金融という２つの考え方があります。財政と同様に社会全体の経済を調整する重要な機能を有しており，特に中央銀行である日本銀行の役割に関する理解が重要です。

1　通貨制度

☑ **通貨と貨幣**　通貨とは，財やサービスの交換手段として用いられる貨幣を意味し，**現金通貨**と**預金通貨**に分類されます。現在では，通貨と貨幣は同様の意味として捉えられています。

現金通貨	紙幣（銀行券）	**中央銀行**が発行。**金本位制**が廃止された今日においては不換紙幣。
	硬貨	政府が発行。金属を鋳造して品質・形状・重量を統一。
預金通貨		**当座預金**❶や**普通預金**などの要求払い預金のことで，**手形**❷や**小切手**❸での支払いのように貨幣の役割がある。

☑ **金本位制度から管理通貨制度へ**

金本位制度❹とは，金（きん）を基準とした通貨制度であり，この制度の下では，中央銀行は金との交換を保証する**兌換紙幣**を発行することができます。管理通貨制度とは，通貨に金の裏付けがない制度で，金と交換されない**不換紙幣**を発行することができます。1929年の**世界恐慌**を契機に各国が金本位制度から離脱すると，通貨が不換紙幣となり価値が不安定となったため，通貨を政策的に管理する制度が望ましいとされ，管理通貨制度へ移行しました。

2　金融

☑ **金融とは**　お金の余っている人が，お金の不足してい

ことば

❶「当座預金」
手形や小切手の支払いに使われる預金のこと。

❷「手形」
記載された金額を，指定した期日に指定された場所で支払うことを約束した信用証券。

❸「小切手」
一定の金額の支払いを約束する有価証券で，多額の現金の持ち運びを避けることができるなどのメリットがあります。

さらに詳しく

❹1971年にアメリカが「金・ドル本位制（米ドルと金の交換制度）」を停止したことで，金本位制の国はありません。

る人に，**利息**を支払うことを条件にお金を融通することで，銀行などの金融機関が資金の融通をすることです。

☑ **直接金融と間接金融**　貸し手と借り手が直接お金の貸し借りをすることを**直接金融**といいます（例：株式，国債，社債，地方債などの**債券**等）。これに対して，貸し手と借り手の間に銀行などの金融機関が入り，資金の貸し借りが行われることを**間接金融**といいます。

☑ **銀行の３つの機能**　銀行は，個人や企業から預金という形で資金を集め，個人や企業に融資する金融機関であり，**金融仲介機能**・**信用創造機能**❺・**決済機能**という３つの機能を生み出しています。

3　中央銀行と金融政策

☑ **中央銀行**❻　国家の金融政策を実施する金融機関であり，日本では日本銀行が**中央銀行**となっています。

☑ **日本の中央銀行である日本銀行の三大業務**

＜**発券銀行**＞　日本銀行券という紙幣を発行する。

＜**政府の銀行**＞　政府への貸し付けや国庫金の出納・当座預金の保管，公債の発行や償還業務。

＜**銀行の銀行**＞　**市中銀行**からの準備金の受け入れや市中銀行への貸し付けなど。

☑ **中央銀行の金融政策**　日本銀行は，以下の３つの操作を行い，通貨量の調節を通して景気の調整を行っています。

＜**公定歩合操作**❼＞　日本銀行が市中銀行に貸し出しをする際の利子（**基準割引率および基準貸付利率**……これまでの「公定歩合」のこと）の操作。

＜**公開市場操作**＞　日本銀行が市中銀行に対して国債や公債などの債権を売買する通貨量の調節で，「**売りオペレーション**」と「**買いオペレーション**」があります。

＜**預金準備率操作**＞　市中銀行の預金に対して，その一定の割合を預金準備金として日本銀行に預金させることによって通貨量を調節すること。

さらに詳しく

❺信用創造とは，銀行が当座預金を利用した貸付操作により，最初の預金の何倍もの預金をつくり出すことです。

さらに詳しく

❻中央銀行には，アメリカでは「連邦準備銀行（FRB）」，イギリスでは「イングランド銀行」，フランスでは「フランス銀行」などがあります。

さらに詳しく

❼公定歩合という言葉について，1994年に金利自由化が完了し，「公定歩合」と預金金利との直接的な連動性はなくなりました。現在は，「基準割引率および基準貸付利率」とよばれ，「補完貸付制度」の適用金利として，無担保コールレート（オーバーナイト物）の上限を画する役割を担うようになっています。

6 日本経済史

頻出度 B

傾向&ポイント 戦後から現代に至るまでの日本経済の成長・発展・後退などを整理するとともに，各時期における経済状況や国際政治などの状況を確認しておきましょう。バブル期から現代の経済状況は盲点になるので注意！

1 終戦直後の日本経済

1945 年，第二次世界大戦が終結し，日本は敗戦を迎え，その後の社会・経済は激変しました。

☑ **経済の民主化** GHQ による**戦後の民主化政策**❶のうち，経済分野における民主化政策は以下の 3 点です。

<**財閥の解体**> 戦前の日本経済を支配した**巨大な独占企業である財閥**が GHQ によって解体されたこと。

<**農地改革**> 不在地主の貸付地全部と在村地主の貸付地のうち都府県で平均一町歩（約一ヘクタール）を政府が買い上げ，従来の**小作農**に売り渡し**自作農**を創設したこと。

<**労働の民主化**> **労働基準法**，**労働組合法**，**労働関係調整法**といったいわゆる労働三法を制定し，労働者の権利を保障し，労働組合の発展を通じて労働関係の民主化を図ったこと。

☑ **戦後における日本経済の自立と安定**❷

<**ドッジライン**❸> 1949 年に，戦後における財政赤字とインフレの激化を克服するために，**1 ドル 360 円の単一為替レート**の設定や財政の収入と支出の均衡を目指す政策が実施されたこと。

2 高度経済成長期

ドッジライン以降，日本が深刻なデフレに苦しむ中で 1950 年に**朝鮮戦争**が勃発。これによる急激な景気の回復を**特需景気**といい，その後日本は高度経済成長を迎えます。

さらに詳しく
❶戦後の民主化政策には，婦人の解放，労働組合の結成奨励，教育の自由主義化，専制政治の廃止，経済制度の民主化があります。

❷戦後の経済復興については，石炭，鉄鋼，肥料といった基幹産業に対する傾斜生産方式がとられたことと，その財政的な裏付けとしての復興金融金庫の存在について確認しておきましょう。

さらに詳しく
❸ドッジラインについては，健全財政の確立，復興金融金庫の廃止，見返り資金制度の創設，価格差調整補助金の廃止などもあります。

☑ **第一次高度経済成長期（1955～1965年）**
＜**神武景気**（1955～1957年）＞　民間の設備投資が急増したことによる好景気。
＜**岩戸景気**（1959～1961年）＞　池田内閣による「**国民所得倍増計画**」など，再度の設備投資による好景気。
＜**オリンピック景気**（1962～1964年）＞　アジアで初めての**第1回東京オリンピック**開催（1964年）による建設投資ブームによる好景気。
☑ **第二次高度経済成長期（1965～1971年）**　貿易の自由化や技術革新と産業の合理化などによる日本経済の国際化が進行し輸出が大幅に拡大するとともに，**三種の神器**[4]に代表される国内需要の拡大による長期的な好景気です。

3　ドルショックとオイルショック

ドルショックと**オイルショック**[5]により，日本経済は甚大なダメージを受け，経済成長率が急下降していきます。
☑ **ドルショック**　1971年，アメリカの**ニクソン大統領**がドルの金との交換停止を発表し，ドルの価値が急落し，**ドルを基軸とする国際通貨制度**が崩壊したことをいいます。
☑ **オイルショック**　1973年の**アラブ産油国**の原油生産削減と価格の大幅引き上げにより，先進工業諸国に深刻な経済的混乱を与えたことをいいます。

4　安定成長期以降

ドルショックとオイルショックによる不況に見舞われながらも，日本は減量経営と産業構造の転換により1980年代前半までに年4%前後の安定的な成長を達成しました。
☑ **プラザ合意**　1985年，ニューヨークのプラザホテルで開かれ，G5の大蔵大臣と中央銀行総裁が合意した為替レートの安定化策。その後の**円高不況**の原因となりました[6]。
☑ **バブル経済**　プラザ合意後の円高不況を乗り切る内需拡大政策による株価や地価の急激な上昇のことです。

経済

TIPS
❹1950年代に普及した白黒テレビ・洗濯機・冷蔵庫を「三種の神器」といいます。1960年代には，3C（クーラー・カラーテレビ・自家用車）が普及しました。

さらに詳しく
❺ドルショックとオイルショックは先進工業諸国の経済に大きな影響を与えましたが，日本は重厚長大型産業から軽薄短小型の産業にシフトするとともに，もの作りから経済のサービス化・ソフト化への転換を図り，安定成長を実現しました。

さらに詳しく
❻1985年当時，1ドルあたり240円前後で推移していた為替相場は，プラザ合意によって1ドル110円前後までの円高となり，日本経済は深刻なダメージを受けました。

7 国際経済

頻出度 B

傾向&ポイント 為替，国際収支，国際経済機構などの基礎的な知識は，確実に押さえておきましょう。また，経済学説についても，歴史的な流れや学者名を整理しながら学習していきましょう。

1 経済学説

☑ **近代以前の経済思想**　16～18世紀のヨーロッパにおいては絶対王政の下，強大な王権を背景とした貿易の発展と植民地経営を進行させた**重商主義**❶による経済思想が主流。これに対して，**重農主義**は重商主義を批判し，農業こそが富を生み出す唯一の産業であるとした思想です。

☑ **古典派経済学**　資本主義経済を本格的に分析した最初の学説で，富の源泉を人間の労働に求め（**労働価値説**❷），その労働生産性を高めるためには市場における自由な競争が必要と唱えました。**アダム＝スミス『国富論』**（1776年），**マルサス『人口論』**（1798年），**J.S.ミル『経済学原理』**（1848年）などが知られています。

☑ **マルクス経済学**　19世紀中頃に成立した社会主義経済を主張する考えで，**剰余価値説**❸を唱え資本主義を科学的に批判し社会主義への移行の必然性を説きました。**マルクス『資本論』**（1867年）や**レーニン『帝国主義論』**（1916年）が有名です。

☑ **近代経済学**　1870年代に限界効用理論を唱えたオーストリア学派・ローザンヌ学派・ケンブリッジ学派・ケインズ経済学などの経済学の総称で，特に**有効需要の原理**を唱えた**ケインズ**の学派が中心です。

さらに詳しく

❶重商主義は，フランスのブルボン王朝時代の財務長官であるコルベールによって推進されたため，コルベール主義ともいわれます。

❷「労働価値説」
商品の価値がその商品を生産するために社会的に必要な労働時間によって決定されるという理論のこと。

❸「剰余価値説」
資本の生産過程において，労働者の労働力の価値（賃金）を超えて生み出される価値のこと。

2 外国為替

為替とは，現金の代わりに手形・小切手・証書などで決済をすませる方法で，異国間で為替が行われる場合を**外国為替**といいます。最終的な決済を自国以外の通貨を用いる場合には通貨の交換をする必要があります。通貨を交換する場所が**外国為替市場**❹で，その際の交換比率（**為替レート**）を**外国為替相場**といいます。外国為替相場には**固定相場**と**変動相場**があります。

☑ **固定為替相場制**❺ 為替レートを，ある特定の水準に固定もしくは変動を極小幅に限定する制度（1949～1971年までのIMF体制下）。輸出入とも相場変動がないため，為替の差損益が発生せず安定的に利益を確保できますが，金融政策の裁量が少ないなどのデメリットがあります。

☑ **変動為替相場制**❺ 為替レートを，外国為替市場の需給により自由に変動させる制度。経済実勢が為替レートに反映されたり，金融政策の裁量が増えたりするメリットがある一方で，投機マネーで乱高下するなど，為替レートが急激に変動するというデメリットがあります。

☑ **為替相場の変動と輸出入の関係** 為替相場の変動は国際収支に大きな影響を与えます。日本の場合，**円高ドル安**になると製品の海外での価格が上昇するため輸出が不利となり，逆に外国商品が安く買えることから輸入が有利。

3 国際経済機構❻

☑ **ブレトン・ウッズ体制** 1944年に連合国通貨金融会議において合意され発足した，第2次世界大戦後の国際通貨制度です。IMFによって支えられました。

☑ **IMF（国際通貨基金）** 国際連合の専門機関の一つで，国際金融と為替相場の安定化を目的として設立。

☑ **GATT（関税および貿易に関する一般協定）** 自由貿易の国際的な推進を目的として制定された国際協定。その役割を引き継いだWTOの発足により1996年に終了。

☑ **WTO（世界貿易機関）** 国家間のグローバルな貿易の規則を取り上げる唯一の国際機関。

❹外国為替市場の中で，ニューヨーク，ロンドン，東京が三大市場として位置付けられています。

さらに詳しく

❺1971年に当時のニクソン米大統領が金とドルの交換停止を発表し，為替市場が金と交換できるドルを前提とした固定相場制から変動相場制に変わるきっかけとなりました。このことにより，ブレトン・ウッズ体制は終了しました。

❻貿易の自由化と世界経済の拡大については，GATTの成立，GATTの多角的貿易交渉（ラウンド），WTOの発足などの流れを整理しておきましょう。

確 認 テ ス ト

経済

1
次の各文の空欄に当てはまる語句を下の**ア**～**ク**から選べ。

(1) (　　) は，国家の介入により公共事業や社会保障を拡大し財政支出によって有効需要を創設する学説を主張した。

(2) 物の価格が上昇すると需要は減り（　　）となり，在庫を抱えた企業は価格を下げ在庫の解消を目指す。

(3) 価格の種類として，生産者と消費者の間の完全(競争）市場で決定される（　　）や１社または少数企業が価格を操作して一方的に決定される（　　）などがある。

ア　ケインズ　　**イ**　ルーズベルト
ウ　J.S. ミル　　**エ**　供給超過
オ　需要超過　　**カ**　自由価格
キ　均衡価格　　**ク**　独占価格

1

(1) ア

(2) エ

(3) キ，ク

2
次の各文が述べている語句を答えよ。

(1) 一国の国民が国の内外を問わず，１年間に新たに生み出した財やサービスの総額。

(2) 通貨の量が増えたり，輸入する原材料の価格が上昇したりして商品が不足し，物価が上昇すること。

(3) 低額所得者等には生活保護や雇用保険給付などの社会保障を行うなど，資本主義経済における貧富の差を広げないようにし，所得の不平等を是正する機能。

2

(1) 国民総所得（GNI）

(2) インフレーション

(3) 所得の再分配

(4) 特定の層のみ免税とするなど，税に関して特権階級を作ることは厳禁であり，収入や負担能力に応じて課税すること。

(4) 公平の原則

(5) 市中銀行に対して，預金準備金として日本銀行に預金させることによって通貨量を調節すること。

(5) 預金準備率操作

経済

3 次の文章の空欄に入る言葉を答えよ。

第二次世界大戦後，日本ではGHQによる民主化政策が始まった。そのうち，労働の政策では，労働基準法，（　1　），労働関係調整法（労働三法）を制定することで，労働組合の発展を通じて労働関係の民主化を図った。その後，高度経済成長期を迎え，日本の景気は長期的な好景気に入ったが，アラブ産油国の原油生産削減と価格の大幅引き上げによる（　2　）などの経済的ダメージを受けた。1985年には，為替レートの安定化策である（　3　）が発表され，円高不況の原因となった。

3

(1) 労働組合法

(2) オイルショック

(3) プラザ合意

4 次の各文が述べている語句を答えよ。

(1) 16～18世紀のヨーロッパにおいては絶対王政の下，強大な王権を背景とした貿易の発展と植民地経営を進行させた経済思想。

(2) 資本主義経済を本格的に分析した最初の学説で，富の源泉を人間の労働に求めた。

(3) 19世紀中頃に成立した社会主義経済を主張するマルクス経済学が唱えたもので，社会主義への移行の必然性を説いた。

(4) 国際連合の専門機関の一つで，国際金融と為替相場の安定化を目的として設立された。

4

(1) 重商主義

(2) 労働価値説（古典派経済学）

(3) 剰余価値説

(4) IMF（国際通貨基金）

章 末 テ ス ト

社会科学

1 次の各文章の空欄に入る言葉を答えよ。

(1) 日本国憲法の三大原則とは，人間が人間らしく生きていくために欠くことのできない根本的な原則である（ ア ），国政に関する最終決定権が国民にあるという考え方である（ イ ），平和主義からなる。また，憲法における自由権とは，17～18世紀の（ ウ ）において求められた国家権力の干渉を排除するための考え方であり，身体的自由権，精神的自由権，（ エ ）の3つがある。その他，国の積極的な施策により実現する権利である（ オ ）や，国民が政治に参加する権利である（ カ ）などがある。

(2) 地方自治の主な歳入として，国から使い途を指定されている（　　）などがある。

(3) 第二次世界大戦後，日本ではGHQによる民主化政策が始まった。労働の政策では，労働基準法，（ ア ），労働関係調整法（労働三法）を制定し，労働組合の発展を通じて労働関係の民主化を図った。その後，高度経済成長期を迎え長期的な好景気に入るが，アラブ産油国の原油生産削減と価格の大幅引き上げによる（ イ ）などの経済的ダメージを受けた。1985年には，為替レートの安定化策である（ ウ ）が発表され，円高不況の原因となった。

(4) 一国の国民が国の内外を問わず，1年間に新たに生み出した財やサービスの総額のことを（　　）という。

1

(1)
- ア 基本的人権の尊重
- イ 国民主権
- ウ 市民革命
- エ 経済的自由権
- オ 社会権
- カ 参政権

(2) 国庫支出金

(3)
- ア 労働組合法
- イ オイルショック
- ウ プラザ合意

(4) 国民総所得（GNI）

自然科学

1 数と式の計算

傾向&ポイント 最大公約数・最小公倍数，割り算の商と余り，式の値，平方根の有理化のような問題が多く出題されています。乗法公式は覚えておきましょう。

頻出度 A

1 最大公約数・最小公倍数

☑ 最大公約数と最小公倍数の求め方

例 12，18，24 の最大公約数と最小公倍数を求めなさい。

解き方 最大公約数は，

3 つの数の共通の約数の積

$2\times3=6$

最小公倍数は，□

で囲んだ数すべての積

$2\times3\times2\times1\times3\times2=72$

答：最大公約数 6

最小公倍数 72

2	12	18	24
3	6	9	12
2	2	3	4
×	1 ×	3 ×	2

最大公約数（2×3）

2 数で共通して割れる数があれば割る

最小公倍数

☑ 割り算の商と余り

a で割っても，b で割っても c 余る数は，(a と b の公倍数) $+c$ で求められます。

例 9 で割っても 12 で割っても 5 余る数で最も小さい数❶を求めなさい。

解き方 (9 と 12 の最小公倍数) $=36$ より，$36+5=41$

答：41

さらに詳しく

❶最も小さい数のときは，(2 つの数の最小公倍数)＋(余り)で求められます。

2 展開と因数分解

☑ 式の展開と因数分解

展開 **分配法則**❷を使って展開します。

$$m(a+b)=ma+mb$$

因数分解 共通の因数でくくります。

❷「分配法則」

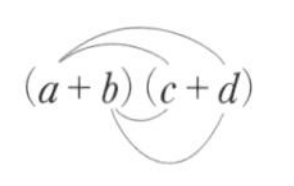

$=ac+ad+bc+bd$

乗法公式

- $(a+b)^2=a^2+2ab+b^2$
- $(a-b)^2=a^2-2ab+b^2$
- $(x+a)(x+b)=x^2+(a+b)x+ab$
- $(x+a)(x-a)=x^2-a^2$
- $(a+b)^3=a^3+3a^2b+3ab^2+b^3$
- $(a-b)^3=a^3-3a^2b+3ab^2-b^3$

例　$a-b=2$，$ab=-3$ のとき，a^2+b^2 の値を求めなさい。

解き方　$a^2+b^2=(a-b)^2+2ab$ より，$2^2+2\times(-3)=-2$

答：-2

3　平方根

2乗して $a(a \geqq 0)$ になる数を，**a の平方根**といいます。

(a の平方根) $=\pm\sqrt{a}$　$a \geqq 0$ のとき，$\sqrt{a^2b}=a\sqrt{b}$

例　$\sqrt{48n}$ が最も小さい自然数となる整数 n の値を求めなさい。

解き方　$48n=2^4\times3\times n$ より，$3\times n$ が最も小さい自然数の2乗になればよいので，$n=3$ となります。　**答**：$n=3$

平方根の有理化

分母に根号❸が含まれているとき，有理化して分母に根号がない形にすることができます。

$$\frac{b}{\sqrt{a}}=\frac{b\times\sqrt{a}}{\sqrt{a}\times\sqrt{a}}=\frac{b\sqrt{a}}{a}$$

$$\frac{1}{\sqrt{a}+\sqrt{b}}=\frac{\sqrt{a}-\sqrt{b}}{(\sqrt{a}+\sqrt{b})(\sqrt{a}-\sqrt{b})}=\frac{\sqrt{a}-\sqrt{b}}{a-b}$$

例　$\dfrac{\sqrt{3}-\sqrt{5}}{\sqrt{3}+\sqrt{5}}$ を有理化しなさい。

解き方　$$\frac{\sqrt{3}-\sqrt{5}}{\sqrt{3}+\sqrt{5}}=\frac{(\sqrt{3}-\sqrt{5})(\sqrt{3}-\sqrt{5})}{(\sqrt{3}+\sqrt{5})(\sqrt{3}-\sqrt{5})}$$

$$=\frac{8-2\sqrt{15}}{3-5}=\frac{8-2\sqrt{15}}{-2}=-4+\sqrt{15}$$

答：$-4+\sqrt{15}$

❸「根号」
$\sqrt{\ }$ の記号を**根号**といいます。

数学

方程式と不等式（基礎）

頻出度 B

傾向&ポイント 2次方程式や不等式はそのまま出題されることは少ないですが，関数や文章題を解く際に使います。基本をしっかり押さえておきましょう。

1 2次方程式

☑ 因数分解による解法

$(x-a)(x-b)=0$ のとき，2次方程式の解は $x=a,\ b$ となります。

例　2次方程式 $x^2+ax-(a+6)=0$ の1つの解が2のとき，a の値ともう1つの解を求めなさい。

解き方　$x=2$ を代入すると，

$2^2+a\times2-(a+6)=0$

$4+2a-(a+6)=0$

$a-2=0$　$a=2$　よって，もとの式は，$x^2+2x-8=0$

左辺を因数分解すると，$(x-2)(x+4)=0$ より，2次方程式の解は $x=2,\ -4$ となるので，もう1つの解は $x=-4$

答：$a=2$，もう1つの解 $x=-4$

☑ 解の公式

2次方程式 $ax^2+bx+c=0\,(a\neq0)$ について，その解は，

解の公式 $x=\dfrac{-b\pm\sqrt{b^2-4ac}}{2a}$ で求めることができます❶。

例　2次方程式 $3x^2-7x+3=0$ を解きなさい。

解き方　$x=\dfrac{-(-7)\pm\sqrt{(-7)^2-4\times3\times3}}{2\times3}=\dfrac{7\pm\sqrt{49-36}}{6}$

$=\dfrac{7\pm\sqrt{13}}{6}$

答：$x=\dfrac{7\pm\sqrt{13}}{6}$

さらに詳しく

❶2次方程式は，$(x+a)^2=b\,(b\geqq0)$ の形にして，$x=-a\pm\sqrt{b}$ と解を求めることもできます。

2次方程式の解と係数❷の関係

2次方程式 $ax^2+bx+c=0(a\neq 0)$ において，2次方程式の解を α，β とすると，

$$\alpha+\beta=-\frac{b}{a}\quad \alpha\beta=\frac{c}{a}$$

例　2次方程式 $x^2-5x+12=0$ の解を α，β とするとき，$\alpha^2+\beta^2$ の値を求めなさい。

解き方　解と係数の関係より，$\alpha+\beta=5$，$\alpha\beta=12$

$\alpha^2+\beta^2=(\alpha+\beta)^2-2\alpha\beta=5^2-2\times 12=25-24=1$

答：1

2　不等式

1次不等式

$ax>b$ や $ax<b$ の形にして求めます❸。

例　不等式 $3x+4<5x+8\leqq 2x+17$ を満たす整数 x をすべて書きなさい。

解き方　$3x+4<5x+8$　$3x-5x<8-4$　$-2x<4$　$x>-2$

$5x+8\leqq 2x+17$　$5x-2x\leqq 17-8$　$3x\leqq 9$　$x\leqq 3$

上記の式より，$-2<x\leqq 3$

これを満たす整数は，$x=-1,\ 0,\ 1,\ 2,\ 3$

答：$x=-1,\ 0,\ 1,\ 2,\ 3$

2次不等式

2次方程式 $ax^2+bx+c=0(a>0)$ の解を α，β（$\alpha<\beta$）とすると，

2次不等式 $ax^2+bx+c>0$ の解は，$x<\alpha$，$\beta<x$

2次不等式 $ax^2+bx+c<0$ の解は，$\alpha<x<\beta$

例　2次方程式 $x^2+ax+a=0$ が異なる2つの実数解をもつような a の値の範囲を求めなさい。

解き方　判別式 $D>0$❹が成り立つとき，

$D=a^2-4a=0$ の解は，$a(a-4)=0$ より，$a=0$，4なので，

$a(a-4)>0$　$a<0$，$4<a$ となります。

答：$a<0$，$4<a$

❷「係数」
単項式の数の部分（文字以外の部分）を**係数**といいます。

❸1次不等式は1次方程式と同じように扱います。ただし，両辺を負の数で割ったり，両辺に負の数をかけたりすると，不等号の向きが逆になることに注意します。

さらに詳しく

❹判別式Dは，
$ax^2+bx+c=0(a\neq 0)$ のとき，$D=b^2-4ac$ となります。
2次方程式の判別式Dにおいて，
$D>0$ のとき，実数解は2つ
$D=0$ のとき，実数解は1つ(重解)
$D<0$ のとき，実数解はなし

数学

方程式と不等式（応用）

頻出度 A

傾向&ポイント 整数，速さ，食塩水の濃度，割合に関する問題がよく出題されます。公式を活用して，計算式に落とし込むことが大切です。

1　整数

☑ 2けたの整数

十の位の数をx，一の位の数をyとおくと，2けたの整数は$10x+y$と表すことができます❶。

さらに詳しく
❶ $10x+y$の十の位の数と一の位の数を入れかえると，$10y+x$となります。

例　2けたの正の整数がある。十の位は一の位の2倍より1大きく，また，十の位と一の位を入れかえてできる整数は，もとの整数より27小さい。もとの整数を求めなさい。

解き方　もとの整数の十の位をx，一の位をyとすると，

$$\begin{cases} x=2y+1 \cdots ① \\ 10x+y=10y+x+27 \cdots ② \end{cases}$$

①を②に代入すると，

$10(2y+1)+y=(2y+1)+10y+27$

$9y=18$　$y=2$

これを①に代入すると，$x=2\times2+1=5$

答：52

2　速さ

☑ 速さの公式

$$距離=速さ\times時間 \quad 速さ=\frac{距離}{時間} \quad 時間=\frac{距離}{速さ}$$

例　ある列車が，長さ1800mのトンネルに入り始めてから出るまでに105秒かかった。また，この列車が長さ840mの鉄橋を渡り始めてから渡り終えるまでに57秒かかった。この列車の長さと時速を求めなさい。

解き方　列車の長さ＝xm，速さ＝ym/秒とすると❷，

$$\begin{cases} \dfrac{1800+x}{y}=105\cdots① \\ \dfrac{840+x}{y}=57\cdots② \end{cases}$$

それぞれ式を整理すると，

$1800+x=105y\cdots①'$　$840+x=57y\cdots②'$

$①'-②'$　$960=48y$　$y=20$

これを①′に代入すると，$1800+x=105\times20$　$x=300$

また，20m/秒＝72km/時❸

答：列車の長さ 300m，時速 72km

❷鉄橋の渡り始めから渡り終えるまでの時間は，**(鉄橋の長さ＋列車の長さ)÷列車の速さ**で求めることができます。

❸

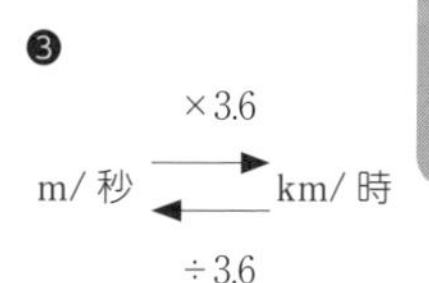

3　割合

☑ 割合

$$a\%=\frac{a}{100}\qquad b\text{割}=\frac{b}{10}$$

例　ある品物に原価の4割の利益を見込んで定価をつけたが，売れなかったので定価の2割引で売ったところ，利益は480円だった。品物の原価を求めなさい。

解き方　原価をx円とすると，定価は$x(1+0.4)=1.4x$円

売値は，$1.4x\times(1-0.2)=1.12x$円❹

$1.12x-x=480$　$0.12x=480$　$x=4000$　　**答**：4000円

さらに詳しく

❹利益をつけるときは，**原価×(1＋利益率)**，値引きするときは，**定価×(1－値引き率)**で求めることができます。

☑ 食塩水の公式

$$\text{濃度}(\%)=\frac{\text{食塩の重さ}}{\text{食塩水の重さ}}\times100$$

$$\text{食塩の重さ}=\frac{\text{食塩水の重さ}\times\text{濃度}}{100}$$

例　濃度12%の食塩水に水を400g混ぜたところ，濃度が4%になった。もとの食塩水は何gあったか求めなさい。

解き方　もとの食塩水をxgとします。水を混ぜても含まれている食塩の重さは変わらないので，

$0.12x=0.04(x+400)$　$0.08x=16$　$x=200$　　**答**：200g

関数①

頻出度 B

傾向&ポイント グラフを使って交点や面積を求める問題が出題されます。パターン化された問題も多いので，それぞれの解法をしっかり覚えるようにしましょう。

1　比例と反比例

正比例

x が 2 倍，3 倍…になると，y も 2 倍，3 倍…になるという関係が成り立つとき，**y は x に比例している**といいます。

比例の式は，$y=ax$（a **は比例定数**）で，グラフでは**原点を通る直線**❶です。

❶比例のグラフ

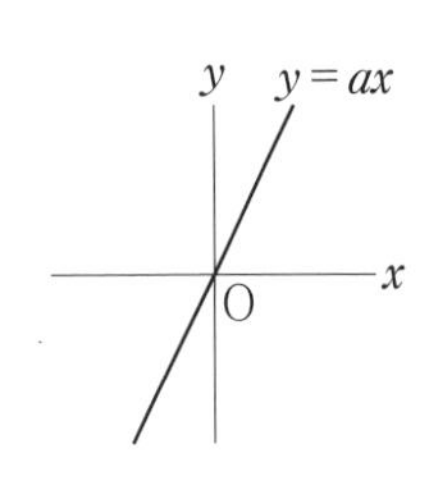

例　y は x に比例し，$x=4$ のとき $y=-2$ である。このとき，$x=-6$ のときの y の値を求めなさい。

解き方　$y=ax$ に，$x=4$，$y=-2$ を代入すると，

$$-2=4a \quad a=-\frac{1}{2}$$

よって，この比例の式は，$y=-\frac{1}{2}x$

この式に，$x=-6$ を代入すると，

$$y=-\frac{1}{2}\times(-6) \quad y=3$$

答：3

反比例

x が 2 倍，3 倍…になると，y は $\frac{1}{2}$ 倍，$\frac{1}{3}$ 倍…になるという関係が成り立つとき，**y は x に反比例している**といいます。

反比例の式は，$y=\frac{a}{x}$ **または** $xy=a$（a **は比例定数**）で，

グラフでは**原点について対称な双曲線**[2]です。

例　y は x に反比例し，$x=-4$ のとき $y=6$ である。このとき，$y=9$ のときの x の値を求めなさい。

解き方　$xy=a$ に $x=-4$，$y=6$ を代入すると，

$(-4)\times6=a$　$a=-24$

よって，この反比例の式は，$y=-\dfrac{24}{x}$

この式に $y=9$ を代入すると，

$9=-\dfrac{24}{x}$　$9x=-24$　$x=-\dfrac{8}{3}$　**答**：$-\dfrac{8}{3}$

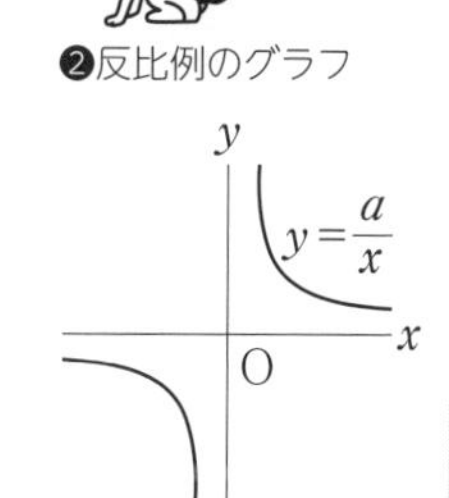

❷反比例のグラフ

2　1次関数

1次関数

y が x の1次関数のとき，

$y=ax+b$（a，b **は定数で**，$a\neq0$）と表すことができます。

1次関数のグラフ

1次関数 $y=ax+b$（$a\neq0$）のグラフは，**傾きが** a，y **切片が** b **の直線**[3]となります。$a>0$ **のとき右上がりの直線**，$a<0$ **のとき右下がりの直線**になります。

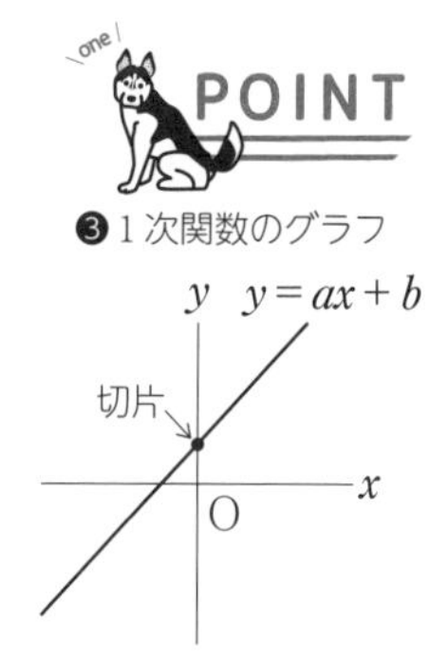

❸1次関数のグラフ

例　次の直線の式を求めなさい。

2点$(-2,\ 6)$，$(3,\ -4)$を通る直線

解き方　$y=ax+b$ にそれぞれの座標を代入すると，

$6=-2a+b$…①　$-4=3a+b$…②

①−②すると，$10=-5a$　$a=-2$

これを①に代入すると，$6=-2\times(-2)+b$　$b=2$

よって，この直線の式は，$y=-2x+2$

答：$y=-2x+2$

変化の割合

$$\text{変化の割合}=\frac{y\text{の増加量}}{x\text{の増加量}}$$

1次関数の変化の割合は一定で，$y=ax+b$ **の傾き** a **と等しく**なります。

関数②

傾向＆ポイント 放物線の頂点の座標や最大値・最小値を求める問題などはしっかり押さえておきましょう。1次関数と2次関数のグラフが合わさった図形の問題も出題されます。

頻出度 B

1 2次関数

☑ y が x の2乗に比例する2次関数

y が x の2乗に比例するとき，$y=ax^2$（a **は比例定数**❶）と表すことができます。

また，このときのグラフは**原点を通る放物線**で，$a>0$ **のときは上に開いた**放物線，$a<0$ **のときは下に開いた**放物線になります❷。

さらに詳しく
❶比例定数
1次関数の変化の割合は一定で，傾きと等しくなります。2次関数の変化の割合は一定ではありません。

例 2次関数 $y=2x^2$ のグラフを，x 軸方向に3，y 軸方向に -2 だけ平行移動させた2次関数を求めなさい。

解き方 $y=2(x-3)^2+(-2)$ と表せるので，

$y=2(x^2-6x+9)-2$　$y=2x^2-12x+16$

答：$y=2x^2-12x+16$

❷ $y=ax^2$ のグラフ

$a>0$ のとき

y　$y=ax^2$　O　x

$a<0$ のとき

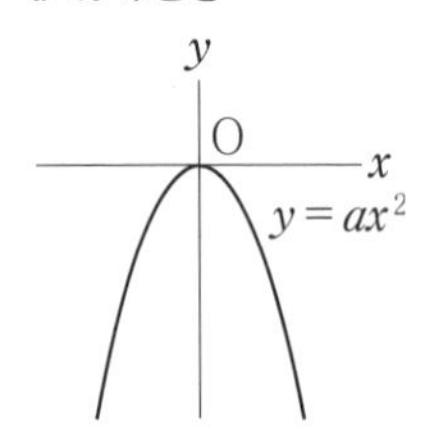

☑ 2次関数

2次関数 $y=ax^2+bx+c$ のグラフは，$a>0$ のときは上に開いた放物線，$a<0$ のときは下に開いた放物線になります。

$y=ax^2+bx+c$ のグラフの頂点を $(p,\ q)$ とすると，

$$p=-\frac{b}{2a},\quad q=-\frac{b^2-4ac}{4a}$$

また，2次関数の式を変形させて，$y=a(x-p)^2+q$ として，頂点の座標 $(p,\ q)$ を求めることもできます❸。

例 2次関数 $y=-2x^2+8x-2$ の最大値を求めなさい。

解き方 $y=-2x^2+8x-2$ を，$y=a(x-p)^2+q$ に変形すると，$y=-2(x-2)^2+6$ となります。よって，このグラフの

頂点の座標は(2，6)となります。
$a<0$ より，このグラフは下に開いたグラフなので，頂点の y 座標が最大値と等しくなります。
よって，このグラフの最大値は，$x=2$ のとき 6
答：6

❸ 2 次関数の最小値と最大値

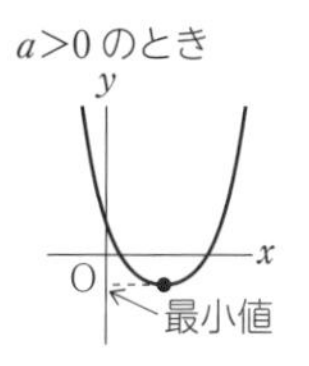

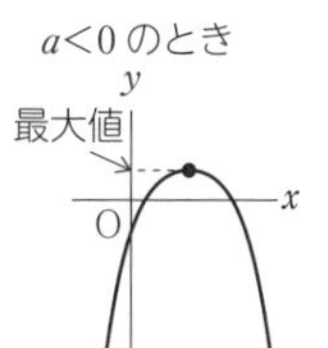

$a>0$ のとき，**頂点で最小値**
$a<0$ のとき，**頂点で最大値**

数学

2　放物線と直線

☑ 直線の性質

1 次関数の 2 つの直線において，**傾きが等しい⇔平行**，**傾きの積が** -1 **⇔垂直**という関係が成り立ちます。

例　点(4，6)を通り，直線 $y=3x+4$ と平行な直線の式を求めなさい。

解き方　$y=3x+4$ と平行なので，求める直線の傾きは 3 となります。
$y=3x+b$ とし，$x=4$，$y=6$ を代入すると，
$6=3\times4+b$　$b=-6$ となるので，この直線の式は，
$y=3x-6$　**答**：$y=3x-6$

☑ 放物線と直線

放物線と直線の交点は，連立方程式で求めた解になります。

例　図のように，$y=2x^2$ と，$y=4x+16$ の交点を A，B とする。このとき，△OAB の面積を求めなさい。

解き方　$y=2x^2$ と $y=4x+16$ の連立方程式の解が交点の座標となるので，
$2x^2=4x+16$　$x^2-2x-8=0$
$(x+2)(x-4)=0$
$x=-2,\ 4$
$y=4x+16$ の切片が 16 より，△OAB の面積は，
$\frac{1}{2}\times16\times(2+4)=48$　**答**：48

図形①

傾向&ポイント 平面図形の問題は，出題頻度の高い重要な分野です。とりわけ，面積，角の大きさ，辺の長さなどを求める問題はよく出題されます。三平方の定理などの公式はしっかり押さえておきましょう。

1 三平方の定理

☑ 三平方の定理

直角三角形の辺の長さについて，$a^2+b^2=c^2$ が成り立ちます（ただし，c が最も長い辺）❶。

> **POINT**
>
> ❶三平方の定理
>
> 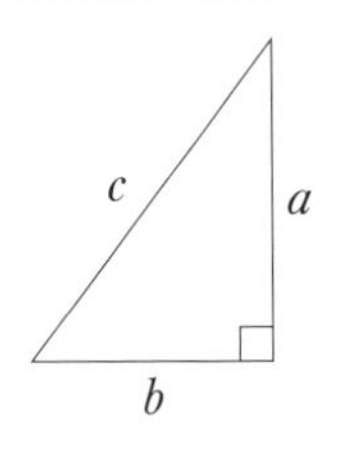
>
>
> $a^2+b^2=c^2$ が成り立ちます。

☑ 特別な直角三角形の比

直角二等辺三角形　　　30°，60°の直角三角形

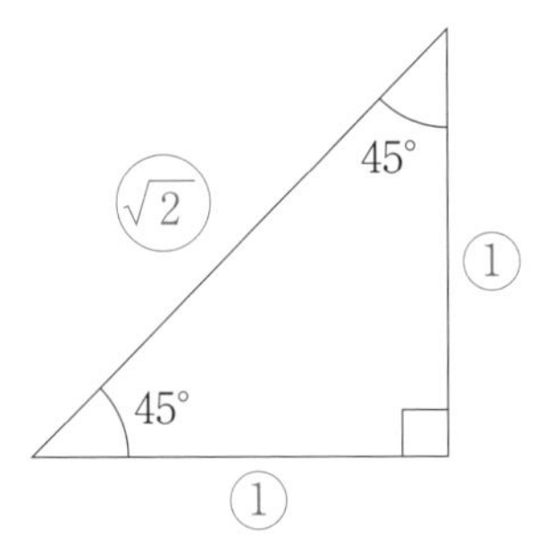

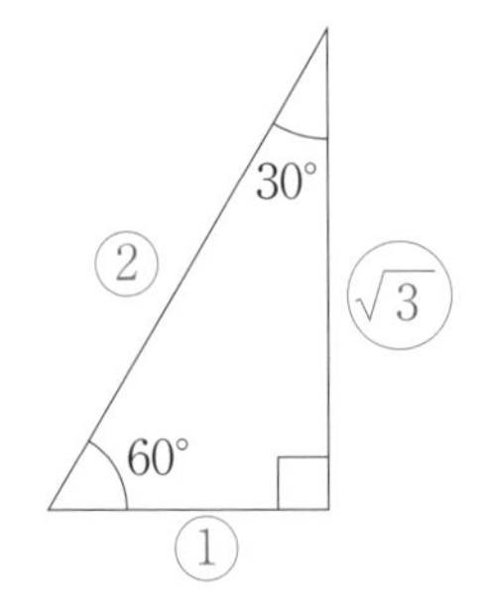

例　右の△ABCのACの長さを求めなさい。

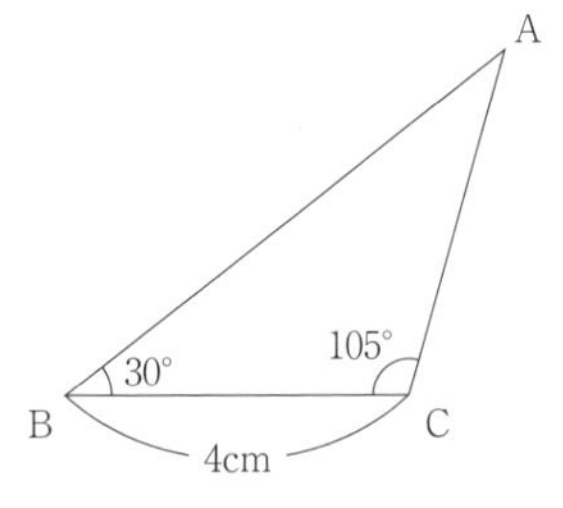

解き方　Cから辺ABに垂線を引き，その交点をHとします。∠BHC＝90°より，∠BCH＝60°，∠ACH＝45°となるので，BC：CH＝2：1＝4：CH　CH＝2

CH：AC＝1：$\sqrt{2}$＝2：AC　AC＝$2\sqrt{2}$

答：$2\sqrt{2}$ cm

2 合同と相似

三角形の合同条件

- 3組の辺の長さがそれぞれ等しい。
- 2組の辺の長さとその間の角がそれぞれ等しい。
- 1組の辺の長さとその両端の角がそれぞれ等しい。

三角形の相似条件

- 3組の辺の比がそれぞれ等しい。
- 2組の辺の比とその間の角がそれぞれ等しい。
- 2組の角がそれぞれ等しい。

相似比

2つの相似な図形において，対応する辺の長さの比はそれぞれ等しく，**相似比**といいます。

また，相似比が $a:b$ の図形と立体において，それぞれ**面積比は** $a^2:b^2$，**体積比は** $a^3:b^3$ です❷。

例　右の図において，DE//BC です。△ADE と四角形 DBCE の面積比を求めなさい。

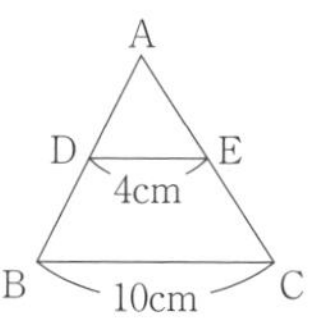

解き方　DE//BC より，△ADE と△ABC は相似で，相似比は，DE：BC＝4：10＝2：5

よって，△ADE と△ABC の面積比は，$2^2:5^2=4:25$

四角形 DBCE は△ABC－△ADE より，△ADE と四角形 DBCE の面積比は，4：(25－4)＝4：21

答：4：21

さらに詳しく

❷中点連結定理

次の図で，M，N がそれぞれ辺 AB，AC の中点のとき，

MN//BC，

$MN=\frac{1}{2}BC$ が成り立ちます。

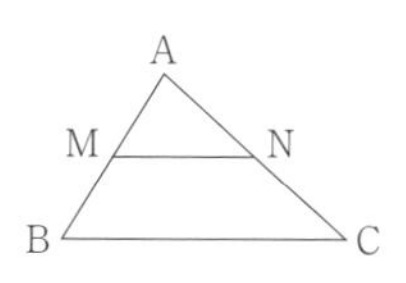

3 角度

多角形の角度

n 角形の内角の和は，$180^\circ\times(n-2)$ で求められ，外角の和は 360° です❸。

多角形の対角線の本数

n 角形の対角線の本数は，$n\times(n-3)\div2$ で求められます。

さらに詳しく

❸正 n 角形の1つの角

$180^\circ\times(n-2)\div n$ か，

$180^\circ-(360^\circ\div n)$ で求めることができます。

数学

図形②

傾向&ポイント 円とおうぎ形では，円周角の定理がよく出題されます。また，空間図形では，展開図の問題や立方体の切り口の問題が出題されるので，パターンを覚えておきましょう。

頻出度 A

1 円とおうぎ形

❶「円周率」
円の直径に対する円周の長さの比率のことです。式の中では，π（パイ）に置き換えます。

☑ 円

円周＝**半径×2×円周率**❶

面積＝**半径^2×円周率**

☑ おうぎ形

弧の長さ＝**半径×2×円周率×$\dfrac{\text{中心角}}{360^\circ}$**

面積＝**半径^2×円周率×$\dfrac{\text{中心角}}{360^\circ}$**

例　半径6cm，中心角60°のおうぎ形の弧の長さを求めなさい。

解き方　$6\times2\times\pi\times\dfrac{60}{360}=2\pi$

答：2π cm

POINT

❷円周角の定理

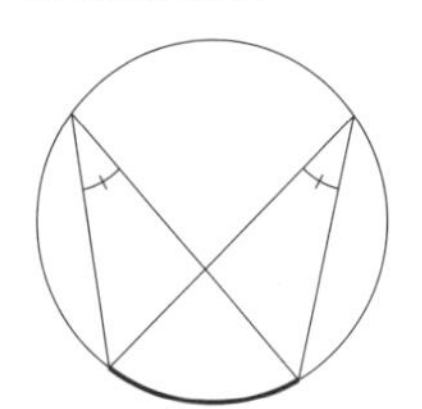

1つの弧に対する円周角は一定です。

☑ 円周角の定理

1つの弧に対する中心角は，同じ弧を持つ円周角の2倍になります。

また，**同じ長さの弧に対する円周角は等しくなります**❷。

例　右の図で，BDは円の直径で，EはACとBDの交点である。∠CEDの大きさを求めなさい。

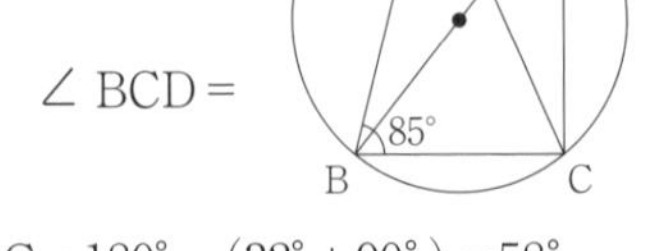

解き方　BDは直径より，∠BCD＝90°

△DBCにおいて，∠DBC＝180°－（32°＋90°）＝58°

$\angle ABD = \angle ECD = 85^\circ - 58^\circ = 27^\circ$

△CDE において弧 AD に対する円周率は等しいので

$\angle ABD = \angle ECD$ となり，

$\angle CED = 180^\circ - (32^\circ + 27^\circ) = 121^\circ$　**答**：121°

2 空間図形

体積の求め方

角柱・円柱＝**底面積**×**高さ**

角錐・円錐＝**底面積**×**高さ**×$\frac{1}{3}$

例　母線❸の長さ 13cm，高さ 12cm の円錐の体積を求めなさい。

解き方　三平方の定理で，底面の円の半径を求める❹と，

$\sqrt{13^2 - 12^2} = 5\,\text{cm}$

よって，円錐の体積は，$5^2 \times \pi \times 12 \times \frac{1}{3} = 100\pi$

答：$100\pi\ \text{cm}^3$

❸「母線」
円錐の側面の展開図のおうぎ形の半径を母線といいます。

さらに詳しく

❹次の図のように，直角三角形をつくり，底面（円）の半径を三平方の定理で求めます。

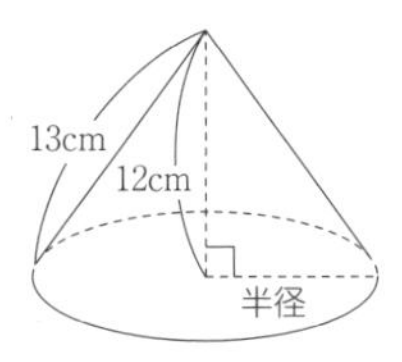

立方体の切り口

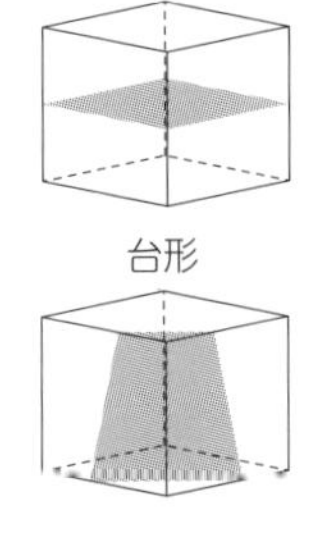

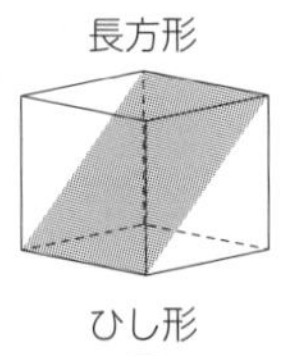

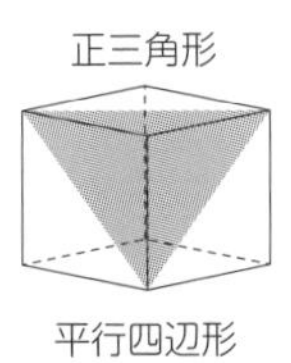

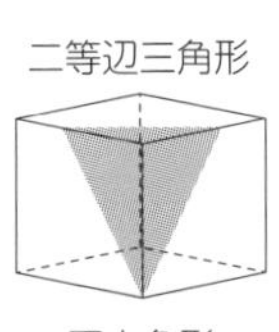
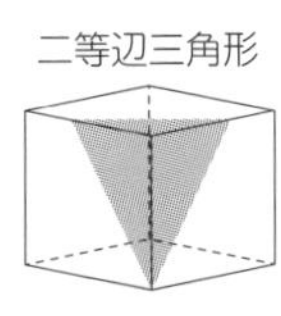

ひし形　平行四辺形　正六角形

例　右の図の立方体において，点 P，Q，R を通る平面で立方体を切ったとき，切り口はどのような図形になるか。

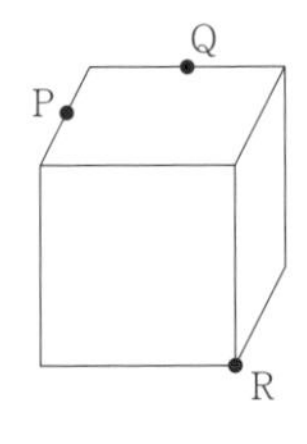

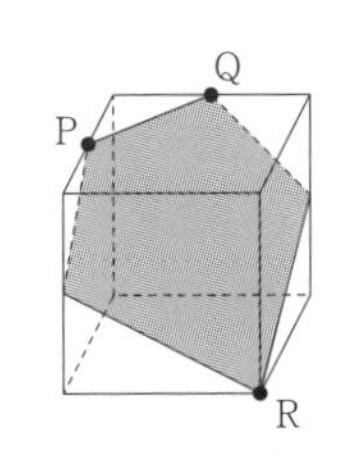

答：五角形

数学

8 場合の数①

頻出度 A

傾向&ポイント 順列の基本問題がよく出題されます。すべてを書き出して求めることもできますが，数え間違いもあるので，計算で求められるように練習しましょう。

1　和の法則・積の法則

☑ 和の法則

AとBが同時に起こらないとき，Aが起こる場合が m 通り，Bが起こる場合が n 通りあると，AまたはBが起こる場合の数は，**$m+n$ 通り**

例　大小のさいころを投げたとき，出た目の和が5以下になるのは何通りか。

解き方　出た目の和が5，4，3，2になる組み合わせを，それぞれ求めます。

出た目の組み合わせを(大，小)と表すと，

和が5のとき，(4，1)，(3，2)，(2，3)，(1，4)の4通り

和が4のとき，(3，1)，(2，2)，(1，3)の3通り

和が3のとき，(2，1)，(1，2)の2通り

和が2のとき，(1，1)の1通り

よって，4+3+2+1=10通り❶

答：10通り

❶数の組み合わせを考え，(A，B)のときは2通り，(A，A)のときは1通りとして，まとめて計算することもできます。

☑ 積の法則

Aが m 通り起こるのに対して，Bが n 通り起こるなら，AかつBが起こる場合の数は，**$m\times n$ 通り**

例　右の図で，AからBを通ってCに行き，同じ道を通らずに，CからまたBを通ってAに戻るとき，道の通り方は何通りか。

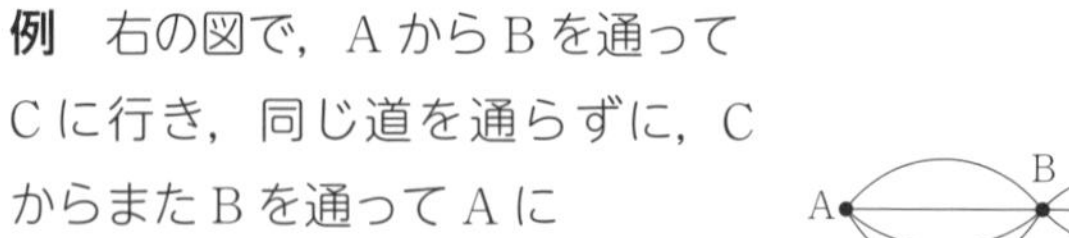

解き方　AからBに行く道は4通り，BからCに行く道は3通りあります。また，帰りは行きと同じ道を通ってはいけないので，CからBに行く道は$3-1=2$通り，BからAに行く道は$4-1=3$通りです。
よって，全部で$4\times3\times2\times3=72$通り
答：72通り

2　順列

☑ 順列

　異なるn個のものからr個とって1列に並べる順列の数は，${}_nP_r=n(n-1)(n-2)\cdots(n-r+1)$❷

例　9人の生徒から委員長，副委員長，書記を選ぶ場合の数は何通りか。

解き方　9人の中から3人を選んで1列に並べるので，
${}_9P_3=9\times8\times7=504$通り
答：504通り

☑ 円順列

　異なるn個のものを円形に並べたときの場合の数は，
$(n-1)!=(n-1)(n-2)(n-3)\cdots\times2\times1$❸

例　6人の生徒を円形に並べるとき，並べ方は何通りか。

解き方　$(6-1)!=5!=5\times4\times3\times2\times1=120$通り
答：120通り

☑ 同じものを含む順列

　n個のものを並べるとき，そのうちr個のものとs個のものがそれぞれ同じであるとき，その並べ方の場合の数は，

$$\frac{n!}{r!\times s!}$$

例　2，2，2，3，3，4の6つの数字を並べるとき，その並べ方は全部で何通りか。

解き方　2が3個，3が2個あるので，6つの数字の並べ方は，

$\frac{6!}{3!\times2!}=\frac{6\times5\times4\times3\times2\times1}{3\times2\times1\times2\times1}=60$通り　**答**：60通り

数学

さらに詳しく
❷整数nから始まり，1ずつ数を減らして，r個の整数をかけていきます。

❸「$n!$」
nの階乗と読みます。
$n!=n\times(n-1)\times(n-2)\times\cdots\times2\times1$

場合の数②

頻出度 A

傾向&ポイント 基本的な問題が多いので，どの公式を使うかをしっかり押さえましょう。順列と組み合わせの違いを見分けることも重要です。

1 組み合わせ

☑ 組み合わせ

異なる n 個のものから，順序を考えずに r 個選んで取り出す組み合わせの総数は，

$${}_nC_r=\frac{n(n-1)(n-2)\ldots(n-r+1)}{r(r-1)(r-2)\ldots3\times2\times1}$$ ❶

例　10 人の生徒から 3 人選ぶとき，選び方は何通りか。

解き方　10 人から 3 人選ぶので，${}_{10}C_3$ 通り❷になります。

$${}_{10}C_3=\frac{10\times9\times8}{3\times2\times1}=120\text{ 通り}$$

答：120 通り

☑ 組み合わせと積の法則

2 つの組み合わせの事柄を合わせて考えるとき，それぞれの組み合わせを求めて，積の法則を使います。

例　男子が 8 人，女子が 6 人いる。

(1)この中から 2 人の委員を選ぶ選び方は何通りか。

(2)男子から 2 人，女子から 3 人選ぶ選び方は何通りか。

解き方　(1) $8+6=14$ 人の中から 2 人選ぶので，${}_{14}C_2$ 通りになります。

$${}_{14}C_2=\frac{14\times13}{2\times1}=91\text{ 通り}$$

答：91 通り

(2)男子 8 人から 2 人選ぶのは ${}_8C_2$ 通り，女子 6 人から 3 人選ぶのは ${}_6C_3$ 通りになります。

さらに詳しく

❶分子でかける数の個数と分母でかける数の個数は，それぞれ r 個にします。

❷ 10 人から 3 人選ぶのは，7 人選ばないことと等しいので，${}_{10}C_3={}_{10}C_7$ となります。

$${}_8C_2 \times {}_6C_3 = \frac{8\times7}{2\times1} \times \frac{6\times5\times4}{3\times2\times1} = 28\times20 = 560 \text{ 通り}$$

答：560通り

☑ 最短距離

右の図でAからBまで最短距離の経路を選ぶ選び方は，

${}_{m+n}C_m$ 通り❸

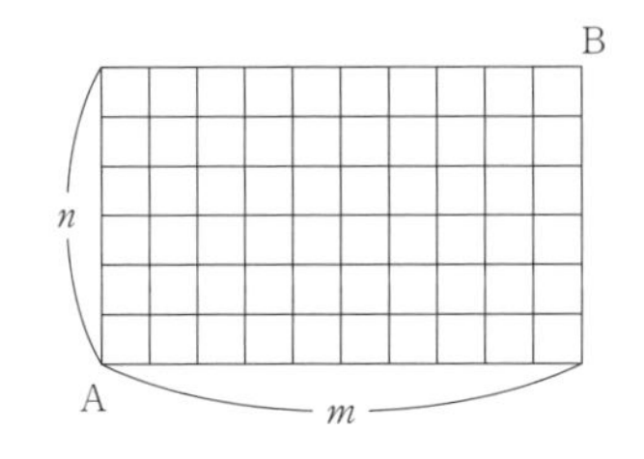

❸ $m+n$ 本の通り道から，横に進む m 本の道を選ぶと考えます。縦に進む n 本の道を選ぶと考えても，答えは等しくなります。

例　右の図のような碁盤目状の道がある。

⑴ AからBまで最短距離で進むとき，経路の選び方は何通りか。

⑵ AからCを通ってBまで最短距離で進むとき，経路の選び方は何通りか。

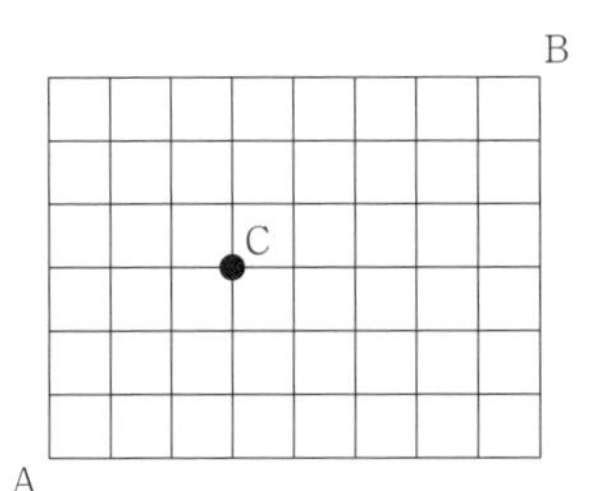

解き方　⑴縦に6本の道，横に8本の道があるので，経路を選ぶ選び方は，${}_{6+8}C_6$ 通り

$${}_{6+8}C_6 = {}_{14}C_6 = \frac{14\times13\times12\times11\times10\times9}{6\times5\times4\times3\times2\times1} = 3003 \text{ 通り}$$

答：3003通り

⑵ AからCまで進む最短距離の経路の選び方は，${}_{3+3}C_3$ 通り，CからBまで進む最短距離の経路の選び方は，${}_{3+5}C_3$ 通りになります。

積の法則を使って，

$${}_{3+3}C_3 \times {}_{3+5}C_3 = \frac{6\times5\times4}{3\times2\times1} \times \frac{8\times7\times6}{3\times2\times1} = 20\times56 = 1120 \text{ 通り}$$

答：1120通り

10 確率

頻出度 A

傾向&ポイント 確率では，さいころやじゃんけん，くじ引き，球を取り出すなどの問題がよく出題されます。基本的な問題が多いので，出題パターンと解法をセットで押さえておきましょう。

1 確率

☑ 確率

$$\text{A が起こる確率} = \frac{\text{Aの場合の数}}{\text{起こりうるすべての場合の数}}$$

例　10本のくじの中に当たりが3本入っている。1本引いて当たりを引き，引いたくじはもとに戻さずにもう1本引いたとき，また当たりを引く確率を求めなさい。

解き方　1本目に当たりを引く確率は，$\frac{3}{10}$になります。

2本目に引くとき，1本目のくじはもとに戻さないので，残りのくじは全部で9本あり，当たりは2本です。よって，

2本目の当たりを引く確率は，$\frac{2}{9}$になります。

よって，求める確率は，$\frac{3}{10} \times \frac{2}{9} = \frac{1}{15}$

答：$\frac{1}{15}$

☑ 余事象の確率

事象Aに対して，Aが起こらない事象を**Aの余事象**といいます❶。

(Aが起こらない確率)＝1－(Aが起こる確率)

例　大小2つのさいころを投げて，出た目の和が10以下になる確率を求めなさい。

解き方　大小2つのさいころのすべての目の出方は，

6×6＝36通りあります。

❶「少なくとも1人選ぶ」などの問題のときには，「1人も選ばれなかった」という事象の余事象と考えます。

さいころの目の和が11以上になる目の出方の組み合わせは，(大，小)＝(6，5)，(6，6)，(5，6)の3通りです。
よって，さいころの出た目の和が10以下になる確率は，

$1-\frac{3}{36}=\frac{11}{12}$ ❷

答：$\frac{11}{12}$

❷さいころの目の出方が10以下の組み合わせを考えてもよいですが，余事象を求めるほうが早い場合には，余事象で考えます。

数学

2　期待値

☑ 期待値

ある試行を行ったときに，その結果として得られる数値の平均を期待値といいます。期待値は**値×確率**の和で求めることができます。

値X	x_1	x_2	x_3	x_4	x_5
確率P	p_1	p_2	p_3	p_4	p_5

期待値$=x_1\times p_1+x_2\times p_2+x_3\times p_3+x_4\times p_4+x_5\times p_5$

例　50本のくじの中に，1等が4本，2等が10本，3等が36本入っている。それぞれの賞金は，1等が10000円，2等が1000円，3等が100円である。賞金の期待値を求めなさい。

解き方　1等が出る確率は$\frac{4}{50}=\frac{2}{25}$

2等が出る確率は$\frac{10}{50}=\frac{1}{5}$

3等が出る確率は$\frac{36}{50}=\frac{18}{25}$

よって，賞金の期待値は，

$10000\times\frac{2}{25}+1000\times\frac{1}{5}+100\times\frac{18}{25}=1072$円

答：1072円

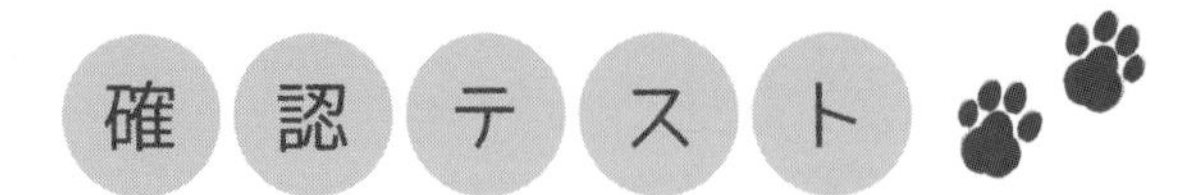

数学

1

次の各問いに答えよ。

(1) $\frac{15}{16}$にかけても$\frac{5}{24}$にかけても整数になる分数のうち，最も小さいものを求めよ。

(2) $\sqrt{480n}$が最も小さい整数になるときの整数 n の値を求めよ。

(3) 連立方程式$\begin{cases} ax-by=-18 \\ -bx+ay=17 \end{cases}$の解が $x=-2$，$y=3$ のとき，a，b の値を求めよ。

(4) 大小 2 つの数があり，和が 9，積が -360 である。小さいほうの数を求めよ。

(5) ある動物園の入園料は 1 人 600 円であり，40 人以上の団体は入園料が 20％割引される。40 人未満でも 40 人の団体として入園料を払った方が安くなるのは，何人以上の場合か求めよ。

1

(1) $\frac{48}{5}$

(2) 30

(3) $a=3, b=4$

(4) -15

(5) 33 人以上

2

下の図のように，放物線 $y=\frac{1}{3}x^2$ と直線 $y=2x+9$ がある。次の各問に答えよ。

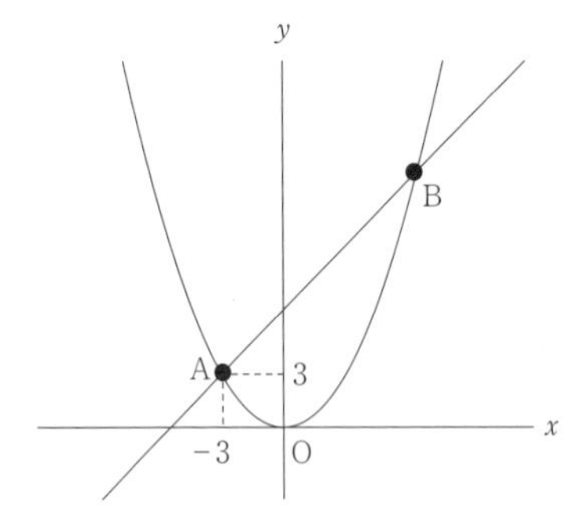

(1) 点 B の座標を求めよ。

2

(1) B(9，27)

(2)　放物線上の $x>0$ の部分に点 P がある。△ OAB の面積と△ ABP の面積が等しくなるとき，点 P の座標を求めよ。

(2)　P(6, 12)

3　与えられた図形において，次の角度をそれぞれ求めよ。

(1)　$\angle a$

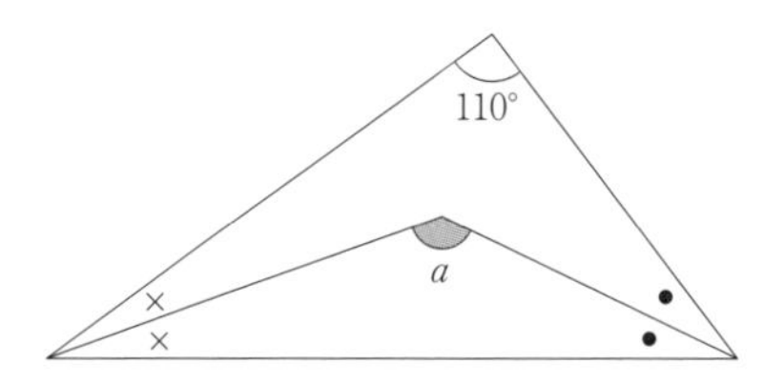

(1)　$\angle a = 145°$

(2)　色がついている角の角度の和

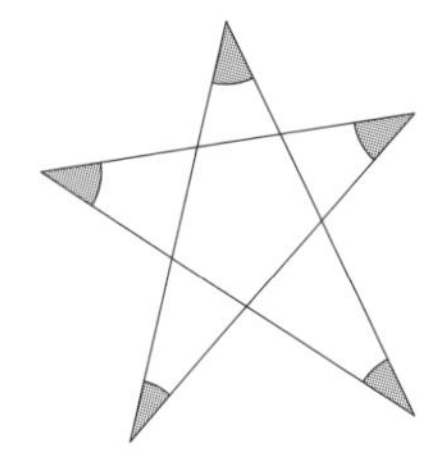

(2)　180°

4　次の図形を ℓ を軸にして回転させてできる回転体について，下の問いに答えよ。

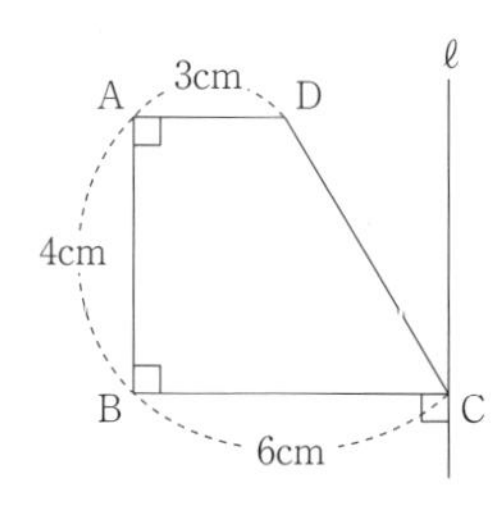

(1)　この回転体の体積を求めよ。

(2)　この回転体の表面積を求めよ。

(1)　$132\pi\ \mathrm{cm}^3$

(2)　$126\pi\ \mathrm{cm}^2$

1 力のはたらき

頻出度 B

傾向＆ポイント 定滑車と動滑車のはたらきに関する問題や，これらを組み合わせた応用問題も出題されています。力の合成に関する問題も頻出です。

1 力の表し方

力の三要素

大きさ 向き 作用点 作用線

力とは，物体を変形させたり，物体の運動の状態を変えたりする原因となるものをいい，**力の大きさ**，**向き**，**作用点**を力の三要素といいます。作用点を通り力の方向に向いた直線を**作用線**といいます。

物体にはたらく重力

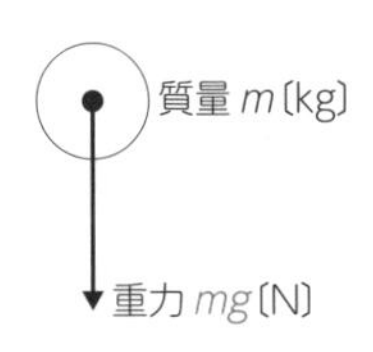

質量[1] m〔kg〕の物体にはたらく重力の大きさは，重力加速度を g〔m/s^2〕とすると，mg〔N〕です。

TIPS

[1]質量は，物質に固有で場所によらない量のことです。重さは物体にはたらく重力の大きさで場所によって異なり，月面では地球上の1/6となります。

力の合成と分解

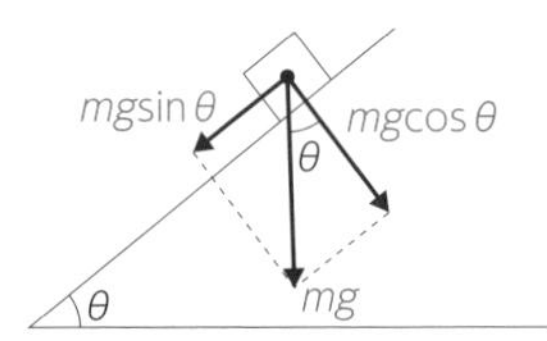

２つの力と同じはたらきをする１つの力を求めることを**力の合成**といい，合成した力を**合力**といいます。逆に，１つの力をそれと同じはたらきをする２つの力に分けることを**力の分解**といい，分けられたそれぞれの力を**分力**といいます。質量 m〔kg〕の物体にはたらく重力の斜面に沿った成分は $mg\sin\theta$〔N〕，斜面に垂直な成分は $mg\cos\theta$〔N〕と表されます。

力のつりあい

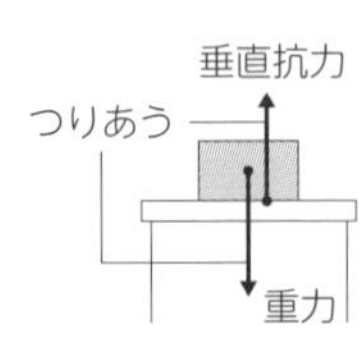

２つの力がはたらく物体が静止しているとき，この２力は同じ作用線上にあり，**向きが反対**で**大きさは等しく**なります。

2　剛体にはたらく力❷

力のモーメント

大きさをもち，力の作用のもとでも変形しない物体を**剛体**といいます。ある点Oのまわりに物体を回転させようとする力の効果を**力のモーメント**といい，力 F〔N〕の作用線と点Oとの距離が ℓ〔m〕のとき，力のモーメント $M = \boldsymbol{F\ell}$〔N·m〕で表されます。

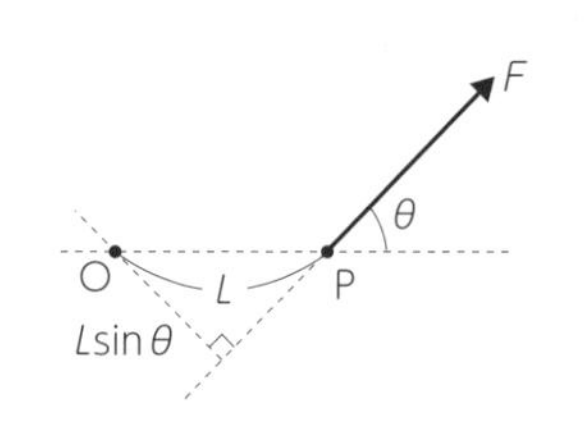

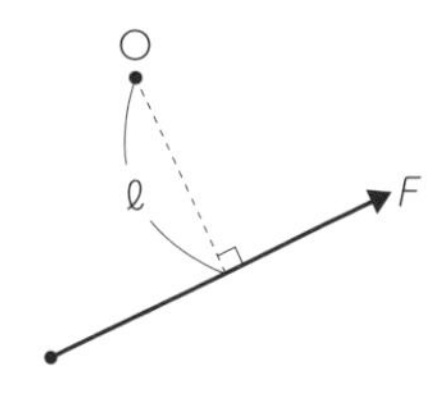

作用点がPでOP=L，OPの力の向きのなす角が θ のとき，モーメントは $\boldsymbol{FL\sin\theta}$〔N・m〕と表せます。

剛体のつりあい

剛体に，力 F_1，F_2 が同時にはたらいていて，静止しているとき，剛体は**つりあいの状態**にあるといい，力のモーメントの和は**0**になります。

てこを用いて，支点からの距離 ℓ〔m〕の位置にある質量 m〔kg〕の物体を持ち上げるのに必要な力は $\dfrac{\boldsymbol{\ell mg}}{\boldsymbol{L}}$〔N〕です。

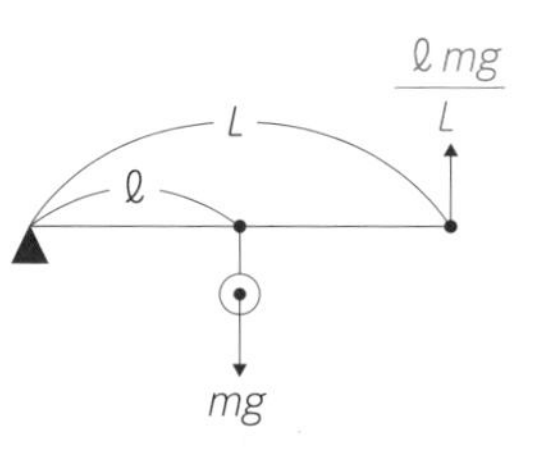

定滑車と動滑車

右図のように，質量 m〔kg〕の物体を持ち上げるのに必要な力は，定滑車を用いると mg〔N〕，動滑車を用いると $\dfrac{\boldsymbol{mg}}{\boldsymbol{2}}$〔N〕です。定滑車を用いる場合と比べ，ひもを引く力は半分ですが，ひもを引く距離は2倍になります。

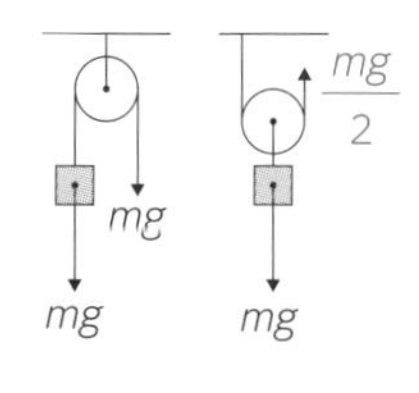

物理

さらに詳しく

❷剛体を小さな部分の集まりと考えると，各部分には鉛直下向きに重力がはたらきます。それらの合力の作用点を**重心**といいます。点Aに質量 m_1〔kg〕，点Bに質量 m_2〔kg〕の物体があるときの全体の重心は，線分ABを $m_2 : m_1$ に内分する点にあります。

A　m_2　m_1　B
m_1　重心　m_2

2 力と運動

傾向&ポイント 移動距離，速度を求める問題が頻出です。また，ばねの弾性力，浮力に関する出題もみられます。

頻出度 A

1 さまざまな力[1]

さらに詳しく
❶おもりをつるすなどしてピンと張った糸が，物体を引く力を**張力**といい，張力は糸の張る方向にはたらきます。

面から受ける力 接触する面から物体に面と垂直な方向にはたらく力を**垂直抗力**といいます。接触する面と平行な方向にはたらき，物体の運動を妨げようとする力を**摩擦力**といい，静止している物体にはたらく**静止摩擦力**，運動している物体にはたらく**動摩擦力**があります。

ばねの弾性力[2] おもりをつるすなどして変形したばねが，もとの長さに戻ろうとする性質を**弾性**といい，物体におよぼす力を**弾性力**といいます。

圧力と浮力 単位面積あたりに垂直にはたらく力を**圧力**といいます。面積 S〔m^2〕に大きさ F〔N〕の力がはたらくとき圧力 $p = \frac{F}{S}$ と表され，単位にはパスカル〔Pa〕が用いられます。地球上の物体にはたらく，大気の重さによる圧力は**大気圧**とよばれ，地上ではおよそ 101, 325Pa です。また，水中で物体が受ける圧力を**水圧**といいます。深さ h〔m〕における水圧 p〔Pa〕は大気圧を p_0，水の密度を ρ〔kg/m^3〕，重力加速度を g〔m/s^2〕として $p = p_0 + \rho hg$ と表されます。

流体中の物体が，流体から鉛直上向きに受ける力を**浮力**といい，**浮力の大きさ＝物体が排除する流体の重さ**となります。これを**アルキメデスの定理**といい，浮力 F〔N〕は，水の密度 ρ〔kg/m^3〕，物体の体積 V〔m^3〕，重力加速度 g〔m/s^2〕とすると，$F = \rho Vg$ と表されます。

❷弾性力の大きさ F〔N〕は，ばねの自然長からの伸び（縮み）x〔m〕に比例します。これを**フックの法則**といい，$F = kx$ と表されます。比例定数 k は**ばね定数**といい，単位はニュートン毎メートル〔N/m〕が用いられます。

2　運動の表し方

☑ **速度**　単位時間あたりに移動する距離のことを**速さ**といい，速さと運動の向きをあわせもつ量を**速度**といいます。一定の速さで直線上を進む運動を**等速直線運動**❸といいます。

☑ **変位**　物体がどちらの向きにどれだけ移動したかを表す量を**変位**といいます。Δt〔s〕間の変位がΔx〔m〕のとき，$\frac{\Delta x}{\Delta t}$〔m/s〕を**平均の速度**といい，$\Delta t$を限りなく小さくしたときの速度を**瞬間の速度**といいます。

☑ **加速度**　単位時間あたりの速度の変化を**加速度**といいます。加速度が一定である直線運動を**等加速度直線運動**といい，はじめの位置が原点，物体の初速度v_0〔m/s〕，加速度a〔m/s^2〕，t〔s〕秒後における移動距離x〔m〕，速度v〔m/s〕のとき，$v=v_0+at$，$x=v_0t+\frac{at^2}{2}$，$v^2-{v_0}^2=2ax$が成り立ちます。

☑ **落下運動**　静止していた物体が重力だけを受けて落下する運動を**自由落下**❹といいます。はじめの位置が原点，速度v_0〔m/s〕，重力加速度g〔m/s^2〕，t〔s〕秒後における移動距離x〔m〕，速度v〔m/s〕のとき，$v=gt$，$x=\frac{gt^2}{2}$が成り立ちます。速さv_0〔m/s〕で鉛直下向きに投げおろした物体の運動は初速度v_0〔m/s〕，はじめの位置が原点，重力加速度g〔m/s^2〕，t〔s〕秒後における移動距離x〔m〕，速度v〔m/s〕のとき，$v=v_0+gt$，$x=v_0t+\frac{gt^2}{2}$が成り立ちます。

☑ **放物運動**　水平方向や斜め上方に投げられた物体の運動を**放物運動**，物体の動く軌跡を**放物線**といいます。水平方向は等速直線運動，鉛直方向は等加速度直線運動です。

❸「等速直線運動」
速度が一定の運動なので，**等速度運動**ともよばれます。

さらに詳しく

❹自由落下する物体の加速度は鉛直下向きであり，**重力加速度**とよばれます。

運動とエネルギー

頻出度 A

傾向&ポイント 物体の高さ，速度を問う設問が頻出です。また，運動方程式から物体の加速度，作用する力の大きさを求める設問もよくみられます。

1　ニュートンの運動の法則

慣性の法則　物体が外から力を受けないとき，あるいは物体が受ける力の合力が0のとき，静止している物体は静止し続け，運動している物体は等速直線運動を続けます。これを**慣性の法則**（**運動の第1法則**）といいます。

運動の法則　力を受ける物体は，その力の向きに加速度 a〔m/s^2〕を生じます。この加速度の大きさは受ける力 F〔N〕の大きさに比例し，物体の質量 m〔kg〕に反比例します。これを**運動の法則**（**運動の第2法則**）といい，$a=k\dfrac{F}{m}$ と表されます（k❶は比例定数）。また，運動方程式は $ma=F$ と表されます。

運動の第3法則　**作用・反作用の法則**❷は，**運動の第3法則**とよばれます。

2　仕事とエネルギー

物体に力を加えて，力の向きに動いたとき，力が**仕事**をしたといいます。また，物体がほかの物体に対して仕事をする能力をもつとき，その物体は**エネルギー**をもつといいます。物体が L〔m〕移動したとき，物体に作用する F〔N〕の力がした仕事 W は，力の向きと移動方向のなす角が θ のとき，$W=FL\cos\theta$ と表されます。

仕事率　仕事の能率は，単位時間あたりの仕事で表され，これを仕事率といいます。時間 t〔s〕の間に W〔J〕

さらに詳しく

❶比例定数 k の値は，質量 m，加速度 a，力 F の単位によって決まります。ニュートン(N)は質量の単位をkg，加速度の単位を m/s^2 としたとき，$k=1$ となるように定められています。

❷物体Aから物体Bに力がはたらくとき，物体Bから物体Aにも，同じ作用線上で逆向きの同じ大きさの力がはたらきます。これを**作用・反作用の法則**といいます。

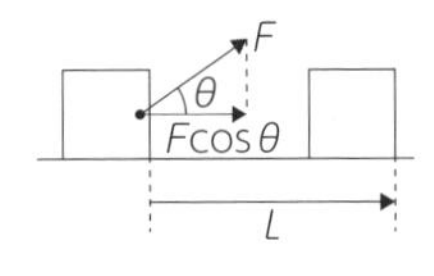

の仕事をするとき，仕事率 $P=\frac{W}{t}$ と表されます。

3　力学的エネルギー❸

☑ **運動エネルギー**　運動している物体がもつエネルギーを**運動エネルギー**といいます。質量 m〔kg〕の物体が速さ v〔m/s〕で運動しているとき，物体の運動エネルギー K〔J〕は $K=\frac{mv^2}{2}$ で表されます。速さ v_0〔m/s〕で運動している質量 m〔kg〕の物体が，W〔J〕の仕事をされて速さが v〔m/s〕になったとき，$W=\frac{mv^2}{2}-\frac{mv_0{}^2}{2}$ と表されます。

☑ **位置エネルギー**　物体が高い位置にあるとき，その物体はエネルギーをもっており，これを**重力による位置エネルギー**といいます。高さ h〔m〕にある質量 m〔kg〕の物体がもつ重力による位置エネルギー U〔J〕は，重力加速度の大きさを g〔m/s²〕としたとき，$U=mgh$ となります。

　また，伸ばされたばねにつながれた物体はエネルギーをもっており，これを**弾性力による位置エネルギー**といいます。ばね定数 k〔N/m〕のばねが自然の長さから x〔m〕伸びた（縮んだ）とき，物体の弾性力による位置エネルギー U〔J〕は $U=\frac{kx^2}{2}$ で表されます。

☑ **力学的エネルギー保存の法則**

　運動エネルギー K と位置エネルギー U の和が一定に保たれることを**力学的エネルギー保存の法則**といいます。

☑ **保存力❹**

　物体が２点間を移動するとき，力がする仕事が移動の経路によらず一定である場合，その力を**保存力**といいます。

❸「力学的エネルギー」物体の運動エネルギーと位置エネルギーの和のことです。

さらに詳しく

❹物体が保存力以外の力から仕事をされると，物体の力学的エネルギーはその分だけ変化します。変化する前，後の力学的エネルギーを E_1〔J〕，E_2〔J〕とすると，物体にした仕事 W〔J〕は，$W=E_2-E_1$ で表されます。

物理

さまざまなエネルギー

傾向&ポイント 発熱量と水温の変化の関係を問う問題が頻出です。熱力学第1法則・第2法則をよく理解しておきましょう。

1 熱とエネルギー

TIPS

❶熱運動している水分子が，牛乳中の粒子に衝突すると，牛乳中の粒子が不規則な運動をします。これを**ブラウン運動**といいます。

☑ 熱運動

物体を構成する原子や分子は，それぞれが無秩序な運動をしています。この運動のことを**熱運動**❶といいます。

☑ 温度

温度は熱運動の激しさを表す量です。氷の融解温度を0℃，水の沸点を100℃とした温度を**セルシウス温度**（セ氏温度）といい，単位は度（記号℃）を用います。－273℃ですべての粒子はその熱運動のエネルギーが0となり，それよりも低い温度は存在しません。－273℃を0（**絶対零度**）とした温度を**絶対温度**（熱力学温度）といい，単位には**ケルビン**（記号K）を用います。セ氏温度 t〔℃〕，絶対温度 T〔K〕の関係は，$\boldsymbol{T=t+273}$ と表されます。

☑ 熱量

物体間で移動する熱運動のエネルギーを**熱**といい，その量を**熱量**といいます。単位はエネルギーと同じく**ジュール**（記号J）を用います。温度の異なる物体を接触させると，やがて2つの物体の温度は等しくなります。このときの状態を**熱平衡**といいます。

いくつかの物体の間で熱の出入りがあるとき，「高温の物体が失った熱量＝低温の物体が得た熱量」が成り立ち，これを**熱量の保存**といいます。

☑ 熱量と比熱

ある物体を1K上昇させるのに必要な熱量を，その物体の**熱容量**といい，単位は**ジュール毎ケルビン**（記号 J/K）を用います。また，単位質量の熱容量をその物質の**比熱**といい，単位はジュール毎グラム毎ケルビン（記号 J/(g·K)）を用います。比熱 c〔J/(g·K)〕の物質でできている質量 m〔g〕の物体の熱容量 C〔J/K〕は $C=mc$ で表されます。

熱力学第１法則

物体に外部から加えられた熱量 Q と，外部からされた仕事 W の和は物体の内部エネルギー❷の変化 $\varDelta U$ となります。これを**熱力学第１法則**といい，$\varDelta U=Q+W$ となります。

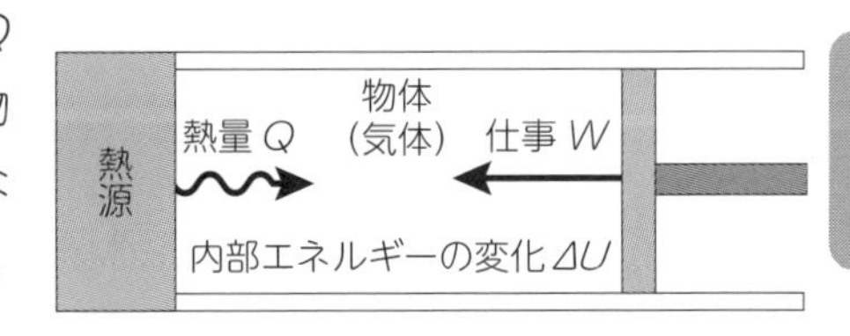

エネルギー保存の法則

エネルギーには，力学的エネルギー，熱エネルギー，電気エネルギー，光エネルギー，化学エネルギー，核エネルギーなどがあり，これらが変換されてもその総和は常に一定に保たれます。これを**エネルギー保存の法則**といいます。

熱力学第２法則

現象の進む向きが一方向で，逆向きには自然に進むことがない変化を**不可逆変化**といいます。例えば，熱は低温の物体から高温の物体に自然に移ることはありません。この法則を**熱力学第２法則**といいます。一方，現象の進む向きが自然に逆向きに進む変化を**可逆変化**といいます。

熱機関

発電所で用いられる蒸気タービンなどは，繰り返し熱を仕事に変えています。この装置を**熱機関**といいます。

ボイルの法則

温度が一定のとき，一定質量の気体の体積 V は気体の圧力❸ p に反比例し，$pV=$ **一定**となります。

シャルルの法則

圧力が一定のとき，一定質量の気体の体積 V は，絶対温度 T に比例し，$\dfrac{V}{T}=$ **一定**となります。

物理

さらに詳しく

❷物体の構成粒子は運動エネルギーのほかに粒子間の力による位置エネルギーをもっています。これらのエネルギーの総和を物体の**内部エネルギー**といいます。

さらに詳しく

❸気体の構成分子は熱運動しており，容器に閉じ込めると，壁に気体の圧力を生じます。

波動

傾向&ポイント 光が空気中から水の中に進むときの屈折のしかたや，ドップラー効果の具体例，振動数の増加減少の区別などが問われます。レンズによってできる像の位置や大きさを求める問題も出題されています。

1 波を表す要素と性質

波（波動）❶とは，ある場所に生じた振動が次々とまわりに伝わる現象です。波を伝える物質を**媒質**，最初に振動を始めたところを**波源**といいます。

周期的な波 物体が1回の振動に要する時間を**周期**，1秒間あたりの振動の回数を**振動数**といい，単位には**ヘルツ**（記号Hz）が用いられます。周期が T〔s〕の振動の振動数を f〔Hz〕とすると，$f=\frac{1}{T}$が成り立ちます。

波の要素 隣り合う山と山の間隔を**波長**，変位の最大値を**振幅**といいます。振動数 f〔Hz〕，波長 λ〔m〕の波が伝わる速さが v〔m/s〕のとき，$v=f\lambda$が成り立ちます。

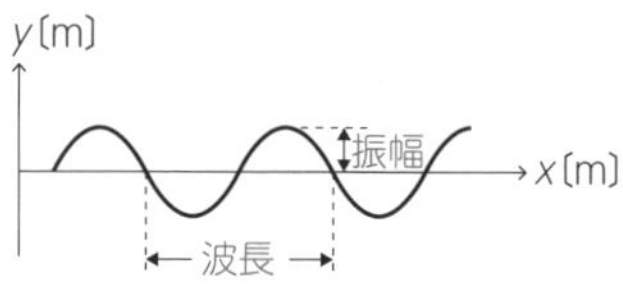

重ね合わせの原理 複数の波が重なり合うとき，媒質の変位 y はそれぞれの波の変位の和になり，$y=y_A+y_B$ と表されます。これを波の**重ね合わせの原理**といい，その結果できる波を**合成波**といいます。

ホイヘンスの原理 波面上の各点からはそれを波源とする球波面（**素元波**）が発生し，これら無数の素元波に共通に接する面が次の瞬間の波面になります。波の**反射**，**屈折**，**回折**もその例です。

さらに詳しく

❶媒質の振動方向が波の進行方向に垂直な波を，**横波**といいます。これに対し，媒質の振動方向が波の進行方向に平行な波を**縦波**といいます。縦波は媒質の疎な部分と密な部分が伝わる波であるため，**疎密波**ともよばれます。

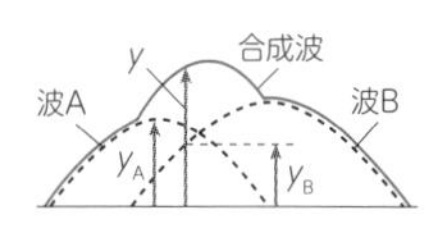

2　音波の性質❷

物質を伝わる縦波（疎密波）を**音波**といいます。また，振動して音を発するものを**音源**（発音体）といいます。
空気中の音波の速さ V〔m/s〕は温度 t〔℃〕のとき，$V = 331.5 + 0.6t$ と表されます。

☑ **音の３要素**　音の**高さ**❸（**振動数**），**大きさ**（**振幅**），**音色**（**波形**）を音の３要素といいます。

☑ **音のうなり**　振動数の異なる２つの音が干渉して，周期的に音の強弱が変化する現象を音の**うなり**といい，一度強め合った波が再び強め合うまでの時間を**うなりの周期**といいます。

☑ **共振（共鳴）**　物体はその固有振動数❹に等しい振動数の周期的な力を受けたとき，大きく振動します。この現象を**共振**または**共鳴**といいます。

3　光の性質

光の速さは自然界で最も速く，真空中では約 3×10^8〔m/s〕です。人に見える光を**可視光線**といい，波長は約 380nm ～ 780nm で，波長の長い方から順に，赤，橙，黄，緑，青，紫です。

☑ **散乱・偏光**　光が空気中の分子や微粒子にあたって進路がさまざまな方向に変わる現象を**散乱**といいます。また，振動方向が特定の方向に決まっている光を**偏光**といいます。

レンズと物体，像の距離がそれぞれ a，b，レンズの焦点距離 f のとき，$\dfrac{1}{a} + \dfrac{1}{b} = \dfrac{1}{f}$ が成り立ちます。物体と同じ側に像（**虚像**）ができるとき $b<0$，凹レンズのとき $f<0$ となります。

TIPS

❷音源や観測者が移動することによって，音源の振動数と異なる振動数の音が観測される現象のことを**ドップラー効果**といいます。救急車が近づいてきたときと離れていったときで，サイレンの音が異なるように聞こえるのはこのためです。

❸ヒトが聞き取ることのできる音（可聴音）はおよそ 20 ～ 20000Hz の範囲です。ヒトが聞き取ることのできない振動数の音波は**超音波**といいます。

ことば

❹「固有振動数」
振動する物体は，その物体に固有の決まった振動数で振動します。この振動を**固有振動**といい，このときの振動数を**固有振動数**といいます。

物理

6 電磁気

傾向&ポイント 電流と抵抗の関係，電流がつくる磁場について理解しておきましょう。オームの法則によって電流・電圧を求める問題は頻出です。

頻出度 A

1 静電気

異なる物質をこすりあわせると，物質は電気（摩擦電気）を帯びます。この現象を**帯電**といい，生じた電気を**静電気**といいます。帯電した物質間にはたらく力を**静電気力**といい，原因となるものを**電荷**❶といいます。

さらに詳しく
❶電荷の量を**電気量**といい，単位は**クーロン**（記号 C）を用います。電荷には**正電荷**と**負電荷**の２種類があり，同種の電荷の間には**斥力**（反発する力）が，異種の電荷の間には**引力**がはたらきます。

2 電流と抵抗

☑ **電荷と電流**　電球と電池を導線で接続すると，電流が流れて，電球が点灯します。電流は電荷の流れで，電池の正極から負極へ向かって流れます。電流の大きさは，導線の断面を１秒間に通過する電気量で表され，単位には**アンペア**❷（記号 A）が用いられます。

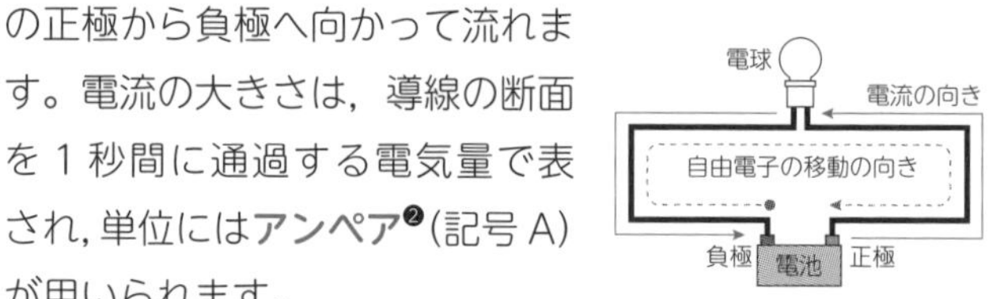

❷ 1A は１秒間に 1C の電気量が通過するときの電流の大きさで，電流の向きは正電荷が移動する向きです。

☑ **電圧**　電池には，電流を流そうとするはたらきがあり，このはたらきの大きさを**電圧**（**電位差**）といいます。単位には**ボルト**（記号 V）が用いられます。

☑ **オームの法則と抵抗**　電圧を変化させ，電圧 V〔V〕と流れる電流の I〔A〕の関係を調べると，電流は電圧に比例することがわかります。$V=RI$ で表される関係を**オームの法則**といい，定数 R は電流の流れにくさ，電気抵抗（抵抗）とよばれ，単位にはオーム（記号Ω）が用いられます。

☑ **抵抗の接続**　抵抗 R_1〔Ω〕, R_2〔Ω〕をあわせて接続し，１つの抵抗とみなしたときの抵抗を**合成抵抗** R〔Ω〕といいます。直列接続の場合は $R=R_1+R_2$，並列接続の場合は $\frac{1}{R}=\frac{1}{R_1}+\frac{1}{R_2}$ になります。

3 電気エネルギー

☑ **電流と熱，電力**　抵抗のある導体に電流を流すと熱が発生します。抵抗 R〔Ω〕❸に電圧 V〔V〕を加えて，電流 I〔A〕を t〔s〕間流すと発生する熱量 Q〔J〕は $Q=VIt=RI^2t$ で表され，これを**ジュールの法則**といいます。また，電流が単位時間にする仕事（仕事率）を電力といいます。電力の単位には**ワット**〔W〕が用いられ，電力を P〔W〕とすると，$P=VI=RI^2$ と表されます。

さらに詳しく

❸物質の抵抗 R〔Ω〕は同じ材質であれば，その長さ l〔m〕に比例し，断面積 S〔m^2〕に反比例します。比例定数を ρ とすると $R=\rho\frac{l}{S}$ で表されます。比例定数 ρ は，抵抗率とよばれ，物質に固有の値です。

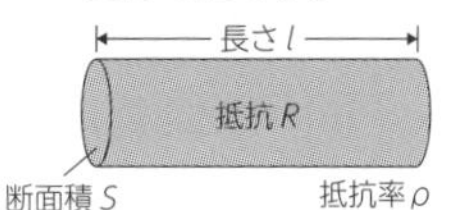

4 磁場

☑ **磁場と磁力線**　磁極に磁気力をおよぼす空間を**磁場**（**磁界**）といいます。磁界の様子は磁場の向き❹，つまりN極からS極に向かう**磁力線**で表されます。

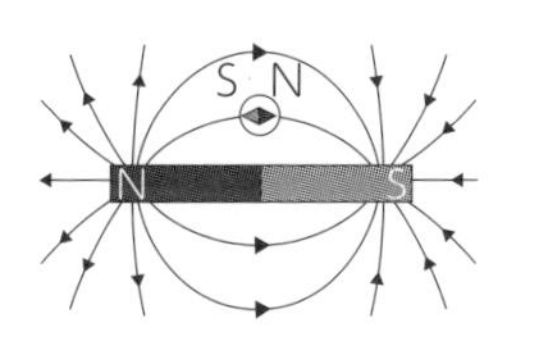

☑ **電流がつくる磁場**　電流の周囲に生じる磁場は，電流と磁場の向きが，それぞれ右ねじが進む向きとねじを回す向きに対応するように生じます。これを**右ねじの法則**といいます。

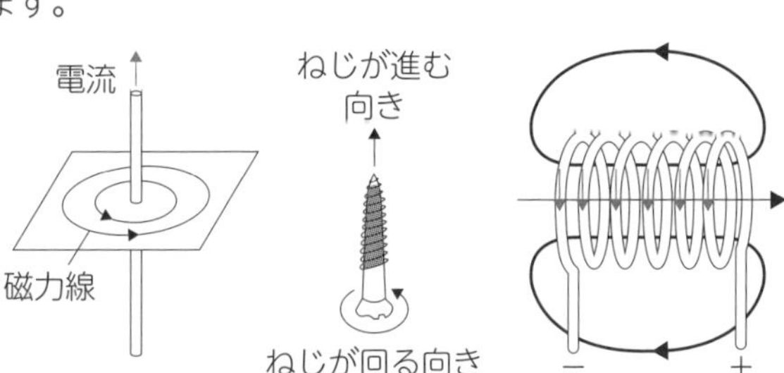

☑ **電流が磁場から受ける力**　電流，磁場，力の各向きの関係は，左手の指で表すことができます。これを**フレミング左手の法則**といいます。

❹磁場の向きは，磁針のN極が磁場から受ける力の向きと定められています。

物理

確認テスト

物理

1　次の文の空欄に当てはまる言葉や数値を答えよ。

⑴　力の三要素は，力の大きさ，（　），作用点である。

⑵　動滑車を用いて物体を持ち上げるとき，定滑車を用いる場合と比べて，ひもを引く力は（　），ひもを引く距離は（　）になる。

⑶　流体中の物体が，流体から鉛直上向きに受ける力を（　）という。

⑷　物体を自由落下させたとき，5秒後の速度は（　）m/sである。ただし，重力加速度は，$9.8\,m/s^2$とする。

⑸　運動エネルギーと位置エネルギーの和が一定に保たれることを（　）の法則という。

⑹　氷の融解温度を0℃，水の沸点を100℃とする温度を（　）という。

⑺　物質を伝わる縦波（疎密波）を（　）という。

⑻　音の特徴である三要素は，音の高さ，音の大きさ，（　）である。

⑼　回路を流れる電流は電圧に比例するという法則を（　）という。

⑽　電力が20Wの電球に100Vの電圧をかけたときに流れる電流は（　）Aである。

⑾　磁極に磁気力をおよぼす空間を（　）といい，そのようすはN極からS極に向かう（　）で表される。

1

⑴　向き

⑵　半分，2倍

⑶　浮力

⑷　49

⑸　力学的エネルギー保存

⑹　セルシウス温度

⑺　音波

⑻　音色

⑼　オームの法則

⑽　0.2

⑾　磁場（磁界），磁力線

2 次の文章中の空欄に当てはまる語句を下の**ア**～**ケ**から選べ。

(1) 止まっている電車が発車するとき，中で立っている人は，（　）の法則によって，静止状態を続けようとして倒れそうになる。このとき，つり革を引く力を大きくすると，（　）の法則によって，人はつり革からより大きな力を受ける。

(2) 質量 1000 kg の自動車が 8 m/s^2 で加速するとき,（　）の法則によって, 自動車に作用する力は（　）N である。

ア	運動	**イ**	作用・反作用	**ウ**	慣性
エ	25	**オ**	400	**カ**	800
キ	8000	**ク**	ファラデー	**ケ**	ガリレオ

2

(1) ウ，イ

(2) ア，キ

3 次の空欄に当てはまる数値を答えよ。

20℃の水 100 g に，80℃で 300 g の物体を入れたところ，全体の温度は 30℃になった。水の比熱を 4.2 J/(g・K)とし，水と物体以外に熱は伝わらないものとしたとき, 水が得た熱量は（　1　）J, 物体が失った熱量は（　2　）J，物体の比熱は（　3　）J/(g・K)である。

3

(1) 4200

(2) 4200

(3) 0.28
（4200=300 × c × 50）

4 次の回路図について，各問に答えよ。

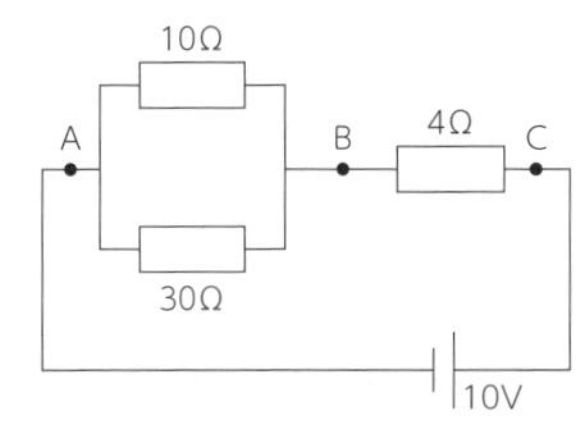

(1) AB 間の合成抵抗を求めよ。

(2) AC 間の合成抵抗を求めよ。

4

(1) 7.5 Ω

(2) 11.5 Ω

物理

1 物質と構造

頻出度 B

傾向&ポイント 原子の構造や化学結合の種類に関する問題が多く出題されます。それぞれの用語の意味をきちんと理解しましょう。

1 物質の構成

原子の構造

物質を構成する最も基本的な粒子のことを**原子**[1]といいます。原子は，**陽子**と**中性子**からなる**原子核**と，原子核のまわりを取り囲む**電子**で構成されています。また，原子中の陽子の数のことを**原子番号**といい，陽子と中性子の数の和のことを**質量数**といいます。

さらに詳しく
❶原子の種類のことを元素といいます。

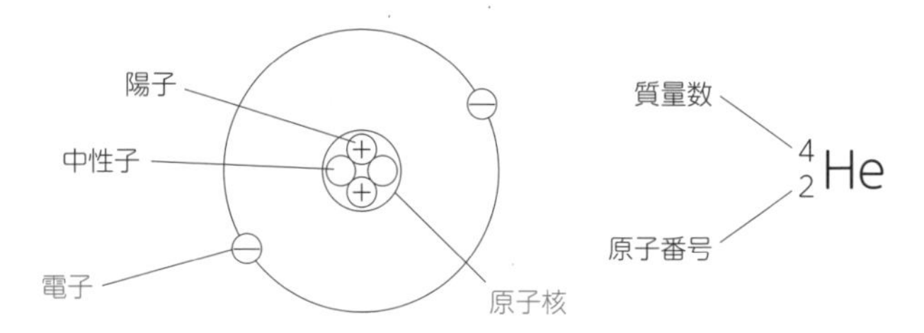

原子が電子を得るか失うかして電気を帯びるようになった粒子のことを**イオン**といいます。また，陽子の数が同じでも，中性子の数だけが異なる原子どうしのことを**同位体**といいます。

化学結合

いくつかの原子が結合してできた粒子のことを**分子**といいます。原子や分子の結合には，**イオン結合**，**共有結合**，**金属結合**，**分子間力**などの種類があります。また，イオン結合，金属結合からなる結晶のことを，それぞれ**イオン結晶**，**金属結晶**といいます。

イオン結合	陽イオンと陰イオン間にはたらく静電気的な引力（クーロン力）による結合。例）NaCl イオン結晶は融点が高いが，硬くてもろく，**水溶液は電気を通す。**
共有結合	原子どうしが電子対を共有することによる結合。例）H_2，CO_2 共有結合による結晶は硬く，融点が高い。例）ダイヤモンド
金属結合	金属原子内の電子が自由電子として，共有されることによる結合。 金属結晶は**展性**や**延性**を示し，**熱や電気をよく通す。**
分子間力	分子間にはたらく相互作用。ファンデルワールス力ともいう。 分子間力は極めて弱い力であり，融点は低い。例）ドライアイス

2 物質の種類

☑ 純物質と混合物

　1種類の物質からなるものを**純物質**といい，純物質は**単体**と**化合物**に分類されます。また，純物質が混じり合ったものを混合物といいます。

純物質	単体	1種類の元素で構成されている。	例）H_2，O_2，Cu，Na
	化合物	2種類以上の元素で構成されている。	例）H_2O，CO_2，NaCl，CH_4
混合物	2種類以上の純物質が混じったもの。		例）食塩水（水と塩の混合物），空気（窒素や酸素などの混合物）

☑ 混合物の分離

　混合物から純物質を取り出す方法には，**ろ過**，**蒸留**，**再結晶**，**昇華法**などがあります。混合物の種類に応じて，適した分離方法を選びます。

ろ過	液体から固体を取り出す。例）水とデンプンの混合物
蒸留	沸点の異なる2種類の液体の混合物を加熱し，沸点の低いほうを気体として取り出す。例）水とエタノールの混合物
再結晶	溶解度の温度差を利用して，1種類の固体を析出させる。 例）ミョウバンを含む食塩水からミョウバンを取り出す。
昇華法	混合物から，昇華しやすい物質を気体として取り出す。

2 物質の状態

傾向&ポイント ボイル・シャルルの法則に関する出題がみられます。物質の状態変化についても押さえておきましょう。

頻出度 B

1 物質の三態

物質の状態変化

物質がとりうる**固体**, **液体**, **気体**の３つの状態のことを三態といいます。物質の温度や圧力の変化によって，物質はこれらの状態間を移り変わります。固体が液体に変化することを**融解**，液体が固体に変化することを**凝固**といい，このときの温度のことをそれぞれ**融点**，**凝固点**❶といいます。また，液体が沸騰するときの温度のことを**沸点**といいます。

さらに詳しく
❶一般的に，純物質では融点と凝固点の温度は等しくなります。

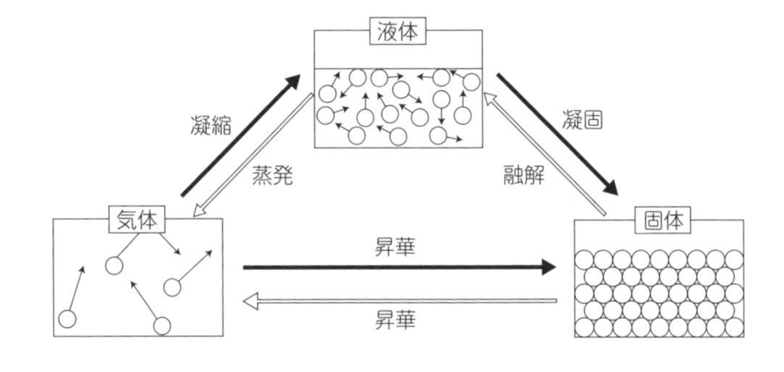

2 気体の状態方程式

ボイルの法則

一定の温度の下では，気体の体積 V〔L〕が圧力 P〔Pa〕に反比例することを**ボイルの法則**❷といいます。ボイルの法則から，気体の体積と圧力の積は一定（PV =一定）となります。

one POINT
❷ボイルの法則から，温度が一定の場合，気体に加える圧力が2倍になると，気体の体積は$\frac{1}{2}$倍となります。

シャルルの法則

一定の圧力の下では，一定の物質量の気体の体積 V〔L〕と絶対温度[3] T〔K〕が比例することを**シャルルの法則**といいます。シャルルの法則から，体積を絶対温度で割った値は一定となります$\left(\frac{V}{T}=一定\right)$。

ボイル・シャルルの法則

ボイルの法則とシャルルの法則を合わせたものを**ボイル・シャルルの法則**といいます$\left(\frac{PV}{T}=一定\right)$。

気体の状態方程式

物質量が n〔mol〕の気体について，気体の体積 V〔L〕，圧力 P〔Pa〕，絶対温度 T〔K〕の間には
$PV = nRT$（R：気体定数）の関係が成り立ちます。この関係のことを**気体の状態方程式**といいます。

3 溶液

溶液の濃度

溶液中に含まれる溶質の質量を百分率で表したものを，質量パーセント濃度といいます。

$$\textbf{質量パーセント濃度}〔\%〕=\frac{溶質の質量〔g〕}{溶液の質量〔g〕}\times 100$$

また，溶液１L中に溶けている溶質の量を物質量で表したものをモル濃度といいます。

$$\textbf{モル濃度}〔mol/L〕=\frac{溶質の物質量〔mol〕}{溶液の体積〔L〕}$$

[3]「絶対温度」
分子や原子の熱運動が停止する温度を絶対零度として定義した温度体系のことを絶対温度といい，単位にはK（ケルビン）を用います。

化学

3 物質の変化①

頻出度 B

傾向&ポイント 酸化・還元反応に関する問題がよく出題されます。化学反応に伴って，どの原子が酸化あるいは還元されたのか，しっかり答えられるようにしましょう。

1 物質量

物質量

物質量[1]は，原子や分子などの粒子の集まりを表す物質の量であり，単位には**モル（mol）**を用います。分子量[2] *M* の物質が *n*〔mol〕存在するとき，その物質の質量 *w*〔g〕は，$w=nM$ と表せます。

物質 1 mol の体積

気体の種類に関係なく，1 mol の気体の体積は 0℃，1 気圧で 22.4 L となります。

さらに詳しく

❶ 1 mol の物質には，その構成粒子が約 6.02×10^{23} 個含まれています。なお，6.02×10^{23} はアボガドロ数とよばれます。

❷「分子量」
ある分子を構成する原子の原子量の和を分子量といいます。たとえば，水分子 H_2O は原子量 1.0 の水素原子と原子量 16.0 の酸素原子から構成されているので，分子量は (1.0×2)+16.0=18.0 となります。

2 酸化還元

酸化還元

分子や原子が，酸素原子や水素原子，電子などをやりとりすることを**酸化還元反応**といい，分子や原子が授受した電子の数のことを**酸化数**といいます。

	酸素原子	水素原子	電子	酸化数
酸化される	もらう	失う	失う	増加する
還元される	失う	もらう	もらう	減少する

酸化還元反応の例）

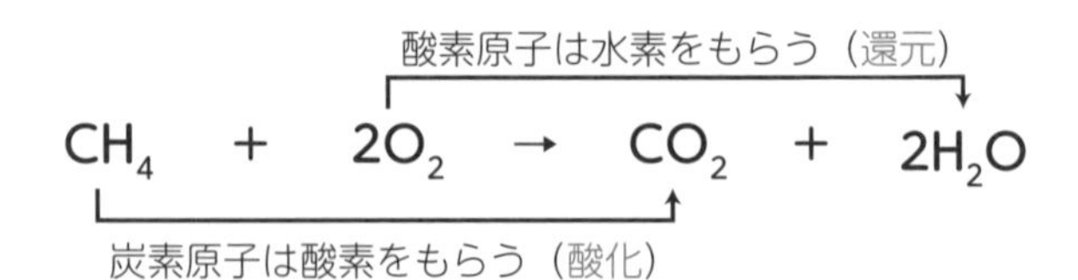

金属のイオン化傾向

金属元素が水溶液中で電子を放出し（酸化されて），陽イオンになろうとする傾向のことを**イオン化傾向**といいます。

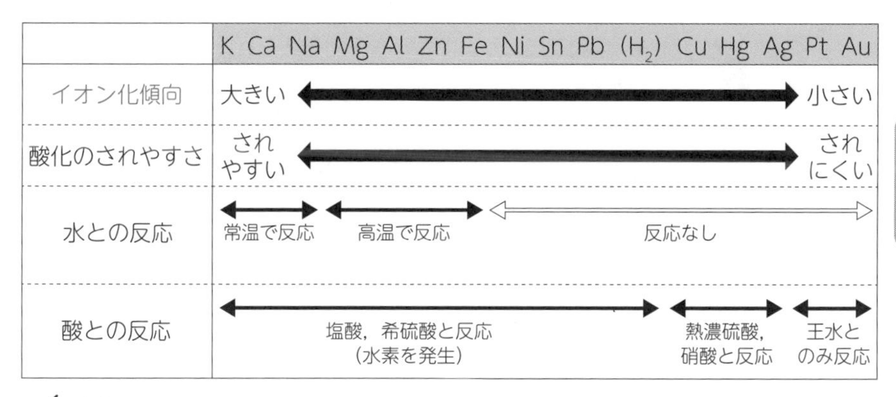

K Ca Na Mg Al Zn Fe Ni Sn Pb (H2) Cu Hg Ag Pt Au
イオン化傾向
大きい
小さい
酸化のされやすさ
されやすい
されにくい
水との反応
常温で反応
高温で反応
反応なし
酸との反応
塩酸，希硫酸と反応（水素を発生）
熱濃硫酸，硝酸と反応
王水とのみ反応

電池

酸化還元反応を利用し，電子の流れを生み出す装置のことを**電池**といいます。電池では負極側で酸化反応が生じ，電子を供給しています。

極	電子	電流	反応	イオン化傾向
負極	放出	流れ込む	**酸化**	大
正極	受け取る	流れ出る	**還元**	小

3 熱化学方程式

熱化学方程式

化学反応に伴って出入りする熱のことを**反応熱**[3]といい，**化学反応式**[4]に反応熱を書き加えたものを**熱化学方程式**といいます。

黒鉛の燃焼の例）

C(黒鉛)＋O_2(気)＝CO_2(気)＋394 kJ

ヘスの法則

反応熱の総量は，反応の経路によらず，反応の最初と最後の状態によって決まることを**ヘスの法則**といいます。

さらに詳しく

❸熱を発生する化学反応を**発熱反応**，熱を吸収する化学反応を**吸熱反応**といいます。反応熱には，燃焼熱や中和熱，溶解熱などがあります。

ことば

❹「化学反応式」
化学変化の様子を化学式で表したものを**化学反応式**といいます。

物質の変化②

傾向&ポイント 化学変化のようすをもとに，化学反応式を書けるように練習をしておきましょう。また，酸と塩基の定義や，中和反応についてもきちんと答えられるようにすることが大切です。

1 化学反応式

化学反応式

化学変化のようすを化学式で表したものを**化学反応式**といいます。化学反応式をつくるときは，**化学変化の前後で原子の総量が変化しない**ようにします。

化学反応式の例）エタノールが燃焼する反応
$C_2H_5OH + 3O_2 \rightarrow 2CO_2 + 3H_2O$

また，化学反応式の係数は，**各物質量や各気体の体積の比率**を表しています。

例）水素と酸素から水（水蒸気）が生じる反応

化学反応式	$2H_2$	+	O_2	→	$2H_2O$
物質量	2 mol	:	1 mol	:	2 mol
気体の体積比	2	:	1	:	2

2 酸と塩基

酸と塩基の定義

一般的に，酸や塩基は，水に溶かした際に**H^+（水素イオン）**を授受するものとして定義されます。酸と塩基の定義にはいくつかあるので注意しましょう。

提唱者	酸	塩基
アレニウス	水に溶け，H^+を生じる。	水に溶け，OH^-を生じる。
ブレンステッドとローリー❶	水に溶け，H^+を与える。	水に溶け，H^+を受け取る。

さらに詳しく
❶アレニウスの定義ではアンモニア（NH_3）が塩基として分類できないという問題点がありましたが，ブレンステッドとローリーによって解決されました。

溶液の酸性・塩基性を判断する際には，リトマス試験紙やBTB溶液を用います。

物性	色の変化
酸性	リトマス試験紙：青→赤，BTB溶液：緑→黄
塩基性	リトマス試験紙：赤→青，BTB溶液：緑→青

☑ pH

溶液の酸性・塩基性の程度は，溶液中の水素イオンの濃度 $[H^+]$ を用いて表されます。水素イオン濃度が 10^{-n}mol/L と表されるとき，n の値のことを **pH** とよびます。**pH が 7 の溶液は中性**であり，pH が 7 より小さいと酸性，7 より大きいと塩基性になります。なお，水溶液では，水素イオン濃度 $[H^+]$ と水酸化物イオン濃度 $[OH^-]$ の積について，$[H^+]\times[OH^-]=1.0\times10^{-14}(mol/L)^2$ が成り立ちます。

☑ 価数と電離度

1分子の酸や塩基が，水に溶けたときに出す H^+，OH^- の数のことを**価数**❷といいます。また，酸や塩基を水に溶かしたときに**電離**❸する割合のことを**電離度**といいます。電離度が大きい物質ほど強酸あるいは強塩基となります。

3　中和反応

☑ 中和と塩

酸と塩基を混合したとき，酸の H^+ と塩基の OH^- が反応して，互いの性質を打ち消しあうことを**中和反応**といいます。このとき，H^+ と OH^- が結合して水分子 H_2O が生成されます。また，酸の陰イオンと塩基の陽イオンが結合してできる化合物のことを**塩**（えん）といいます。酸と塩基が過不足なく中和するときは，以下の関係が成り立ちます。

(酸の価数)×(酸の濃度)×(酸の体積) 　　　　＝(塩基の価数)×(塩基の濃度)×(塩基の体積)

さらに詳しく

❷塩酸（HCl）は水に溶けたときに1分子あたり1個の水素イオンを出すので価数は1価となります。一方，硫酸（H_2SO_4）は1分子あたり2個の水素イオンを出すため，価数は2価となります。

ことば

❸「電離」
電解質が水に溶けたときに陽イオンと陰イオンに解離する現象のことを**電離**といいます。

物質の性質①

傾向&ポイント 周期表の各族に属する元素の特徴に関する問題が出題されます。特徴的な元素の性質を覚えるようにしましょう。

頻出度 A

1 周期表

周期表

周期＼族	1	2	3～11	12	13	14	15	16	17	18
1	H									He
2	Li	Be			B	C	N	O	F	Ne
3	Na	Mg	遷移元素		Al	Si	P	S	Cl	Ar
4	K	Ca	Sc～Cuの9元素	Zn	Ga	Ge	As	Se	Br	Kr
5	Rb	Sr	Y～Agの9元素	Cd	In	Sn	Sb	Te	I	Xe
6	Cs	Ba	La～Auの23元素	Hg	Tl	Pb	Bi	Po	At	Rn
7	Fr	Ra	Ac～Rgの23元素							

■ 金属元素　□ 非金属元素

アルカリ金属（第1族 Li～Fr）　アルカリ土類金属（第2族 Ca～Ra）　ハロゲン（第17族）　希ガス（第18族）

性質が似た元素が並ぶように，元素を原子番号順に配置した表のことを**周期表**といいます。周期表の縦の列のことを**族**❶といい，横の並びのことを周期といいます。

さらに詳しく

❶典型元素では，同じ族に属する元素（同族元素）は化学的性質がよく似ています。たとえば，第18族の希ガスに属する元素は，常温では単原子分子で存在し，化合物をつくりにくいという性質をもっています。

元素の性質

周期表の中で，元素は大きく**典型元素**と**遷移元素**に分けられます。遷移元素は第3～11族の元素の総称であり，すべて金属元素です。一方，典型元素は第1，2族と第12～18族の元素の総称であり，金属元素と非金属元素を含みます。典型元素には，**アルカリ金属**や**アルカリ土類金属**，**ハロゲン**，**希ガス**などが含まれます。

アルカリ金属	H を除く，第 1 族の元素
アルカリ土類金属[2]	Be，Mg を除く，第 2 族の元素
ハロゲン	第17族の元素
希ガス	第18族の元素

さらに詳しく

❷ Be，Mg は第 4 周期以降の元素とは性質が異なるため，アルカリ土類金属には含まれません。

2　典型元素（非金属）の性質

水素分子（H_2）

2 個の水素原子が結合してできた分子であり，常温・常圧で無色無臭の気体として存在します。亜鉛などの，イオン化傾向が水素より大きい金属に塩酸を加えると発生します。

ハロゲン

常温・常圧で，フッ素（F_2），**塩素**（Cl_2）は気体，ヨウ素（I_2）は固体の状態で存在します。塩素は刺激臭のある**黄緑色の気体**であり，**漂白作用**[3]をもっています。

さらに詳しく

❸塩素の気体中にリトマス紙を入れると，リトマス紙は漂白されて白色になります。

希ガス

単体は常温・常圧で気体の状態で存在します。**ヘリウム（He）**は不燃性で軽いため，気球や風船などの浮揚ガスとして利用されます。

3　典型元素（金属）の性質

アルカリ金属

やわらかく，融点が低い金属であり，**水に触れると激しく反応**します。

炎色反応

アルカリ金属やアルカリ土類金属，銅などの金属の単体や化合物を炎の中に入れたとき，その元素に特有の色が現れる現象のことを**炎色反応**[4]といいます。

炎色反応の例：**Li（赤）**，**Na（黄）**，K（紫），Cu（緑・青緑），
Ca（橙），Sr（紅），Ba（黄緑）

❹花火は炎色反応を利用することで，さまざまな色の光を生み出しています。

化学

物質の性質②

傾向＆ポイント 気体の発生方法や判別方法，気体の捕集方法に関する問題がよく出題されます。主要な気体の性質について押さえておきましょう。

頻出度 **B**

1 遷移元素の性質

遷移元素の性質

遷移元素に属する元素は**すべて金属**であり，ほとんどの元素の**最外殻電子**は**2個**です。遷移元素の化学的性質は原子番号が増加してもあまり変化せず，同じ周期❶に属する元素（隣接する元素）が似たような性質を示します。また，遷移元素はさまざまな酸化数の化合物をつくります。

さらに詳しく
❶典型元素では同じ族に属する元素の化学的性質がよく似ているのに対し，遷移元素では同じ周期に属する元素の性質がよく似ています。

金属の性質

金属単体の結晶は**金属光沢**を放ち，**展性**や**延性**を示します。また，**熱や電気をよく導く**という性質をもちます。

2 気体の性質

主な気体の性質

水素，酸素，二酸化炭素，窒素は無色・無臭の気体で，以下の特徴を示します。

気体名	水溶性	特徴
水素（H_2）	×	気体の中で**最も軽い**。可燃性があり，**火を近づけると爆発**する。
酸素（O_2）	×	**ものを燃やすはたらき**をもつ。酸素の中に火を入れると，激しく燃える。
二酸化炭素（CO_2）	△	水に少しだけ溶け，水溶液は弱酸性を示す。**石灰水を白濁させる。**
窒素（N_2）❷	×	大気中に最も多く含まれる気体。

さらに詳しく
❷窒素は化学的に安定な気体であるため，食品の包装内に充填して使用されることがあります。

一方，塩素，アンモニアは臭いをもち，以下の特徴を示します。

気体名	水溶性	特徴
塩素（Cl_2）	○	黄緑色の気体で，刺激臭をもつ。 水溶液は酸性で，**漂白作用**を示す。
アンモニア（NH_3）	○	無色の気体で，刺激臭をもつ。 水溶液は**アルカリ性**を示す。

主な気体の発生法

水素	・金属（鉄，亜鉛など）に塩酸を注ぐ。 ・水，塩酸を電気分解する（**陰極側**に発生）。 $2HCl \rightarrow H_2 + Cl_2$（塩酸の電気分解）
酸素	・**二酸化マンガン**に過酸化水素水を注ぐ。 ・水を電気分解する（**陽極側**に発生）。 $2H_2O \rightarrow 2H_2 + O_2$（水の電気分解）
二酸化炭素	・石灰石に塩酸を注ぐ。 ・**有機物を燃焼**させる。
アンモニア	・塩化アンモニウムと水酸化カルシウムの混合物を加熱する。 $2NH_4Cl + Ca(OH)_2 \rightarrow CaCl_2 + 2NH_3 + 2H_2O$

気体の捕集法

気体を捕集するときには，気体の性質に応じて**水上置換法・上方置換法・下方置換法**[3]を使い分けます。

水上置換法	上方置換法	下方置換法
水に溶けにくい気体	水溶性で，**空気より軽い**気体	水溶性で，**空気より重い**気体
酸素，水素など	アンモニアなど	塩素など
気体	気体	気体

❸二酸化炭素は水に少しだけ溶けるため，水上置換法と下方置換法のどちらでも集めることができます。

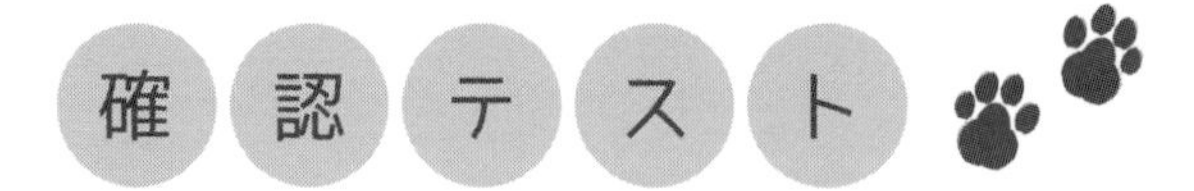

化学

1 次の文中の（　）に入る適切な語句を答えよ。

(1) 原子は，陽子と中性子からなる（　）と，そのまわりを取り囲む電子で構成されている。

(2) 金属結晶内の電子の一部は（　）として存在する。そのため，金属は電気をよく通す。

(3) 酸素分子のように 1 種類の元素からなるものを（　），二酸化炭素分子のように複数の元素からなるものを（　）という。

(4) 分子や原子が，酸素原子や水素原子，電子などをやりとりすることを（　）反応といい，分子や原子が授受した電子の数のことを（　）という。

(5) 沸点の異なる 2 種類の液体の混合物を加熱し，沸点の違いを利用して物質を分離する方法を（　）という。

(6) 一定の温度の下では，気体の体積が圧力に反比例することを（　）という。

(7) アレニウスの定義では，水溶液中で（　）を生じる物質を塩基という。

(8) 周期表の第 17 族の元素のことを（　）といい，フッ素や塩素がここに含まれる。

1

(1) 原子核

(2) 自由電子

(3) 単体，化合物

(4) 酸化還元，酸化数

(5) 蒸留（分留）

(6) ボイルの法則

(7) 水酸化物イオン（OH^-）

(8) ハロゲン

2 次の各文について，適切な値や語句を答えよ。

(1) 1 molのメタン（CH_4）が完全に燃焼するとき，二酸化炭素は何mol生成されるか。

(2) 24 gの炭素が完全に燃焼するときに発生する二酸化炭素は，0℃，1気圧で何Lになるか。

(3) マグネシウム（Mg），銅（Cu），金（Au）のうち，最もイオン化傾向の大きな金属は何か。

(4) うすい塩酸の中に亜鉛板と銅板を入れて電池を作ったとき，酸化されるのは亜鉛と銅のうちどちらか。

(5) pHが10の水酸化ナトリウム水溶液を，水で10倍に薄めた水溶液のpHはいくらか。

(6) カルシウム（Ca），銅（Cu），アルミニウム（Al）のうち，遷移元素を選べ。

(7) 銅（Cu）の炎色反応は何色か。

2

(1) 1mol

(2) 44.8 L

(3) マグネシウム（Mg）

(4) 亜鉛

(5) pH 9

(6) 銅（Cu）

(7) 緑（青緑）

3 次の各文について，当てはまる気体名を答えよ。

(1) 石灰石に塩酸を注ぐと発生する気体であり，下方置換法または水上置換法で集める。

(2) 鉄に塩酸を注ぐと発生する気体であり，水上置換法で集める。

(3) 塩化アンモニウムと水酸化カルシウムの混合物を加熱すると発生する気体であり，上方置換法で集める。

(4) 二酸化マンガンに過酸化水素水を注ぐと発生する気体であり，水上置換法で集める。

(5) 黄緑色の気体で刺激臭があり，漂白作用をもつ気体であり，下方置換法で集める。

3

(1) 二酸化炭素

(2) 水素

(3) アンモニア

(4) 酸素

(5) 塩素

1 細胞

頻出度 B

傾向＆ポイント 細胞小器官のはたらきや，細胞分裂の順序に関する問題がよく出題されます。植物細胞と動物細胞の構造の違いについてもきちんと押さえておきましょう。

1 細胞の構造

原核細胞と真核細胞

細胞のうち，細菌のように核などをもたない原始的な細胞を**原核細胞**，動植物の細胞のように核などをもつ細胞を**真核細胞**といいます。また，生物には，個体が 1 つの細胞だけからなる**単細胞生物**と，形や機能の異なる複数の細胞からなる**多細胞生物**❶がいます。

さらに詳しく

❶ボルボックスのように，形や機能が同じ細胞が集まったものを**細胞群体**といいます。細胞群体は，単細胞生物と多細胞生物の中間のような存在と考えられています。

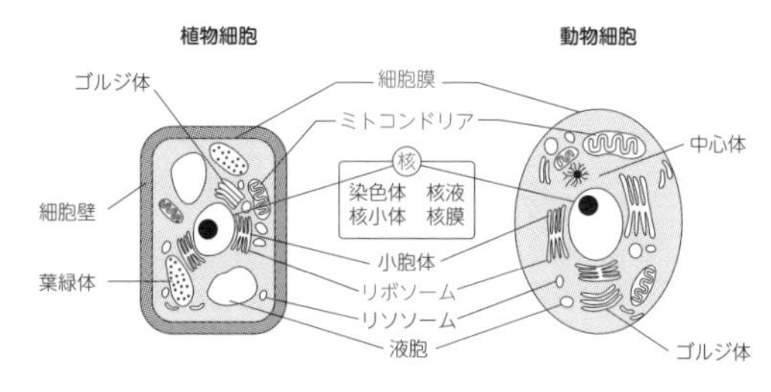

細胞の構造

細胞は**細胞膜**で包まれています。動植物の細胞はいずれも真核細胞であり，**細胞小器官**❷をもっています。細胞小器官のうち，**核**は遺伝情報の担い手である **DNA** をもち，**ミトコンドリア**は呼吸によって ATP を生産します。また，**リボソーム**ではタンパク質が合成されています。細胞小器官の間にある液体のことを細胞質基質といい，細胞膜と細胞質小器官，細胞質基質をまとめて，**原形質**といいます。

❷細胞小器官の名称とはたらきを一緒に覚えましょう。

植物細胞と動物細胞の違い

植物細胞は，細胞膜の外側に**細胞壁**をもっており，細胞内には光合成の場である**葉緑体**があります。これらは動物細胞にはない組織です。

細胞膜と浸透圧

細胞膜は，水や一部の物質だけを透過するという，**半透膜**の性質をもつため，細胞質と外液との間に浸透圧❸が生じます。細胞質と同じ浸透圧をもつ液体を**等張液**といい，浸透圧が高いものを**高張液**，低いものを**低張液**といいます。

	高張液	等張液	低張液
赤血球（動物細胞）	収縮	変化なし	**溶血**
植物細胞	**原形質分離**	変化なし	膨圧

赤血球を低張液に入れたとき，細胞が吸水して破裂することを**溶血**といいます。また，植物細胞を高張液に入れたとき，原形質の水分が外に出ることで収縮し，細胞膜と細胞壁がはがれることを**原形質分離**といいます。

❸「浸透圧」
濃度の異なる液体が半透膜によって仕切られたとき，濃度が低い液体から濃度が高い液体へと水分が移動しようとして発生する圧力のことを**浸透圧**といいます。

生物

2 細胞分裂

体細胞分裂と減数分裂

細胞分裂は，体細胞でみられる**体細胞分裂**と，生殖細胞でみられる**減数分裂**❹に分けられます。

さらに詳しく

❹動物の精子や卵子の形成過程でみられる減数分裂では，分裂後に染色体の数が半減します。半数の染色体をもつ精子と卵子が受精することで，受精卵は完全な染色体をもつようになります。

体細胞分裂の過程

核に染色体が現れて核膜や核小体が消え（**前期**），染色体が細胞の中央に集まって**紡錘体**が形成され（**中期**），染色体が両極に分かれ（**後期**），両極に移動した染色体が再び核膜に包まれ（**終期**），最終的に細胞質が 2 つに分裂します。

	間期	前期	中期	後期	終期	間期
植物	核小体　核	染色体	紡錘体　染色体		細胞板　娘核	娘細胞
動物	中心体　核　核小体	星状体	紡錘体　染色体		外側からくびれる	娘細胞

2 植物のつくり

傾向&ポイント 植物のつくりは，分裂組織と分化した組織に大別できます。それぞれの組織系の名称と，その役割を結び付けて覚えましょう。

頻出度 B

1 植物の組織

多細胞生物の構成

多細胞生物では，同じような形や機能をもった細胞が集まって**組織**[1]を形成し，いくつかの組織が集まって**器官**を形成しています。植物の組織は分裂組織と，分化した組織の2つに大きく分けられます。

分裂組織

細胞分裂がさかんにみられる組織のことを**分裂組織**といいます。分裂組織のうち，根や茎などの頂端の**伸長成長**をもたらすものを**頂端分裂組織**といい，このうち根の先端にあるものを**根端分裂組織**，茎の先端にあるものを**茎頂分裂組織**といいます。一方，分裂組織のうち，根や茎の**肥大成長**をもたらすものを**形成層**[2]といいます。

さらに詳しく
❶植物では，一般的に，はたらきの似たいくつかの組織をまとめて**組織系**とよびます。

さらに詳しく
❷形成層は双子葉類には存在しますが，単子葉類には存在しません。

伸長成長をもたらす

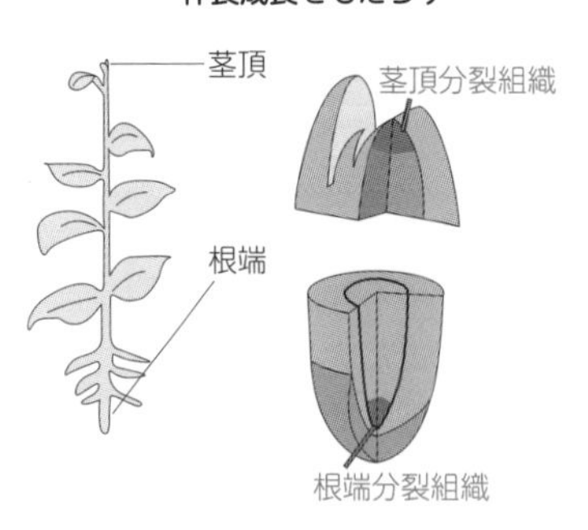

肥大成長をもたらす

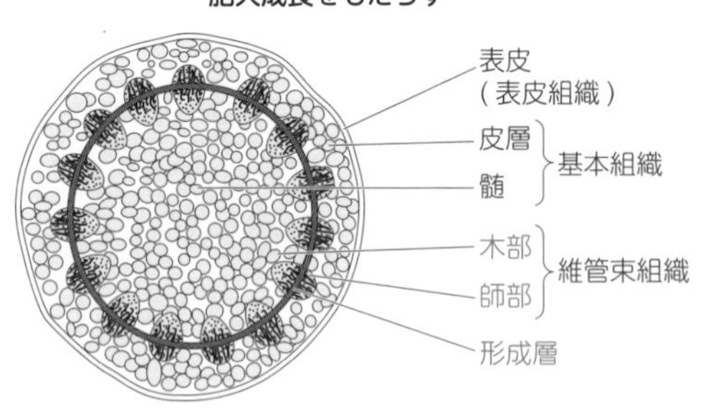

表皮系

植物の分化した組織は，異なる機能をもつ３つの組織系（表皮系，維管束系，基本組織系）に分けられます。このうち，**表皮系**は植物の体の表面を覆い，内部を保護する役割をもちます。

維管束系

維管束系は死細胞からなる**木部**と，生細胞からなる**師部**に分けられます。木部には根から吸収した水や無機塩類の通路である**道管**があり，師部には光合成で得られた糖などの通路である**師管**があります。

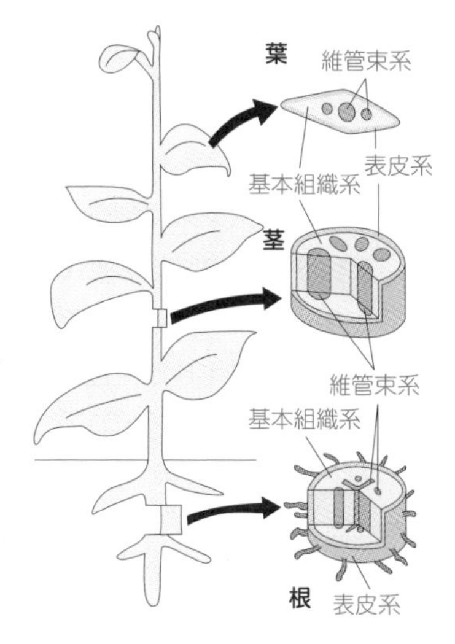

基本組織系

基本組織系[3]には，光合成を行う同化組織や，光合成で得られた有機物を貯蔵する貯蔵組織などがあり，植物の生命活動の中心的な役割を担っています。

さらに詳しく
❸葉の基本組織系である**さく状組織**や**海綿状組織**には光合成の場である葉緑体をもつ細胞が含まれています。

2　植物の器官

生殖器官と栄養器官

生物を構成する器官のうち，生殖に関わる機能をもつ器官のことを**生殖器官**といい，それ以外の器官のことを**栄養器官**といいます。植物の場合，花が生殖器官にあたり，根・茎・葉が栄養器官にあたります。

栄養生殖

ジャガイモやイチゴのように，根・茎・葉などの栄養器官から新しい個体が形成されるような生殖のことを**栄養生殖**[4]といいます。

❹植物の栄養生殖には，オニユリのむかご（球芽）やイチゴのランナー（匍匐茎）などがあります。

3 代謝

頻出度 A

傾向&ポイント 試験では，光合成と呼吸の反応経路や生成物についての出題がよくみられます。それぞれの経路で生成されるATPの数や，主要産物について答えられるようにしておきましょう。

1 代謝とエネルギー

同化と異化

生物は，酸素や栄養素などの物質を取り込み，これらの物質を化学反応させることで活動しています。生体内で起こる化学反応全体のことを**代謝**[1]といい，複雑な物質を合成する過程（**同化**）と，物質を分解してエネルギーを取り出す過程（**異化**）に分けられます。細胞内でのエネルギーのやりとりは，ATP（アデノシン三リン酸）[2]を介して行われます。

2 光合成

炭酸同化

生物が二酸化炭素から有機物を合成するはたらきを**炭酸同化**[3]といい，そのうち，光エネルギーを利用するものを**光合成**といいます。植物では，葉緑体に含まれるクロロフィルなどの光合成色素が光エネルギーを吸収し，二酸化炭素と水から，酸素とグルコース（$C_6H_{12}O_6$）が合成されます。

光合成	$6CO_2 + 12H_2O \rightarrow C_6H_{12}O_6 + 6H_2O + 6O_2$

光合成速度

単位時間あたりの植物の二酸化炭素の吸収速度，放出速度をそれぞれ**光合成速度**，呼吸速度といいます。植物に当てる光をだんだん強くしていくと，光合成による二酸化炭素の吸収速度と，呼吸による二酸化炭素の放出速度が等しくなります。このときの光の強さを**光補償点**といいます。

one POINT

❶同化は外部からのエネルギーを必要とする「エネルギー吸収反応」であり，異化はエネルギーを生み出すことのできる「エネルギー放出反応」です。

さらに詳しく

❷ATPは，塩基に糖と3個のリン酸が結合した構造をしています。リン酸どうしの結合（高エネルギーリン酸結合）が切れてATPがADPとリン酸に分かれるときにエネルギーが放出されます。

❸植物が外界から無機窒素化合物を取り入れ，有機窒素化合物を合成するはたらきは**窒素同化**です。

光をさらに強くすると，光合成速度は増加していきますが，ある値に達すると，それ以上は増加しなくなります。このときの光の強さを**光飽和点**といいます。

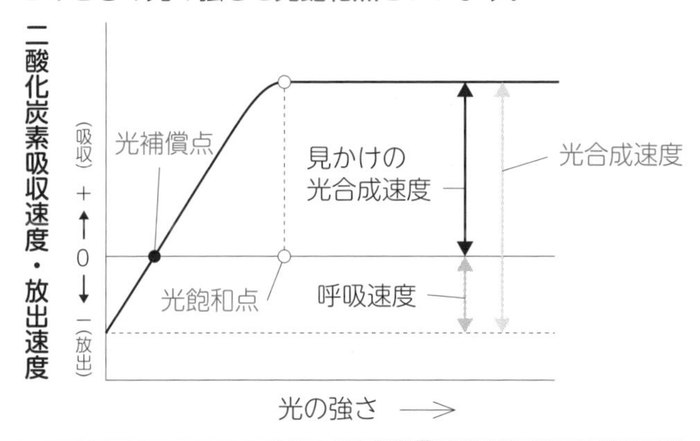

3 呼吸と発酵

☑ 呼吸

生物が有機物からATPを取り出す過程のうち，酸素を用いるものを**呼吸**（好気呼吸）❹といい，酸素を用いないものを**発酵**（嫌気呼吸）といいます。好気呼吸の過程は大きく**解糖系**，**クエン酸回路**，**電子伝達系**の3つから成り立っています。

①解糖系	グルコース → ピルビン酸＋2ATP
②クエン酸回路	ピルビン酸 → CO_2＋2ATP
③電子伝達系	H^+＋酸素分子 → 水分子＋34ATP
①＋②＋③　の合計	$C_6H_{12}O_6+6H_2O+6O_2$ → $6CO_2+12H_2O$＋38ATP（686kcal）

☑ 発酵

発酵❺には，**アルコール発酵**や**乳酸発酵**などがあります。

アルコール発酵	$C_6H_{12}O_6$ → C_2H_6O(エタノール)＋$2CO_2$ ＋2ATP
乳酸発酵	$C_6H_{12}O_6$ → $2C_3H_6O_3$(乳酸)＋2ATP

さらに詳しく

❹好気呼吸の3つの過程のうち，解糖系は細胞質基質で行われ，クエン酸回路と電子伝達系はミトコンドリアで行われます。解糖系やクエン酸回路で発生した水素イオン（H^+）は，NAD^+やFADなどの電子受容体に受け渡され，電子伝達系で利用されます。

TIPS

❺パンやアルコールの製造には，酵母菌が行うアルコール発酵が利用されており，チーズやヨーグルトの製造には，乳酸菌が行う乳酸発酵が利用されています。乳酸発酵と同じ反応は，酸素が不足したときのヒトの筋肉等でもみられます。

生殖

頻出度 B

傾向&ポイント 生殖方法や動物の発生過程，減数分裂のしくみなどに関する問題が広く出題されます。生殖方法については，実例とともに覚えるようにしましょう。

1 生殖と発生

無性生殖

自分と同じ種類の個体をつくり出すことを**生殖**❶といいます。このうち，個体が２つの個体に分裂したり，からだの一部が分かれて新個体ができるような生殖を**無性生殖**といい，分裂，出芽，胞子生殖，栄養生殖などに分けられます。

分裂	体がほぼ同じ大きさの２部分に分かれ，各々が新個体となる。（ゾウリムシ，アメーバ）
出芽	体の一部にできた小さな膨らみが成長して新個体ができる。（ヒドラ，酵母）
胞子生殖	体の一部から胞子が放出され，単独で新個体を形成する。（菌類，コケ植物，シダ植物）
栄養生殖	植物の栄養器官の一部から新個体が生じる。（ジャガイモ，サツマイモ，接木）

無性生殖で生じた個体は，基本的に親と全く同じ遺伝子をもちます。このように，遺伝的に同じ性質をもつ生物の集団のことを**クローン**といいます。

有性生殖

胞子や精子のように，生殖の過程で遺伝子を次世代に伝える役割をもつ細胞を**生殖細胞**といいます。また，生殖細胞のうち，卵や精子のように**接合**❷によって新個体を形成するものを**配偶子**といい，配偶子の接合による生殖のことを**有性生殖**といいます。有性生殖では，異なる親由来の配

one POINT

❶無性生殖は，生殖効率が良い反面，子の遺伝的多様性が低いという欠点があります。そのため，無性生殖と有性生殖とを両方行うことのできる生物では，環境がよいときには無性生殖を行い，環境が悪くなったときに有性生殖を行う傾向があります。

ことば

❷「接合」
配偶子どうしが合体して１つの細胞になることを**接合**といい，生じた細胞のことを接合子といいます。とくに，配偶子が卵と精子の場合における接合のことを**受精**といい，この場合の接合子のことを**受精卵**といいます。

偶子が組み合わさるため，子の世代は親とは異なる遺伝子の組み合わせをもつようになります。一部の生物種では配偶子が未受精のまま新個体ができることがあり，このような生殖のことを**単為生殖**といいます。

☑ 動物の発生

カエルの発生過程では，受精卵が**卵割**[3]とよばれる細胞分裂を繰り返したのち，様々な発生段階を経てオタマジャクシへと変化します。

カエルの発生過程
受精卵→**桑実胚**→**胞胚**→原腸胚→**神経胚**→**尾芽胚**

胚[4]は原腸胚期にさしかかると，外胚葉・中胚葉・内胚葉の３種類の細胞へと分化し，それぞれが組織，器官へと分化していきます。

外胚葉	表皮，神経系（脳，感覚器）など
中胚葉	骨格，骨格筋，心臓，血液など
内胚葉	消化管，呼吸器など

2　減数分裂

☑ 減数分裂

生殖細胞が形成されるとき，**相同染色体**[5]が別々の生殖細胞に分配されることで，核相[6]が 2n から n へと半減する**減数分裂**が生じます。減数分裂は，相同染色体が分配される**第一分裂**と，それに引き続く**第二分裂**からなります。

減数分裂

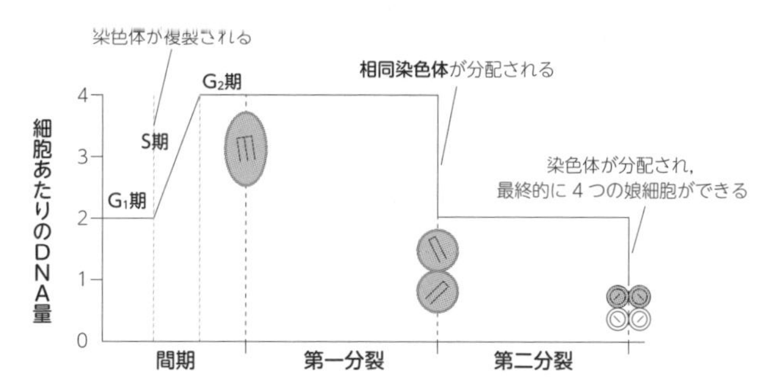

さらに詳しく

❸卵割は普通の体細胞分裂とは異なり，細胞が成長せずに分裂を続けるため，細胞の大きさがどんどん小さくなります。

ことば

❹「胚」
多細胞生物の発生初期の個体のことを胚といいます。

ことば

❺「相同染色体」
一般的に，有性生殖を行う個体の体細胞には，父方と母方から受け継いだ，機能が同じ染色体が２本ずつ含まれています。このような，同じ染色体の対のことを**相同染色体**といいます。

❻「核相」
細胞の核内に存在する染色体の組数のことを**核相**といいます。

ヒトの体①

傾向＆ポイント 血液を構成する成分や，血液の循環に関する問題がよく出題されます。また，肝臓や腎臓の主要な機能も頻出項目なので，しっかりと学習しましょう。

1 循環系

体液

体を構成する細胞の周囲は液体に囲まれており，この液体のことを**体液**といい，体液がつくる環境のことを**体内環境**[1]といいます。体液は，血管を流れる**血液**，リンパ管を流れるリンパ液，細胞や組織間にある**組織液**の３つに分類されます。また，血液は細胞成分（有形成分）である血球と，液体成分である**血しょう**に分けられます。

	名称	はたらき・特徴
細胞成分	赤血球	**ヘモグロビン**による酸素の運搬。
	白血球	**自然免疫**や**適応免疫**[2]に関わる。
	血小板	**血液凝固**に関わる。
液体成分	血しょう	**血糖**や**二酸化炭素**，タンパク質の運搬。血しょうが血管から組織へとしみ出たものが**組織液**であり，その一部がリンパ管に入ったものが**リンパ液**。

肺循環と体循環

全身を流れる血液の経路は，心臓から肺に至る**肺循環**と，それ以外を流れる**体循環**に分けられます。右心室を出て肺に入った血液は，肺から酸素を受け取って**動脈血**となり，その後に左心室から全身に送られ，二酸化炭素を含む**静脈血**となって右心房へと帰ってきます。

さらに詳しく

❶体内環境に対して，外気の気温や湿度などの，体の外にある環境のことを**体外環境**といいます。体外環境の変化に対して，体内環境を一定に保とうとするはたらきのことを**恒常性（ホメオスタシス）**といいます。

❷体内に侵入した異物（抗原）を記憶することで，効率的な免疫応答を可能とする機構のことを**獲得免疫**といいます。特に，T細胞による免疫のことを細胞性免疫，B細胞による免疫のことを**体液性免疫**といいます。

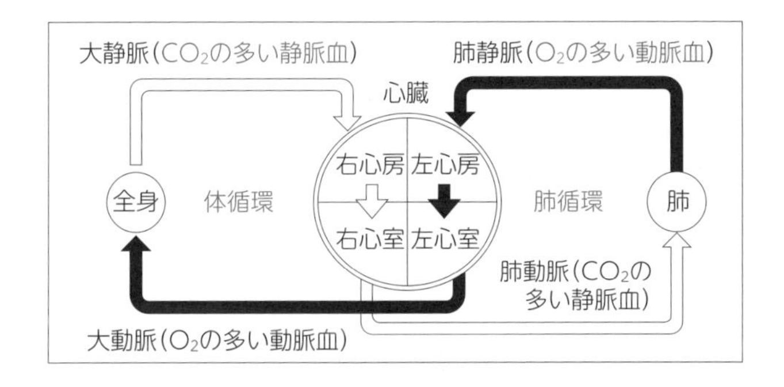

2 肝臓と腎臓のはたらき

☑ 肝臓

肝臓は体内で最も大きな器官であり，様々な物質の生成，貯蔵，分解など，恒常性の維持に関わっています。

血糖値調整	グリコーゲン❸の合成・分解。
尿素の合成	タンパク質やアミノ酸の分化で生じた有害なアンモニアを，尿素へと変化させる。
胆汁の生成	脂肪の消化を助ける胆汁の生成。
解毒作用	アルコールなどの有害物質の分解。
熱の発生	発熱源となって，体温調節を行う。

肝臓には，肝動脈と**肝門脈**の 2 つの大きな血管がつながっており，肝門脈は腸で吸収されたグルコースやアミノ酸を含む血液が流れています。

☑ 腎臓

腎臓は，血しょうから不要物や老廃物をろ過するはたらきをしています。腎臓のはたらきの単位となる構造のことを**ネフロン**（腎単位）といい，ネフロンは腎小体と細尿管からなります。血液は腎小体でろ過されて**原尿**となり，細尿管で原尿から水分やグルコース，無機塩類などの必要な成分が回収され，残ったものが尿となって排出されます。原尿は 1 日に約 170L 生成されますが，そのほとんどが再吸収されるため，尿として排出されるのは 1 ～ 2L です。

さらに詳しく

❸グリコーゲンは，グルコースが重合してできた分子です。
肝臓は，血液中の余分なグルコースをグリコーゲンとして貯蔵したり，逆に，グルコースが不足したときにグリコーゲンを分解してグルコースを生成します。

生物

6 ヒトの体②

傾向＆ポイント 随意運動や反射の経路に関する問題がよく出題されます。外界の刺激がどのように受容され，脊髄や脳に伝わるのかを理解しましょう。

頻出度 B

1 感覚器

視覚

光や音などの外界の刺激を受容し，脳などの神経系に伝える器官のことを**感覚器**（受容器）といいます。ヒトの眼は光を受容する感覚器であり，外界の光は**瞳孔**から眼の内部に入り，レンズのはたらきをする**水晶体**を通って，**網膜**の上に像を結びます。網膜上には，視細胞が並んでおり，視細胞が受け取った視覚情報は，視神経を通って脳へと伝えられます。視細胞には，光の強弱を認識する**桿体細胞**❶と，色彩を識別する**錐体細胞**の２種類が存在します。

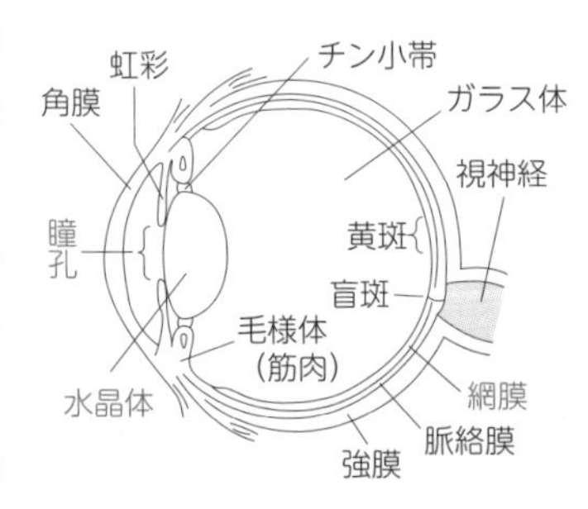

❶桿体細胞は暗やみの中の非常に弱い光にも反応しますが，色の違いを識別することはできません。ヒトが暗やみの中では色を判別できないのは，このためです。

遠近調節

ヒトの眼は，見る物との距離に応じて，水晶体の厚さを変えることで網膜上に明瞭な像を結ぶしくみになっており，これを**遠近調節**といいます。遠近調節は，水晶体の周りにある**毛様体**と**チン小帯**という２種類の筋肉の伸縮によって制御されています。

	毛様体	チン小帯	水晶体
近くを見るとき	収縮する	緩む	厚くなる
遠くを見るとき	緩む	緊張する	薄くなる

反応の経路

筋肉や腺など，動物が外界の刺激に対応した反応を示すための器官のことを**効果器**❷といいます。感覚器と効果器をつなぐ神経は**脊髄**や**大脳**を通っており，随意運動❸を行う際には,刺激は感覚器から脊髄を通って大脳へと伝わり，その後再び脊髄を通って効果器へと伝えられます。一方，**反射**の場合には，刺激が大脳を伝わる前に，効果器へと伝わります。

随意運動	感覚器→感覚神経❹→(脊髄)→大脳→脊髄→運動神経→効果器
反射	感覚器→感覚神経→脊髄→運動神経→効果器

2 神経系

中枢神経系と末梢神経系

脳や脊髄など，神経細胞が集中する領域のことを**中枢神経系**といい，体の各部と中枢神経系をつなぐ神経のことを**末梢神経系**❺といいます。末梢神経系は機能によって体性神経系と自律神経系に分かれ，自律神経系は**交感神経**と**副交感神経**に分かれます。交感神経は興奮時や運動時に優位となり，心拍数や血圧の上昇，呼吸の促進，消化器官の機能抑制などを行います。一方，副交感神経はリラックス時に優位となり，交感神経とは逆のはたらきをします。

脳

脊椎動物の脳は，**大脳**，**間脳**，**中脳**，**小脳**，**延髄**に分けられ，それぞれ異なる機能をもちます。

大脳	随意運動，記憶，思考，感情などの中枢。
間脳	**視床下部**（自律神経系の中枢）をもつ。
中脳	眼球運動や姿勢保持などの中枢。
小脳	平衡感覚や**運動制御**の中枢。
延髄	**呼吸**や心拍，消化管運動などの中枢。

さらに詳しく

❷効果器には，体を動かす筋肉や，汗をかくための外分泌腺，ホルモンを分泌するための内分泌腺などがあります。

❸「随意運動」
自分の意思によって起こす運動のことを**随意運動**といい，無意識下で起こる運動のことを**反射**（**不随意運動**）といいます。

さらに詳しく

❹感覚神経のうち，視覚や嗅覚，味覚をつかさどる感覚神経は脳に直接つながっているため,脊髄を通りません。
❺末梢神経系のうち，体の運動や知覚を制御するものを体性神経系といい，内臓や血管などを制御するものを自律神経系といいます。

7 遺伝

頻出度 A

傾向&ポイント 顕性・潜性の法則や，分離の法則，独立の法則に関する問題が多く出題されます。また，純系を交配させたときの子の形質についても答えられるようにしましょう。

1 遺伝

形質

生物がもつ形などの特徴のことを**形質**といい，親の形質が子どもに引き継がれることを遺伝といいます。また，遺伝情報を担う要素のことを**遺伝子**[1]といい，染色体上の遺伝子の位置のことを遺伝子座とよびます。

対立遺伝子

有性生殖を行う生物の多くは，**相同染色体**を2本ずつもっています。このとき，同じ遺伝子座に存在する，複数の異なる遺伝子のことを**対立遺伝子**[2]といいます。ある遺伝子座についてA，aの2種類の対立遺伝子が存在する場合，AAやaaのように同じ遺伝子を2つもつ場合を**ホモ接合**，Aaのように異なる遺伝子をもつ場合を**ヘテロ接合**といいます。

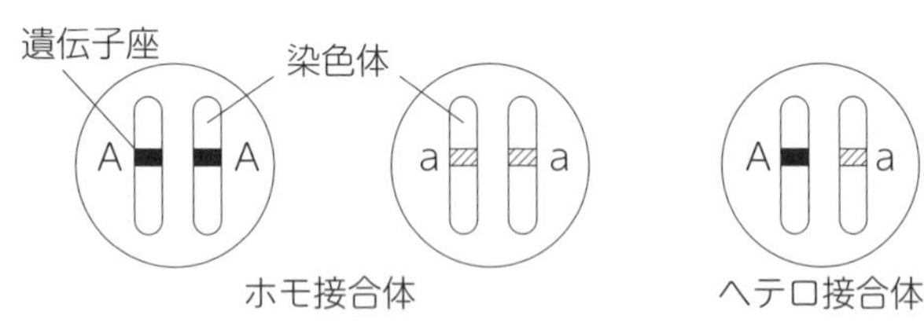

2 顕性・潜性

顕性・潜性の法則

対立形質のそれぞれの純系[3]の親を交配させたときに，子に現れる形質のことを**顕性形質**といい，子に現れない形

❶遺伝子の本体はDNA（デオキシリボ核酸）という分子であり，細胞の核内にある染色体に含まれています。

TIPS

❷対立遺伝子の例としては，エンドウの種子でみられる丸型やしわ型のほか，ヒトの血液型でみられるA，B，Oなどを決定する遺伝子などがあります。

❸「純系」
すべての対立遺伝子についてホモ接合である個体群のことを**純系**といいます。純系の親から生まれた子は，親と全く同じ形質を示します。

質のことを**潜性形質**といいます。

エンドウの種子の場合，丸型の形質の遺伝子をA，しわ型の形質の遺伝子をaとすると，種子の形質を決定する遺伝子座において，丸型の純系の親はAA，しわ型の純系の親はaaの組み合わせをもちます。また，子（F1）[4]はAaの組み合わせをもち，丸型の形質を示すことから，丸型が顕性形質，しわ型が潜性形質となります。さらに，F1どうしをかけ合わせた子（F2）では，丸型としわ型の形質が約**3対1の割合**で現れることになります。

さらに詳しく
[4]遺伝学の分野では，雑種の1世代目のことを**F1**，雑種の2世代目のことを**F2**とよびます。

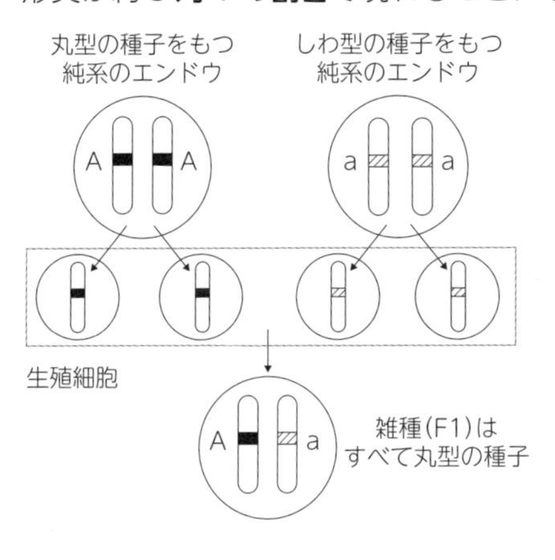

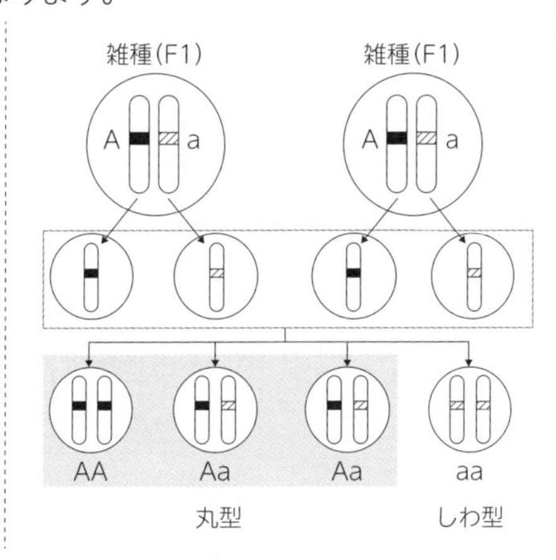

分離の法則

有性生殖を行う生物では，減数分裂によって，相同染色体が1つずつ分かれて生殖細胞に入ります。これを**分離の法則**といいます。

独立の法則

エンドウの種子の形（丸型としわ型）と，子葉の色（黄色と緑色）のように，2種類以上の対立遺伝子が異なる染色体上にある場合，各形質が互いに関係することなく，独立して遺伝します。これを**独立の法則**といいます。

連鎖

2種類以上の対立遺伝子が同じ染色体上にある場合，これらの遺伝子は独立することなく，染色体の挙動に合わせて一緒に行動します。これを**連鎖**といいます。

8 生態系

頻出度 C

傾向&ポイント 生態系の分野では，食物連鎖に関する問題が多く出題されます。用語の定義や意味などをきちんと覚えるようにしましょう。

1 食物連鎖と炭素循環

生態系

ある地域に生息する生物の集団すべてと，それらを取り巻く環境[1]のまとまりのことを**生態系**といいます。生態系のなかで，非生物的環境が生物におよぼす様々なはたらきかけのことを**作用**といい，逆に，生物が非生物的環境におよぼす影響のことを**環境形成作用**といいます。生態系を構成する生物は，**生産者**と**消費者**[2]に分けられ，消費者はさらに一次消費者，二次消費者や分解者などに分けられます。

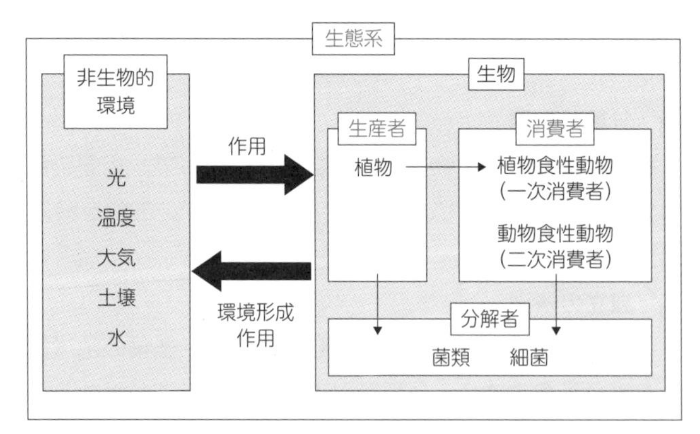

生産者	無機物を取り込み，有機物を合成する。
消費者	生産者が生産した有機物を栄養とする。
分解者	生物の死骸・排泄物を分解して無機物に戻す。

さらに詳しく

[1]環境は，温度や光，大気中の酸素や二酸化炭素濃度などの**非生物的環境**と，生物の集団からなる**生物的環境**に分けられます。

[2]消費者のうち，植物を食べる植物食性動物のことを一次消費者といい，一次消費者を食べる動物のことを二次消費者といいます。生態系によっては，さらに三次，四次消費者などの高次消費者が存在します。

食物連鎖

生物の食う・食われるの関係のことを**食物連鎖**といいます。また，生産者を第一段階として，食物連鎖の関係をピラミッドの形で示した図のことを**生態ピラミッド**といい，生態ピラミッドにおける各段階のことを**栄養段階**といいます。一般的に，栄養段階の階層が低いものほど個体数や生体量が多くなります。

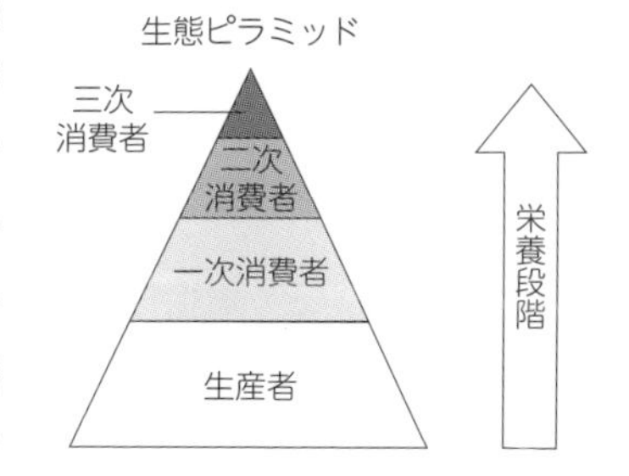

炭素循環

大気中の二酸化炭素に含まれる炭素は，植物の光合成のはたらきにより有機物中に取り込まれます。また，有機物に含まれる炭素は，消費者によって，最終的に二酸化炭素などの無機物へと還ります。このように，炭素原子が生態系の中を循環することを，**炭素循環**❸といいます。

❸石油や石炭などの化石燃料は生物の遺骸が変性してできたものであり，これらの化石燃料に含まれる炭素も，もとをたどれば植物の光合成のはたらきによって大気中から取り込まれたと考えられます。

2 動物の分類

動物の分類

動物のうち，背骨があるものを**脊椎動物**といい，それ以外の動物を無脊椎動物といいます。また，脊椎動物は，魚類，両生類，は虫類，鳥類，哺乳類に分類されます。

魚類	卵生	変温	えら呼吸，1心房1心室
両生類			成体は肺呼吸，2心房1心室
は虫類			肺呼吸，2心房1心室
鳥類		恒温	肺呼吸，2心房2心室
哺乳類	胎生		

確認テスト

生物

1 次の文中の（　）に入る適切な語句を答えよ。

(1) 動植物の細胞のように，核などの細胞小器官をもつ細胞のことを（　）という。

(2) 呼吸によってATPを産生する細胞小器官のことを（　）という。

(3) 植物細胞を（　）に入れたときに，原形質の水分が外に出ることで収縮し，細胞膜と細胞壁が外れることを（　）という。

(4) 維管束系は，死細胞からなる（　）と，生細胞からなる（　）に分けられる。

(5) 代謝のうち，エネルギーを使って複雑な物質を合成する過程を（　）といい，物質を分解してエネルギーを取り出す過程を（　）という。

(6) 光合成による二酸化炭素の吸収速度と，呼吸による二酸化炭素の放出速度が等しくなるときの光の強さのことを（　）という。

(7) 好気呼吸の過程は大きく3つに分かれており，解糖系ではグルコース1分子あたり2分子のATPが，（　）では2分子のATPが，（　）では34分子のATPがそれぞれ産生される。

(8) 大気中の二酸化炭素に含まれる炭素は，生態系を構成する生産者と（　）によって最終的に二酸化炭素などの無機物へと還る。このように，炭素原子が生態系の中を循環することを（　）という。

1

(1) 真核細胞

(2) ミトコンドリア

(3) 高張液，原形質分離

(4) 木部，師部

(5) 同化，異化

(6) 光補償点

(7) クエン酸回路，電子伝達系

(8) 消費者，炭素循環

2 次の各文について，適切な語句を答えよ。

(1) 体細胞分裂の過程のうち，複製された染色体が両極に分かれる段階のことを何というか。

(2) 植物の根，茎，葉，花のうち，栄養器官に当てはまるものをすべて答えよ。

(3) カエルの神経系，骨格，表皮，消化管のうち，外胚葉由来のものをすべて答えよ。

(4) 赤血球に含まれる，酸素を運搬する役割をもつ物質のことを何というか。

(5) 大動脈，大静脈，肺動脈，肺静脈のうち，二酸化炭素を多く含むものをすべて答えよ。

(6) 視細胞のうち，色彩を識別できる細胞の名称を答えよ。

(7) 視覚の遠近調節について，近くを見るときに毛様体とチン小帯は収縮するか，緩むか，それぞれ答えよ。

(8) 心拍数や血圧が上昇するときは，交感神経と副交感神経のどちらが優位となるか答えよ。

(9) 対立形質のそれぞれの純系の親を交配させたときに，子に現れない形質のことを何というか。

(10) 有性生殖を行う生物において，減数分裂によって相同染色体が１つずつ分かれて生殖細胞に入ることを何というか。

(11) タンポポ，アオカビ，ミツバチ，カマキリのうち，分解者に分類されるものをすべて答えよ。

(12) 魚類，両生類，は虫類，鳥類，哺乳類に分類される動物を何というか。

2

(1) 後期

(2) 根，茎，葉

(3) 神経系，表皮

(4) ヘモグロビン

(5) 大静脈，肺動脈

(6) 錐体細胞

(7) 毛様体：収縮する
チン小帯：緩む

(8) 交感神経

(9) 潜性形質

(10) 分離の法則

(11) アオカビ

(12) 脊椎動物

1 地球の構造と歴史

傾向＆ポイント 地球の構造や組成，示準・示相化石の条件などが出題されています。用語をしっかり押さえておきましょう。

頻出度 C

1 地球の形と大きさ

地球の赤道半径は **6378km**，極半径は 6357km です。赤道半径が極半径よりも約 20km 長く，赤道方向に少し膨らんだ楕円体❶です。地上面は約 30％が陸地，残りの約 70％は海洋です。

さらに詳しく
❶楕円の膨らみ具合は扁平率で表され，扁平率＝（赤道半径－極半径）／赤道半径≒1/300 です。地球の両半径をもつ楕円を地軸のまわりに回転させてできる回転楕円体を**地球楕円体**といいます。

2 地球の内部構造

地表と内部の性質

地球は構成物質により表面から中心に向かって４つの層，**地殻**・**マントル**・**外核**・**内核**に分けられます。地表の岩石を**地殻**といい，大陸地殻と海洋地殻に分けられます。地殻の下に深さ約 2900km まで続く岩石層を**マントル**❷といい，地球の体積の約 83％を占めています。その下から地球の中心までの部分は主に金属からなり，核といいます。核は２層に分かれ，深さ約 5100km までの液体部分を**外核**，それよりも内側の固体部分を**内核**といいます。

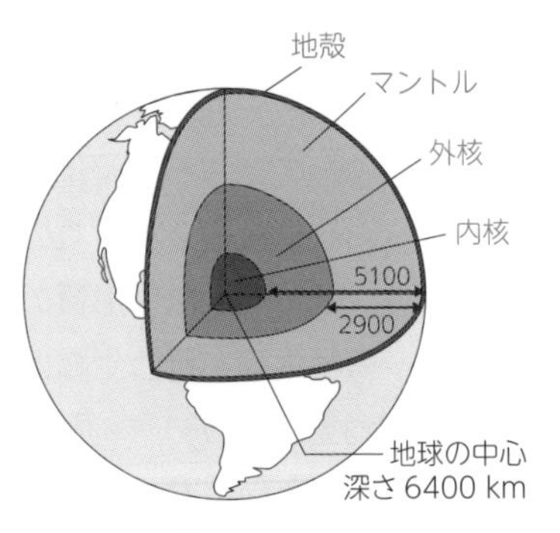

さらに詳しく
❷地殻とマントルの境界を**モホロビチッチ不連続面**（モホ面）といいます。

地球表層のかたさによる分類

地表付近を構成するかたい岩石層を**リソスフェア**，その下のやわらかく流動する層を**アセノスフェア**といいます。

3　地球の構成物質

地球は岩石や金属からなり，深部ほど密度の大きい物質でできています。

最も多いのは，マグマが冷えて固まった**火成岩**です。地殻は大陸と海洋では構成する岩石が異なり，大陸地殻は**花こう岩**が多く，海洋地殻は**玄武岩**でできています。マントルは主に**かんらん岩**ででき，地殻を構成する岩石よりも密度が大きいです。核は主に金属の**鉄**で構成されています。

<table>
<tr><th></th><th>名称</th><th>深さ・温度</th><th>状態</th><th>構成物質</th></tr>
<tr><td rowspan="2">地殻</td><td>大陸地殻</td><td rowspan="2">0～約50km
15～800℃</td><td rowspan="3">固体</td><td>花こう岩</td></tr>
<tr><td>海洋地殻</td><td>玄武岩</td></tr>
<tr><td colspan="2">マントル</td><td>2900km
800～4500℃</td><td>かんらん岩</td></tr>
<tr><td rowspan="2">核</td><td>外核</td><td>5100km
4500～6000℃</td><td>液体</td><td rowspan="2">鉄・ニッケル</td></tr>
<tr><td>内核</td><td>6350km
6000～6100℃</td><td>固体</td></tr>
</table>

4　地層と化石

堆積物が下から上に重なり地層を形成し，下の地層が上の地層よりも古くなることを**地層累重の法則**といいます。生息した期間が短い生物の化石は，その化石を含む地層が形成された時代を知る手がかりとなります。これを**示準化石**❸といいます。また，化石が含まれる地層の当時の環境を知る手がかりとなる化石を，**示相化石**といいます。

さらに詳しく

❸主な示準化石として三葉虫（古生代），アンモナイト（中生代），ビカリア（新生代）があげられます。

5　プレートの運動

プレート運動により，地表で起こる火山活動などを説明する考え方を**プレートテクトニクス**といいます。プレートには海洋プレートと大陸プレートがあり，アセノスフェアにのって1年間に数cmの速さで移動しています。

2 地震

傾向&ポイント 地震波，震度とマグニチュード，P波・S波の違い，震源距離の求め方などが出題されています。

頻出度 B

1 地震のしくみ

プレート運動やマグマの動きによって岩石に力が加わると，岩石にひずみが蓄積され，そのひずみが限界に達すると**断層**[1]が生じ，地震が発生します。断層面状で破壊が始まった点を**震源**，震源の真上の地点を**震央**といいます。

さらに詳しく
❶「断層」
地震によって岩石が破壊され，岩石中のある面をはさむ両側が短時間にずれることによる変形を断層といいます。今後も地震を起こす可能性のある断層を**活断層**といいます。またある地震でずれを起こした断層を**震源断層**，地表に現れたものを**地震断層**といいます。

☑ 本震と余震

大きな揺れが起こると，その後に小さな揺れがいくつも発生します。最初の大きな地震を**本震**，その後の小さな地震を**余震**といいます。

☑ 震度とマグニチュード

地震が起こると，震源では地震波が発生します。地震波が地表に達して発生する揺れを**地震動**といい，揺れの大きさは**震度**で表されます。日本では気象庁が定める10段階の**震度階級**[2]が使われており，ほとんどの人が揺れを感じるのは**震度3**からとされています。また，地震の規模は，**マグニチュード**（記号M）で表されます。マグニチュードは地震によって放出されるエネルギーの大きさを表し，マグニチュードが1大きくなるとエネルギーは約32倍，2大きくなると**1000**倍になります。

2 地震の動き

☑ 地震波と震源地

地震が起こると，震源では**P波**と**S波**という2種類の波が同時に発生します。P波は縦波，S波は横波です。P

波はS波よりも速いため，地震の最初にはP波による小さな揺れが観測されます。この揺れを**初期微動**といいます。一方，少し遅れて始まる大きな揺れはS波によるもので，**主要動**といいます。初期微動が始まってから主要動が始まるまでの時間を**初期微動継続時間（P-S時間）**といい，この時間はP波とS波の到達時刻の差にあたります。震源からの距離が大きくなるにつれ，その差も大きくなります。

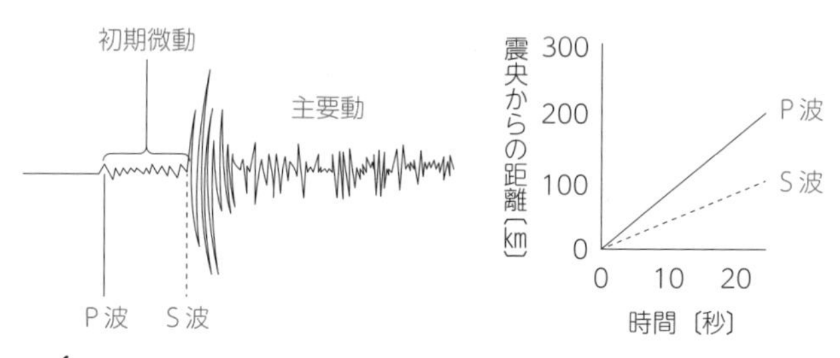

震源の決定

初期微動継続時間を t〔秒〕，P波の速度を V_p〔km/s〕，S波の速度を V_s〔km/s〕，地震を観測した地点から震源までの距離を d〔km〕とすると，$t=\frac{d}{V_s}-\frac{d}{V_p}$ という関係が成り立ちます。これを**大森公式**といいます。

日本付近で起こる地震

プレートの境界で起こる地震を**プレート境界地震**といいます。沈み込む海洋プレートと大陸プレートの境界で発生する地震は**海溝型地震**とよばれ，巨大な地震が繰り返し起きています。また，大陸プレート内部で起こる地震を**内陸地殻内地震**といいます。活断層に沿って起こることが多く，地殻の表層で発生します。また，沈み込む海洋プレート内で起こる地震を**海洋プレート内地震**といいます。

液状化現象

砂地盤の土地で，砂の間に地震の振動で水が入り込むと，急激に流動化する現象を**液状化現象**といいます。

❷震度階級

震度0：人は揺れを感じない。
震度1：屋内で静かにしている人の中には，揺れを感じる人もいる。
震度2：屋内で静かにしている人の大半が揺れを感じる。
震度3：屋内にいる人のほとんどが揺れを感じる。
震度4：歩いている人のほとんどが揺れを感じる。
震度5：大半の人が物につかまりたいと感じるようになる。
震度5強：大半の人が物につかまらないと歩くことが困難になる。
震度6弱：立っていることが困難になる。
震度6強，震度7：這わないと動くことができない。人が飛んでしまうこともある。

3 火山

傾向&ポイント 火山は岩石と鉱物，特に火山岩，深成岩についての問題が出題されています。

頻出度 A

1 火山の噴出と火成岩

☑ 火山の噴出

火山が噴火すると地表や大気中に大量の物質が放出されます。これを**火山噴出物**といい，**火山ガス**や**火山砕屑物**[1]があります。火山ガスはマグマに溶けていた揮発性成分が気体となったもので，主に水蒸気からなり，二酸化炭素や二酸化硫黄を含みます。火山砕屑物は溶岩や火口付近の岩石が噴火によって吹き飛ばされたもので，火山灰，火山礫（かざんれき），火山岩塊などに分けられます。これらが高温で地表を流動するものを**火砕流**といいます。

さらに詳しく
[1]火山砕屑物の中で，多孔質で白っぽいものを**軽石**といいます。また特有の外形（紡錘状など）を示す物を**火山弾**といいます。

☑ 火成岩

マグマが固まった岩石を**火成岩**[2]といいます。地表近くで急速に冷えて固まったものは**火山岩**，地下数 km のところでゆっくり冷えて固まったものは**深成岩**といいます。

さらに詳しく
[2]火山岩の組織は，大きな鉱物（斑晶）と細かい鉱物などの集まり（石基）からできた**斑状組織**です。深成岩の組織は**等粒状組織**といい，大きさのそろった鉱物の集まりからなります。

2 火成岩の種類

☑ 火成岩の主な鉱物

岩石をつくる鉱物を造岩鉱物といいます。火成岩を構成する造岩鉱物は色の濃い**有色鉱物**と淡い**無色鉱物**に分けられ，有色鉱物には**かんらん石**，**輝石**（きせき），**角閃石**（かくせんせき），**黒雲母**（くろうんも）が，無色鉱物には**斜長石**（しゃちょうせき），**カリ長石**，**石英**があります。7 種類すべて**ケイ酸塩鉱物**です。

火成岩は，有色鉱物の割合の高いものから，**苦鉄質**，**中間質**，**珪長質**（けいちょうしつ）に分けられます。火山岩は**玄武岩**（げんぶがん），**安山岩**（あんざんがん），

流紋岩(りゅうもんがん)に，深成岩は**斑れい岩**，**閃緑岩**(せんりょくがん)，**花こう岩**に分けられます。

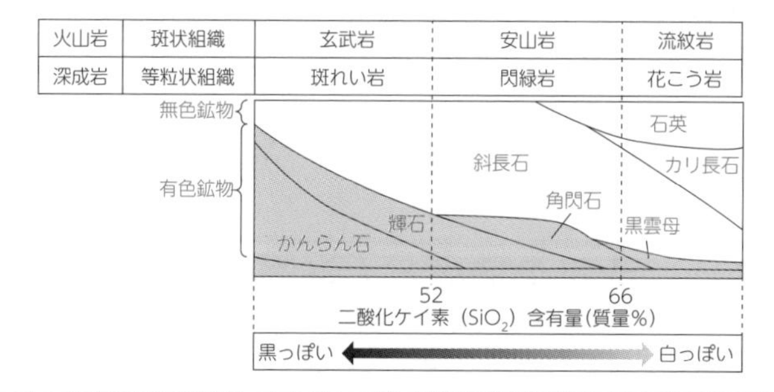

3　火山の種類

火山の形と様式

火山❸は噴出するマグマの性質によって大きく異なります。粘性が大きい岩石の場合は激しい爆発を起こすことが多く，粘性が小さい岩石の場合は穏やかに噴火します。マグマは粘性の低い順に玄武岩質，安山岩質，流紋岩質に分けられます。

	玄武岩質	安山岩質	流紋岩質
粘　性	低い（さらさら）	⟷	高い（ねばねば）
温　度	高い	⟷	低い
噴火の仕方	穏やかな噴火	⟷	激しい爆発的噴火

カルデラ

地下からマグマが噴出すると，マグマだまりに空洞ができ，陥没して凹地ができます。この凹地を**カルデラ**といいます。

日本の火山の分布❹

過去約 1 万年以内に噴出した火山や現在活発な噴気活動をする火山を**活火山**といいます。日本にある約 270 の火山のうち 111 が活火山で，海洋プレートの沈み込みによる火山活動が主となっています。

さらに詳しく

❸火山とは，第 4 紀（260 万年前以降）に形成され，火山特有の地形や火山噴出物が残っているものを指します。

❹日本の火山の多くは帯状に分布しています。帯状地域を**火山帯**といい，東日本火山帯と西日本火山帯に分けられます。

4 大気

頻出度 A

傾向&ポイント 日本の気象，前線（温暖前線・寒冷前線）についての出題頻度が高くなっています。大気の構成についてもしっかり押さえておきましょう。

1 大気の構成と大気圏の構造

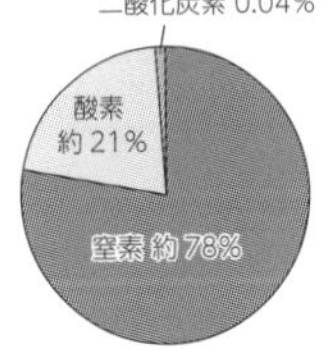

地球を取り巻く大気の層を**大気圏**❶といい，窒素，酸素，二酸化炭素，水蒸気などの気体で構成されています。大気圏内において，気圧は高度とともに低くなりますが，温度は下降したり，上昇したりと変化します。気温の変化をもとに，**対流圏**，**成層圏**，**中間圏**，**熱圏**に分かれています。

- **対流圏**：水蒸気が多く天気の変化がおこります。100m上昇するごとに，約0.65℃気温が下がります。
- **成層圏**：オゾン層が存在し，紫外線を吸収する際にエネルギーを熱に変換するため，上空ほど気温が高くなります。
- **中間圏**：高度が高くなるほど気温は下がります。
- **熱圏**❷：高度が高くなるほど気温が上昇し，極地方ではオーロラ❸（極光）とよばれる発光現象が観測されます。

さらに詳しく

❶大気圏の上端は地表800～1000kmまでとされ，上空に行くほど薄くなり，やがて存在しなくなります。

❷高度500km以上の大気圏の範囲は**外気圏**とよばれます。

2 大気の運動

TIPS

❸オーロラは高度100～200km付近で，太陽から放出された電子などの粒子と大気の分子とが衝突し，発光したものです。

☑ **高気圧**　周囲より気圧の高い区域を**高気圧**といいます。高気圧の上空では周囲の大気が集まって下降気流となり，地上付近では中心から風が吹き出しています。

☑ **低気圧**　周囲より気圧の低い区域を**低気圧**といいます。地上付近では，中心に向かって風が吹き込み，上昇気

流がおこるため雲が発生しやすくなっています。

☑ **風の原因**　風は大気の流れであり，高気圧から低気圧へ空気が流れ込む**気圧傾度力**❹と，地球の自転による**転向力（コリオリの力）**❺によって生じます。気圧差が生じるしくみの違いによって，海陸風などの風❻が吹きます。

海陸風：地表は海面に比べて暖まりやすいため，日中に暖められた地表の空気は上昇し，海面より気圧が低くなることで海から陸に向かう風（海風）が吹きます。逆に夜間は陸から海に向かう風（陸風）が吹きます。

☑ **前線**

- 温暖前線：暖かい空気が冷たい空気の上にはい上がって冷たい空気を押し，広範囲に穏やかな雨を降らせます。
- 寒冷前線：冷たい空気が暖かい空気の下に入り込んで，暖かい空気を押し，狭い範囲で強い雨を降らせます。

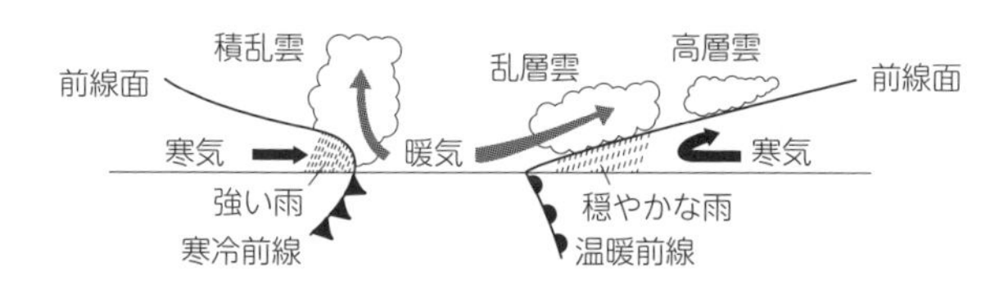

3　日本の天気と気圧配置

☑ **冬**　シベリア気団が発達し，北西の季節風が吹きます。このときの気圧配置を**西高東低の気圧配置**といいます。

☑ **春**　日本付近を温帯低気圧と**移動性高気圧**が交互に通過し，天気は周期的に変化します。

☑ **梅雨**　停滞前線（梅雨前線）に伴い曇りや雨が続くことを梅雨といいます。北の寒冷なオホーツク海高気圧と，南の温暖な北太平洋高気圧が存在することでおこります。

☑ **夏**　北太平洋高気圧に覆われることにより，梅雨が明けます。南に高気圧，北に低気圧ができる**南高北低の気圧配置**となります。

☑ **秋**　北太平洋高気圧が弱まり，再び停滞前線（秋雨前線）が現れ秋雨が続きます。

さらに詳しく

❹ 異なる２地点間における気圧の差を**気圧傾度**といい，気圧傾度によって生じる力を**気圧傾度力**といいます。

❺自転している地球上で，動いている物体を見ると，物体は力を受けて進行方向が曲げられているように見えます。この見かけの力を**転向力（コリオリの力）**といいます。

❻海陸風以外に，季節に特有な向きに吹く風である**季節風**や，**偏西風**があります。

宇宙

傾向&ポイント 地球の自転や公転，太陽や太陽系の惑星について理解しましょう。

頻出度 A

1 地球の自転と公転

地球の自転は，**フーコー振り子**の振動面が北半球では時間とともに時計回りに回転することで証明されます。地球の公転に伴って1年の周期で恒星が円運動または楕円運動しているように見え，この動きの大きさは**年周視差**❶で表わされます。また，地球の公転に伴って地球から恒星を観測すると，実際の方向よりも前方から来るように見えます。この変化の大きさは，**年周光行差**❷で表わされます。

さらに詳しく

❶年周視差は角度の秒で表わされます。コペルニクスの時代には観測できませんでしたが，1838～1839年になりベッセルが測定しました。

❷ 1725 ～ 1726 年にブラッドレーによって観測されました。

2 太陽

太陽は中心部分で核融合反応を行い，エネルギーを生み出し，宇宙空間に放出しています。

☑ **光球**　太陽表面のうち，直接見ることのできる数百 km の薄い大気の層を**光球**といいます。表面温度は約6000℃です。

太陽の構造

プロミネンス
彩層
黒点
コロナ
フレア
光球

☑ **黒点**　光球に散在して見える黒い点を**黒点**といい，周囲より温度が低く，約4000℃です。黒点のまわりには**白斑**とよばれる周囲よりも温度が高く白く輝く部分があります。

☑ **彩層**　光球の外側にある赤い大気の層を**彩層**といいます。彩層の外側には，**コロナ**とよばれる100万K以上の希薄な気体があります。また，**プロミネンス**（**紅炎**）という巨大な炎のような気体が見られることがあります。

☑ **太陽風とフレア**　太陽の表面からは荷電粒子❸が放出されています。黒点付近の彩層とコロナの一部が明るくな

さらに詳しく

❸電子や陽子などの電気を帯びた粒子を**荷電粒子**といいます。また，荷電粒子が放出される現象を**太陽風**とよびます。

る現象を**フレア**といい，**オーロラ**の活動が活発化したり，通信障害（**デリンジャー現象**）がおこったりします。

3　太陽系の構造と惑星

☑ **地球型惑星**　太陽に近い水星，金星，地球，火星を**地球型惑星**といいます。半径は小さいですが平均密度が高く，岩石の表面をもちます。

水星は惑星の中で最も小さく，大気をもたず，昼と夜の温度差が非常に大きいです。**金星**は大きさや内部の組成が地球によく似ていますが，二酸化炭素による温室効果のため，表面温度は約 460℃に達します。自転の向きは他の惑星とは逆です。**火星**は表面の環境が地球に最も近い惑星です。大気は金星と同様に二酸化炭素を主成分としていますが，金星に比べて非常に薄いです。極地方は低温で二酸化炭素が固体となった極冠があります。

☑ **木星型惑星**　地球から離れたところにある木星，土星，天王星，海王星を**木星型惑星**といいます。半径が大きいですが平均密度が小さく，固体の表面をもちません。

木星は太陽系の中で最も大きな惑星で，表面付近の大気は水素とヘリウムです。イオ，エウロパなど衛星❹が多数発見されています。**土星**の表面には大気の動きによる縞模様の白斑とよばれる渦があり，土星のリングは地球からは円盤に見えますが，無数の小さな氷やケイ酸塩からなる岩石の集まりとなっています。**天王星**の表面温度は約 −210℃で自転軸が公転面に垂直な方向に対してほぼ横倒しになっています。**海王星**の表面温度や半径は天王星とほぼ同じですが質量は地球の約 17 倍あります。

☑ **太陽系外縁天体**　海王星の外側に冥王星その他の多くの小天体が発見されています。冥王星を含めたこれらの天体を，太陽系外縁天体といいます。

☑ **小惑星**　火星と木星の間の小惑星帯にあり，地球に落下する隕石❺は小惑星起源のものが多いです。

❹惑星などのまわりを回る天体を**衛星**といいます。地球の衛星は月です。木星には，イオ，エウロパ，ガニメデ，カリストの４つのガリレオ衛星とよばれる衛星があります。イオは月と同じくらいの大きさで，火山活動が見られます。

❺「隕石」
微小な天体が宇宙空間から地球大気に突入し，燃え尽きずに落下した物体のこと。

地学

確認テスト

地学

1 次の問いに答えよ。

(1) 生息した期間が短い生物の化石で，それを含む地層が生成された時代を知る手がかりとなる化石を何というか。
(2) プレート運動により，地表面で起こる火山活動などを説明する考え方を何というか。
(3) P 波，S 波のうち，初期微動を引き起こすのはどちらか。
(4) マグニチュードが 1 大きくなると，エネルギーは約何倍になるか。
(5) S 波は横波，縦波のどちらか。
(6) 大爆発などによってできる火山の窪地を何というか。
(7) 地球を取り巻く大気の層を何というか。
(8) フーコー振り子は地球の何の証拠とされているか。
(9) 太陽の光球にあり，周囲より温度が低い点を何というか。

1

(1) 示準化石
(2) プレートテクトニクス
(3) P 波
(4) 32 倍
(5) 横波
(6) カルデラ
(7) 大気圏
(8) 自転
(9) 黒点

2 次の事柄について，正しいもの，当てはまるものを**ア**～**エ**からすべて選べ。

(1) 太陽から放出される荷電粒子による影響

ア プロミネンス　**イ** オーローラ
ウ デリンジャー現象　**エ** コロナ

(2) 火星の説明

ア 惑星の中で最も小さい。

2

(1) イ，ウ
(2) エ

イ　太陽系の中で最も大きい。

ウ　自転軸が公転面に垂直な方向に対して横倒しになっている。

エ　表面の環境が地球に最も近い。

(3)　太陽系外縁天体に含まれるもの

ア　天王星　　**イ**　海王星

ウ　冥王星　　**エ**　衛星

(3)　ウ

3　次の事柄について，誤っているもの，当てはまらないものを**ア**～**エ**から選べ。

(1)　日本の天気の説明

ア　梅雨はオホーツク海高気圧と南の温暖な太平洋高気圧により停滞前線ができ長雨を降らせる。

イ　冬は西高東低の気圧配置になる。

ウ　春は移動性高気圧がやってきて，天気は変化しない。

エ　秋は北太平洋高気圧が弱まり，停滞前線が現れ雨が続く。

(2)　地球型惑星

ア　水星　　**イ**　金星

ウ　土星　　**エ**　火星

(3)　地球についての説明

ア　赤道半径は6378km，極半径は6357kmで赤道方向に少し膨らんだ楕円体である。

イ　約30%が陸地で，残りの約70%が海洋である。

ウ　表面から中心に向かって，地殻，マントル，核に分けられる。

エ　地球付近を構成するかたい岩石層をアセノスフェアといい，その下のやわらかい層をリソスフェアという。

3

(1)　ウ

(2)　ウ

(3)　エ

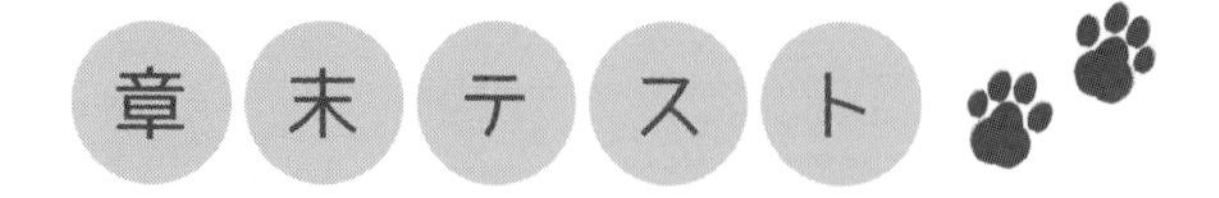

自然科学

1 次の問いに答えよ。

(1) $\sqrt{54n}$が最も小さい整数になるときのnの値を求めよ。

(2) ある美術館の入館料は1人900円であり，30人以上の団体は入館料が30％割引される。30人未満でも30人の団体として入館料を払った方が安くなるのは，何人以上の場合か求めよ。

(3) 電車が動き出すとき，中で立っている人は，(　　)の法則によって，静止状態をし続けようとして倒れそうになる。空欄に当てはまる言葉を答えよ。

(4) 物質を伝わる縦波（疎密波）を何というか。

(5) 金属結晶内の電子の一部は（　　）として存在する。そのため，金属は電気をよく通す。空欄に当てはまる言葉を答えよ。

(6) うすい塩酸の中に亜鉛板と銅板を入れて電池を作ったとき，酸化されるのは亜鉛と銅のうちどちらか。

(7) 呼吸によってATPを産生する細胞小器官のことを何というか。

(8) 心拍数や血圧が上昇するときは，交感神経と副交感神経のどちらが優位となるか答えよ。

(9) 生息した期間が短い生物の化石で，それを含む地層が生成された時代を知る手がかりとなる化石を何というか。

(10) 太陽の光球にあり，周囲より温度が低い点を何というか。

1

(1) 6

(2) 22人以上

(3) 慣性

(4) 音波

(5) 自由電子

(6) 亜鉛

(7) ミトコンドリア

(8) 交感神経

(9) 示準化石

(10) 黒点

時事問題

1 地球環境

傾向&ポイント 地球環境に関わる問題には，さまざまなものがあります。それらの特徴を理解するためには，原因（なぜ起こるか）・影響（何が起こるか）・対策（どうするか）など，英語の疑問詞（主に5W 1H）の視点で整理するのが有効です。

頻出度 A

1 地球温暖化問題

地球温暖化の「原因」（なぜ起こるか，WHY）

温室効果ガスの排出が主な原因です。温室効果ガスには，①**化石燃料**（石炭・石油）を燃焼することで発生する**二酸化炭素**，②水田・湿地や家畜などから発生する**メタンガス**，③**代替フロン**[1]などがあります。

地球温暖化の「影響」[2]（何が起こるか，WHAT）

地球から熱が逃げにくくなり，**地球の気温が上昇**します。また**異常気象**が起こります。そして地球上の雪や氷が溶け，**ツバル**や**モルディブ**などの島国や**ヴェネツィア**や**ジャカルタ**などの都市が**水没する危険性**が高まっています。また，北極の氷が溶けることで，**ホッキョクグマが絶滅**します。

地球温暖化の「対策」（どうするか，HOW）

世界が本格的に温暖化対策に乗り出したのは，1992年の**地球サミット**からです。ここで「**気候変動枠組み条約**」が採択され，温室効果ガスの排出規制などが合意されました。そして1995年から条約を批准した国による締約国会議（略称は**COP**）が毎年開かれ，1997年の**COP 3（京都）**で**法的拘束力を持つ温室効果ガス削減の数値目標**[3]が定められました（**京都議定書**）。しかし，**途上国扱いの中国やインドなどには削減義務がない**ことや，2001年の**アメリカ離脱**による発効の遅れなどの課題がありました（**ロシアの批准で2005年に発効**）。また2012年以降の枠組みとして，京都議定書を延長し2013年～2020年を「第

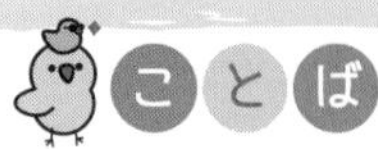

❶「代替フロン」
炭素とフッ素の化合物であるフルオロカーボン（略称フロン）のうち，オゾン層を破壊しないものです。しかし，代替フロンは二酸化炭素よりも温室効果が高いため，温暖化の原因になります。

❷「サンゴの白化」は海の水温上昇の影響と考えられています。また，シベリアなどの永久凍土が溶け，中に閉じ込められていた新種のウイルス（モリウイルスなど）やメタンガスが放出されています。

さらに詳しく

❸ 1990年を基準として，日本は6%，アメリカは7%，EUは8%の削減目標（2008年～2012年の間）が定められました。

2 約束期間」としたものの，これに参加する国は大幅に減ってしまいました。そこで2020年以降の新たな枠組みをつくるため，2015年のCOP21（パリ）で**パリ協定**❹が採択されましたが，**目標達成義務はありません**。その後，2021年の**COP26**（**グラスゴー**）では**パリ協定第6条の市場メカニズム**などのルールが合意され，**パリ協定の実施方針が完成**しました。

2 その他の地球環境とそれに関わる条約

☑ **オゾン層破壊**　【WHY】スプレーなどに含まれる**フロン**，【WHAT】**皮膚がん**や**白内障**，【HOW】1987年の**モントリオール議定書**（2016年の改正で**代替フロン**も規制強化）。

☑ **野生生物種の減少**　【WHY】乱獲・森林伐採など生態系の破壊，【WHAT】生物種の**絶滅**❺の進行，【HOW】1971年の**ラムサール条約**で水鳥と湿地の保護，1973年の**ワシントン条約**で絶滅のおそれのある野生動植物の国際取引を規制，1992年の**生物多様性条約**で生物種・生態系の保護や遺伝子資源の公正な利益分配をそれぞれ定めています。

3 持続可能な社会の実現

☑ **MDGsからSDGsへ**

2000年の**国連ミレニアムサミット**で掲げられた**ミレニアム開発目標**（**MDGs**）を継承し，2015年に**持続可能な開発目標**（**SDGs**❻）が新たに設定されました。SDGsは**2030年までに**世界が達成すべき目標で，**17のゴールと169のターゲット**で構成されています。

☑ **ゴール⑦　エネルギーをみんなにそしてクリーンに**

二酸化炭素を出さず繰り返し使えるエネルギーとして**再生可能エネルギー**（**太陽光・風力・地熱**など）があります❼。

☑ **ゴール⑫　つくる責任つかう責任**

資源の有効利用や循環のため，**3R**（**リサイクル・リユース・リデュース**）が求められています。

さらに詳しく

❹主な内容は，長期目標として産業革命以前に比べ2℃未満に上昇を抑制しつつ1.5℃に抑える努力をすること，全ての国が削減目標を5年ごとに提出し，見直しをすることです。

時事

さらに詳しく

❺国際自然保護連合（IUCN）が絶滅のおそれのある野生生物の情報をレッドデータブックにまとめています。

ことば

❻「SDGs」
17のゴールには，①貧困をなくそう，②飢餓をゼロに，④質の高い教育をみんなに，⑤ジェンダー平等を実現しよう，⑪住み続けられるまちづくりを，⑬気候変動に具体的な対策を，などがあります。

さらに詳しく

❼水素と酸素の化学反応を利用して電力や熱を発生させる燃料電池なども二酸化炭素が出ません。

2 科学技術

頻出度 B

傾向&ポイント 東日本大震災以後の電力供給源の状況，情報通信技術，医療，宇宙開発などに焦点をあてて整理しましょう。常に最新の情報を入手することができるようアンテナを高くしておきましょう。

1 資源・エネルギー

さらに詳しく
❶電力発電の方法については諸外国が再生エネルギーにシフトしている中で，日本の化石燃料依存度の高さが問題視されていること，カーボンニュートラル（温室効果ガスをいろいろな方法で吸収して，全体の量をゼロにすること）といった用語についても着目しましょう。

one POINT
❷東日本大震災以降における原子力発電所を巡る課題についても整理しておきましょう。

☑ **日本の１次エネルギー供給量の推移**

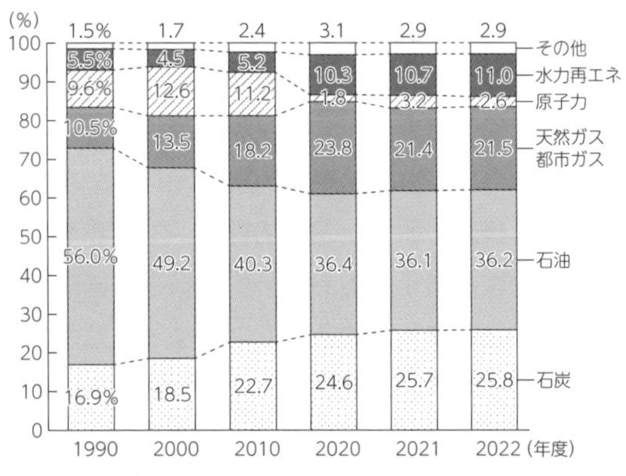

（日本国勢図会 2024/25）

日本の**電源構成**は，**化石燃料**の依存度が高く，**再生可能エネルギー**および**原子力**などの依存度が低いことが特徴です❶❷。

2 情報通信❸

☑ **ICT と IoT** ICT は，「Information and Communication Technology（情報通信技術）」の略で，通信技術を活用したコミュニケーションです。IoT は，「Internet of Things」の略で，「モノのインターネット」あるいは**インターネットにつながっているデバイス**という意味があります。

☑ **AI** 人間の思考プロセスと同じような形で動作するプ

ログラム，あるいは人間が知的と感じる情報処理・技術。

☑ **ビッグデータ**　「デジタル化の更なる進展やネットワークの高度化，また，スマートフォンやセンサー等 IoT 関連機器の小型化・低コスト化による IoT の進展により，スマートフォン等を通じた**位置情報**や**行動履歴**，インターネットやテレビでの**視聴・消費行動等に関する情報**，また**小型化したセンサー等から得られる膨大なデータ**」をビッグデータといいます。（平成 29 年版情報通信白書より）

☑ **ビッグデータの 4 つの要素**　①容量（Volume），②**データの種類**（Variety），③**データの発生頻度・更新頻度**（Velocity），④**正確性**（Veracity）

3　医療・遺伝子工学

☑ **iPS 細胞**　細胞を培養して**人工的につくられた多能性の幹細胞**のことで，2006 年 8 月に京都大学の**山中伸弥**教授らは世界で初めて iPS 細胞の作製に成功し，2012 年に**ノーベル医学・生理学賞**❹を受賞しました。

☑ **クローン技術**　**遺伝情報が同一である個体または個体の集合**で，**体細胞クローン**はすでに存在している個体と遺伝情報が全く同じ個体，**受精卵クローン**は受精卵を分割することで生まれてくる個体のことです。

☑ **日本人の平均寿命**　2022 年の日本人の平均寿命は女性が **87.09** 歳，男性が **81.05** 歳です。日本の平均寿命は女性が世界 **1** 位，男性が **3** 位となっています。

4　宇宙開発

☑ **JAXA（宇宙航空研究開発機構）**　2003 年に宇宙科学研究所（ISAS），航空宇宙技術研究所（NAL），宇宙開発事業団（NASDA）の 3 機関が統合して誕生した組織です。**政府全体の宇宙開発利用を技術で支える中核的実施機関**と位置付けられ，同分野の基礎研究から開発・利用を一貫して実施しています。

さらに詳しく

❸ICT やインターネットに関連する用語としては，ユビキタス（いつでも，どこでも，誰もが恩恵を受けることができる環境や技術）があります。プラットフォーム（情報通信技術を利用するための基盤となるハードウェア，ソフトウェア，ネットワーク事業等，また，それらの基盤技術），5G（第 5 世代移動通信システム）などについても確認しておきましょう。

❹近年のノーベル賞受賞者については，P285 の表を確認しておきましょう。

労働

傾向&ポイント 労働者の権利と労働三法との関係，近年における我が国の雇用形態の変容，そして働き方改革の基本的な考え方について押さえておきましょう。また，余力があれば，教員の働き方改革を巡る論点についても整理しましょう。

1 日本国憲法に保障された労働基本権❶

勤労の権利 日本国憲法27条では，「すべて国民は，**勤労の権利**を有し，義務を負ふ」とし，同28条では，「勤労者の**団結する権利**及び**団体交渉その他の団体行動をする権利**は，これを保障する」と規定しています。

- **団結権** 労働組合を結成するなど労働者が団結する権利。
- **団体交渉権** 労働組合が**使用者**（または使用者団体）と労働条件について交渉する権利。
- **争議権** 団体行動権ともいい，労働組合が争議（**ストライキ等**）をおこす権利。

2 労働者の権利を守るための法律

日本国憲法が保障する勤労の権利や労働基本権を保障するために策定された以下の法律を**労働三法**といいます。

- **労働組合法** 労働者が労働組合を組織し，使用者と対等な交渉ができるよう関係性を定める法律。**不当労働行為**❷や**労働協約**について規定しています。
- **労働基準法**❸ 労働者がもつ生存権の保障を目的として，**労働契約**や**賃金**，**労働時間**，**休日**および**年次有給休暇**，災害補償，就業規則などの項目について，労働条件としての最低基準を定めている法律。
- **労働関係調整法** 労働争議の予防またはその解決を目的とし，労働委員会が争議を**斡旋**・**調停**・**仲裁**しうることを定めた法律。

さらに詳しく

❶公務員の労働基本権については，警察・消防・自衛隊などと一般行政系職員とでは保障されている内容が異なることに注意しましょう。

❷不当労働行為とは，労働組合活動に対する妨害行為であり，特に，労働者を採用する際に，労働組合に加入しないことを雇用の条件とすること，あるいはすでに労働者が労働組合に入っている場合に労働組合から脱退することを雇用の条件とする「**黄犬契約**」などを意味します。

❸労働基準法に違反した場合，企業には罰則が与えられることもあります。

3　日本における雇用を巡る問題

雇用を巡る課題として，少子高齢化に伴う**生産年齢人口の急減**，**労働生産性の低迷**，そして**働き方改革**などがあります。

☑ **日本的雇用形態とその変容❹**

①**終身雇用制**　採用後から定年まで雇用関係が成立するしくみとして日本の雇用形態の象徴でしたが，近年，早期勧奨退職や中途採用・転職が増加傾向にあります。

②**年功序列型賃金制**　勤続年数が長くなるごとに給与とポストが上がるしくみですが，近年，**能力給**や**年俸制**を採用する企業が増加傾向にあります。

③**企業別労働組合**　企業を単位として，従業員が組織化した労働組合ですが，終身雇用制の崩壊による企業への帰属意識の希薄化が進み，組合組織率は低下傾向です。

☑ **外国人労働者の増加**　少子高齢化に伴う生産年齢人口の減少などにより，国内における在留外国人数は，2008年の**リーマンショック❺**から2011年の東日本大震災後にかけて一時減少傾向にあったものの，2023年末には，約341万人となり，**過去最高を更新**しました。

4　働き方改革❻における主な論点

☑ **長時間労働の是正**　労働者の健康を確保するため，**サービス残業**や**時間外労働**（残業）に罰則付きの上限規制が導入されること。

☑ **同一労働同一賃金**　正規社員と非正規社員の待遇を「均等」か「均衡」にする（**同一労働同一賃金**）ことを義務付けるとともに，待遇差が発生する場合には，労働者に対する説明義務を企業側に課すこと。

☑ **インターバル制度**　退社してから翌日の出社までに一定時間を空けることを努力義務とすること。

☑ **裁量労働制**　労働時間が労働者の**裁量**にゆだねられている労働契約のこと。

❹我が国の雇用形態は，バブル期（1985～1991年）やそれ以後の平成不況期以降から大きく変化しています。特に，正規雇用の落ち込みは大きな特色として捉えていく必要があります。

❺「リーマンショック」2008年9月，アメリカの有力投資銀行であるリーマンブラザーズが破綻し，それを契機として広がった世界的な株価下落，金融不安（危機），同時不況を総称したもので，我が国の経済にも多大な影響を与えました。

❻働き方改革については，一般企業だけでなく，教員の働き方改革についても整理しておきましょう。

4 福祉

頻出度 A

傾向&ポイント 社会保険，社会福祉，公的扶助，公衆衛生といった社会保障制度の4つの柱について確認するとともに，年金制度の問題，障害者福祉制度の状況，そして貧困問題の状況を整理しておきましょう。

1 日本の社会保障制度[1]

社会保障制度は国民の「安心」や生活の「安定」を支えるセーフティネットで，以下4項目から成り立っています。

- **社会保険**　国民が病気，けが，出産，死亡，老齢，障害，失業など生活の困難をもたらすいろいろな事故に遭遇した場合に一定の給付を行い，その生活の安定を図ることを目的とした**強制加入**の保険制度。
- **社会福祉**　障害者，母子家庭など社会生活をする上で様々なハンディキャップを負っている国民が，そのハンディキャップを克服して，安心して社会生活を営めるよう，公的な支援を行う制度。
- **公的扶助**　生活に困窮する国民に対して，**最低限度の生活**を保障し，自立を助けようとする制度。
- **保健医療・公衆衛生**　国民が健康に生活できるよう様々な事項についての予防，衛生のための制度。

（「社会保障とはなにか」厚生労働省ホームページより）

さらに詳しく

❶日本の社会保障制度は，日本国憲法25条の「すべて国民は，健康で文化的な最低限度の生活を営む権利を有する」，「国は，すべての生活部面について，社会福祉，社会保障及び公衆衛生の向上及び増進に努めなければならない」という，いわゆる「生存権」の保障を具体化したものです。

2 年金制度改革

公的年金[2]は，日本在住の**20歳**以上**60歳未満**のすべての人が加入する「**国民年金（基礎年金）**」，会社勤務の人などが加入する「**厚生年金**」の2階建てになっています。

第1号被保険者（自営業・学生・無職等）…国民年金のみ
第2号被保険者（会社員・公務員）…国民年金と厚生年金
第3号被保険者（専業主婦など）…国民年金のみ

TIPS

❷少子高齢化が加速する日本においては，年金制度が今後も継続して存続できるか，将来的に年金額が大幅に減額されるのではないかといった課題が山積しています。

☑ **2020年度における年金制度改革のポイント**

①**厚生年金の適用拡大**　厚生年金の加入対象をパート労働者等にも拡大し，老後に厚生年金を受給できるようにする取り組み。

②**高齢期就労の阻害防止**等　繰下げ受給の柔軟化や高齢期に就労した場合の年金を充実する見直し。

③**確定拠出年金**❸等の規制緩和　加入者ごとに拠出された掛金を加入者自らが運用し，その運用結果に基づいて給付額が決定される年金制度の規制を緩和。

3　障害者福祉❹

☑ **障害者基本法（1993年）**　障害者に対して障害を理由として差別することやその他の権利利益を侵害する行為をしてはならないことが明示され，都道府県・市町村の**障害者計画の策定**が義務化されました。

☑ **障害者自立支援法（2006年）**「支援費制度」の理念を継承しつつ，サービスの3障害（身体・知的・精神）一元化や実施主体の市町村への一元化，施設・事業体系の再編，利用者負担の見直し，支給決定の客観的な尺度となる「障害程度区分」が導入されました。

☑ **障害者差別解消法（2013年）**　**障害者権利条約（障害者の権利に関する条約）**に基づき，全ての国民が障害の有無にかかわらず尊重される共生社会の実現を目指すことや，「**合理的配慮**❺」の概念が導入されました。

4　貧困問題

貧困には，**絶対的貧困**と**相対的貧困**❻があります。絶対的貧困は「人間として最低限の生活を営むことができない状態」，相対的貧困は「**国民の年間所得の中央値の50％に満たない所得水準**の人々のこと」をいいます。2016年の日本の子供の相対的貧困率は**15.6％**となり，**7人に1人**が貧困状態です。

さらに詳しく

❸老後への備えとしては，国が保障する公的年金と，公的年金に上乗せして給付を保障する私的年金という制度があり，私的年金には，確定給付型と確定拠出型の2種類があります。

❹障害者に関する法律としては，児童福祉法（1947年），発達障害者支援法（2004年）など，多数制定されています。

❺合理的配慮については，学校教育の場面でもさまざまな事例やケースがあり，具体的な事例について説明できるようにしておきましょう。

さらに詳しく

❻相対的貧困率や子どもの貧困率については，厚生労働省の国民生活基礎調査の最新データを確認しておきましょう。

5 法律・政策

頻出度 B

傾向&ポイント 法律や政策は，私たちの日々の生活と密接な関係をもち，頻繁にアップデートされています。GOOD（良い点）とBUT（悪いのBADではなく課題・注意点）に分けて，効率よく押さえていきましょう。

1 最近の主な法改正

選挙権年齢の引き下げ（公職選挙法の改正）

2016年6月から**選挙権年齢が18歳以上**❶に引き下げられ，2016年7月の参議院議員通常選挙が，18歳・19歳が初めて参加する国政選挙となりました。【GOOD】早い段階から**政治に関心をもつ**ことができ，主権者としての意識を高められます。【BUT】**政治活動と選挙運動が可能**になりますが，18歳未満の後輩などと一緒に政治活動することは認められません。また，投票日には有権者になっている場合でも期日前投票は18歳になっていなければできません。

成人年齢の引き下げ（民法の改正）

2022年4月1日から**成人年齢がこれまでの20歳から18歳に引き下げ**られました。【GOOD】18歳から**さまざまな契約**❷，**証券口座の開設**，**10年パスポートの取得**，**訴訟の提起**，**医師の免許取得**，**公認会計士・司法書士などの資格取得**といったものが可能になります。【BUT】**飲酒・喫煙・公営ギャンブルは20歳以上のまま**，**国民年金保険料の納付**も20歳以上のままです。**女性の結婚できる年齢は16歳から18歳に引き上げ**られました。

その他の法改正

少年法改正（2022年4月1日施行）で18歳・19歳は「**特定少年**❸」となりました。裁判員法改正（2022年4月1日施行）で**18歳から裁判員候補者名簿に記載**されます。著作権法改正（2021年1月1日施行）では，**違**

さらに詳しく

❶18歳の誕生日の前日に満18歳になるとされているので，投票日の翌日が誕生日の人も選挙権をもっています。

TIPS

❷親からの同意を必要としないで，クレジットカード，携帯電話，自動車を購入するローン，アパートやマンションなどの契約ができます。

❸「特定少年」
少年法改正でも18歳・19歳は引き続き少年法で保護の対象となりますが，特定少年として17歳以下とは異なり，少年審判から刑事裁判に戻す逆送の対象事件が拡大されました。また実名報道も可能になります。

法ダウンロードの対象が音楽・映像からすべての著作物に拡大されました。会社法改正（2021年3月施行）では，上場企業に**社外取締役**❹の設置が義務付けられました。

2 憲法改正の議論

☑ 憲法改正の手続き

日本国憲法は厳格な改正手続きを規定しているため，「**硬性憲法**❺」とよばれています。**憲法第96条**では，「**各議院の総議員の3分の2以上の賛成**」による**国会の発議**の後，「**特別の国民投票**」で「**過半数の賛成**」による承認を経ることが規定されています。また国民投票を含めた改正に関わる細かい流れが**国民投票法**に定められています。

☑ 議論の主なポイント

【GOOD】制定当初は想定されなかった事態への対応❻に関して，条文に基づいて考えることができるようになります。

【BUT】改正の具体的な内容は国民投票法などの通常の立法手続きで決められるため，**硬性憲法の形骸化を防ぐ必要**があります。また実際に国民投票をする場合，改正項目ごとに投票するのか，一括投票か慎重な検討が必要です。

3 最近の政策・政治

☑ 消費税率の引き上げ（8%から10%へ）❼

2019年10月，消費税率が**10%**に引き上げられました。

☑ デジタル庁の創設（2021年9月1日より）

日本社会のデジタル化を目指し創設されました。初代デジタル大臣には**平井卓也**氏が就任しました。【GOOD】**マイナンバー制度**，**ガバメントクラウド**，**サイバーセキュリティ**，**マイナポータル**の分野でデジタル化が推進されます。

【BUT】官僚と民間の混成のため**官民癒着**が危惧されます。

☑ こども家庭庁の創設（2023年4月1日より）

少子化対策，児童虐待やいじめなど子供を巡る問題に対応します。

❹「社外取締役」
取締役のうち，取引や資本関係がなく客観的な監督が期待される立場にあります。

さらに詳しく

❺通常の立法手続きより厳格なものは硬性憲法，同様のものは軟性憲法とよばれます。この分類は，イギリスの法学者であるジェームズ・ブライスによるものです。

❻自衛隊や自衛権の明記，新しい人権，緊急事態条項，教育の無償化などがあります。

さらに詳しく

❼軽減税率として，酒類・外食を除く食料品と新聞は8%のままです。

時事

6 文化

傾向＆ポイント 説明文から世界遺産名を答える問題や，ノーベル賞の授賞理由を答える問題が出題されています。芥川賞・直木賞については，受賞作と作者の組み合わせを答える問題が見られます。一般常識としても押さえておきましょう。

頻出度 C

1 日本の世界遺産

世界遺産とは，文化財景観や自然など，人類が共有すべき「顕著な普遍的価値」をもつとされるものです。1972年にユネスコで採択された，**世界の文化遺産および自然遺産の保護に関する条約**に基づいて登録されており❶，**文化遺産**，**自然遺産**，**複合遺産**の３種類に分けられます。

さらに詳しく

❶ 2024年6月現在，日本の世界遺産は，文化遺産20件，自然遺産5件の計25件です。

近年登録された日本の世界遺産

	登録年	世界遺産名	所在地
文化	2011	平泉―仏国土（浄土）を表す建築・庭園及び考古学的遺跡群―	岩手
	2013	富士山―信仰の対象と芸術の源泉―	山梨，静岡
	2014	富岡製糸場と絹産業遺跡群	群馬
	2015	明治日本の産業革命遺産　製鉄・製鋼，造船，石炭産業	福岡・佐賀・長崎・熊本・鹿児島・山口・岩手・静岡
	2016	ル・コルビュジエの建築作品―近代建築運動への顕著な貢献―	東京（他フランス，ドイツ，スイス，ベルギー，アルゼンチン，インド）
	2017	「神宿る島」宗像・沖ノ島と関連遺産群	福岡
	2018	長崎と天草地方の潜伏キリシタン関連遺産	長崎，熊本
	2019	百舌鳥・古市古墳群―古代日本の墳墓群―	大阪
	2021	北海道・北東北の縄文遺跡群	北海道・青森・岩手・秋田
自然	2011	小笠原諸島	東京
	2021	奄美大島，徳之島，沖縄島北部及び西表島	鹿児島・沖縄

2　芥川賞・直木賞

公益財団法人日本文学振興会によってその年の優れた作品に贈られる賞❷。上下半期２回に分けて選定されます。

近年の受賞作❸

	回（受賞年）	受賞者	作品名
芥川賞	167（2022上）	高瀬隼子	『おいしいごはんが食べられますように』
	168（2022下）	井戸川射子	『この世の喜びよ』
		佐藤厚志	『荒地の家族』
	169（2023上）	市川沙央	『ハンチバック』
	170（2023下）	九段理江	『東京都同情塔』
直木賞	167（2022上）	窪美澄	『夜に星を放つ』
	169（2023上）	永井紗耶子	『木挽町のあだ討ち』
		垣根 涼介	『極楽征夷大将軍』
	170（2023下）	万城目学	『八月の御所グラウンド』
		河崎秋子	『ともぐい』

3　ノーベル賞

アルフレッド・ノーベルの遺言に基づき，各分野❹の優れた人物に贈られる賞として，1901年に創設されました。

近年の日本人受賞者

	年	受賞者	受賞理由・主な研究
物理学	2014	天野浩，赤崎勇，中村修二※	高輝度かつ省電力の白色光源を可能にした青色発光ダイオードの発明
	2015	梶田隆章	ニュートリノの振動の発見
	2021	真鍋淑郎※	地球気候の物理モデル化による地球温暖化予測への貢献
化学	2010	鈴木章，根岸英一	パラジウム触媒クロスカップリングの開発
	2019	吉野彰	リチウムイオン電池の開発に寄与
生理学・医学	2015	大村智	寄生虫による感染症の新しい治療法の発見
	2016	大隅良典	オートファジー（細胞の自食作用）の仕組み解明
	2018	本庶佑	免疫抑制の阻害によるがん治療法の発見

※中村修二，真鍋淑郎は，現在はアメリカ国籍

さらに詳しく

❷芥川賞は新進作家による純文学，直木賞は中堅作家による大衆小説を対象としています。

TIPS

❸過去の受賞作には，宮部みゆき『理由』，東野圭吾『容疑者Xの献身』などがあります。

さらに詳しく

❹創設当初は物理学，化学，生理学・医学，文学，平和の５分野，1968年に経済学が加わり，現在は**６分野**です。

7 教育問題

頻出度 A

傾向&ポイント 教育問題については，平成 29 年に示された小中学校学習指導要領や GIGA スクール構想，また，コロナ禍における急激な教育改革の必要性，さらには教員の働き方改革との関連について押さえておきましょう。

1 教育のデジタル化

教育のデジタル化は，**GIGA スクール構想**❶，**1 人 1 台端末**の整備，**ネットワーク環境**の整備，教科書のデジタル化，教員の負担軽減などを目的として推進されています。

☑ **GIGA スクール構想の導入**　GIGA とは，Global and Innovation Gateway for All の略。2019 年に開始された全国の児童・生徒 1 人に 1 台のコンピューターと高速ネットワークを整備する文部科学省の取り組みです。

☑ **デジタル教科書の導入**❷　**デジタル教科書**とは，紙の教科書の内容を文部科学大臣の定めるところにより記録した**電磁的記録である教材**で，2024 年度から導入されています。

2 主体的・対話的で深い学びの視点に基づく授業改善

小・中学校**学習指導要領**（2017 年告示）❸及び高等学校学習指導要領（2018 年告示）において，**「主体的・対話的で深い学び」の視点に立った授業改善**を行うことで，学校教育における質の高い学びを実現し，学習内容を深く理解し，資質・能力を身に付け，生涯にわたって能動的に学び続けるようにすることが示されました。

☑ **アクティブラーニング**❹　従来の「受動的な授業・学習」とは真逆の「積極的・能動的な授業・学習」のことで，主体的・対話的で深い学びとほぼ同様の内容を示しています。

☑ **リフレクション**　学習活動を振り返り，学びについて

さらに詳しく

❶ GIGA スクール構想は，義務教育段階の学校を対象とした文部科学省による事業です。

❷教科書の使用義務等については，学校教育法 34 条で規定されています。

❸ 2017 年に示された学習指導要領では，「社会に開かれた教育課程の編成」や「資質・能力の明確化」，「カリキュラム・マネジメント」などの用語が示されているので，これらについても押さえておきましょう。

TIPS

❹アクティブラーニングという言葉は学習指導要領では用いられていません。

の**内省**あるいは**省察**を行うことで，体験や学習内容を深めることができる活動で，学校教育にも導入されています。

3　令和の日本型学校教育の実現

2021年1月に示された中央教育審議会答申「『**令和の日本型学校教育**[5]』の構築を目指して～全ての子供たちの可能性を引き出す，**個別最適な学び**と，**協働的な学び**の実現」の中で，2020年代を通して我が国の学校教育が実現すべき道筋が示されています。

☑ **個別最適な学びと協働的な学び**　個別最適な学びとは，「**指導の個別化**」と「**学習の個性化**」を学習者視点から整理した概念であり，協働的な学びとは，探究的な学習や体験活動などを通じ，子ども同士で，あるいは地域の方々をはじめ多様な他者と**協働**しながら，あらゆる他者を価値のある存在として尊重し，さまざまな社会的な変化を乗り越え，**持続可能な社会の創り手**[6]となることができるよう，必要な資質・能力を育成する学びです。

4　少人数学級編制

2021年4月1日より，公立小学校の**学級編制の標準**を**40人から35人**に段階的に引き下げる法律が施行され，40年ぶりに学級編制の定数[7]が改定されました。

☑ **少人数学級のメリット**　**1学級の人数を減らす**ことで，児童一人ひとりの理解度に合わせたきめ細かな指導が可能となり，保護者対応など教員が抱える負担の軽減にもつながることが期待されています。

5　小学校における教科担任制

一人の教員が特定の科目を担当し，複数の学級で指導するのが**教科担任制**[8]です。2022年度より，公立小学校の高学年において**外国語**，**理科**，**算数及び体育**で実施されています。

さらに詳しく

❺日本型学校教育とは，学校が学習指導のみならず，生徒指導などの面でも主要な役割を担い，さまざまな場面を通じて子どもたちの状況を総合的に把握して教師が指導を行うことで，子どもたちの知・徳・体を一体で育む教育のことです。

❻平成29年に示された学習指導要領では，新たに前文を設け，その中でこれからの教育において持続可能な社会の創り手を育てることに言及しています。

❼学級定数については，「公立義務教育諸学校の学級編制及び教職員定数の標準に関する法律」で規定されています。

❽一人の教員がほとんどの教科を指導することは学級担任制といいます。

8 国際問題

頻出度 B

傾向&ポイント 国際問題は，社会全体に共通する内容と，特定の国・地域の事情が関わる内容に分けて考えると整理しやすくなります。後者については，「内部」と「対外」という視点で細分化し，問題の特徴をつかみましょう。

1 国際社会全体の動き

☑ 国際の平和と安全の維持

国際連合の**安全保障理事会**は，**国際の平和**と**安全の維持**について主要な責任をもっているため，紛争や人権侵害に対して**非難決議**や**強制措置**の決定をします。**総会**も非難決議を出すことができ，2022年2月に起こった**ロシアによるウクライナ侵攻で非難決議を採択**しました❶。

☑ 核廃絶の動き

2017年に国連で採択された**核兵器禁止条約**が2021年1月22日に発効しました。**核兵器の全廃**を目指していますが，**核保有国は不参加**です❷。また，**日本やNATO加盟国なども不参加**です（2024年6月現在）。

2 特定の国・地域に注目した国際問題

☑ **ヨーロッパ**…【内部】欧州連合（EU）からの**イギリス脱退**が**2020年12月31日**に完了しましたが，それに伴いEU復帰を希望している**スコットランドの独立問題**が再燃しています。【対外】**EU・NATOの東方拡大**❸で，ロシアとの緊張が高まり，**ウクライナ侵攻の一要因**となりました。

☑ **アメリカ**…【内部】2020年の大統領選挙の結果，**バイデン政権**（民主党）が誕生し，演説では**「アメリカは戻ってきた（America is Back）」**というフレーズで国際協調をアピールしています。【対外】2021年8月，20年間駐留していた**アフガニスタンから撤退**し，**タリバンが復権**し

さらに詳しく

❶総会は，拒否権によって安保理が機能不全に陥った場合，「平和のための結集」決議（1950年）に基づき，緊急特別総会を開くことができます。ただし，総会の決議はあくまでも勧告に留まります。

❷アメリカ・ロシア・中国・イギリス・フランスのほか，インド・パキスタン・イスラエル・北朝鮮も不参加の状態です。

❸「EU・NATOの東方拡大」
東ヨーロッパ諸国の加盟による勢力範囲の拡大のこと。2024年7月現在，トルコ・モンテネグロ・セルビア・アルバニア・北マケドニア・ウクライナ・ジョージア・モルドバ・ボスニア・ヘルツェゴビナがEUに加盟申請しています。

たことでイスラム原理主義に基づく統治に戻り，**人権侵害・女性の迫害**が起こっています。また，バイデン政権は**対中政策**を重視しており，「**新冷戦**」という見方もあります。

☑ **中華人民共和国**…【内部】中国西部の**新疆ウイグル自治区**における少数民族の**ウイグル族**の弾圧が国際的に問題視されています。【対外】香港では，2020年6月に**香港国家安全維持法**の施行で，共産党の批判や独立の主張が規制され，2021年12月実施の香港立法会選挙で**親中派が勝利**しました。また中国は2021年9月に台湾周辺で大規模な軍事演習を実施しており，緊張が高まっています。さらに，**「一帯一路」構想**❹によって，151か国と協力文書を交わし，経済圏を拡大しています（2023年1月現在）。

☑ **ロシア**…【内部】ウクライナ侵攻（2022年2月）に対する**反戦デモの弾圧**や，最大で15年の懲役刑を科す**軍事情報統制法**の改正（2022年3月）は国際社会から非難されています。【対外】2014年の**クリミア併合**に続き，2022年2月に**ウクライナ侵攻**が本格化しました。

☑ **中東地域**…【内部】2011年から始まった**シリア内戦**❺は現在も続いていて，**1300万人の難民**や**国内避難民**が発生しています（2021年3月現在）。また3000万人いるとされる**クルド人**は自らの国を持っておらず，イラク・トルコ・イラン・シリアなどで弾圧を受けています。【対外】第二次世界大戦後に激化した**パレスチナ紛争**は，現在もイスラエルとパレスチナの間で対立が続いています。

3　その他の国際問題

☑ **日本**　韓国との間では**竹島問題**など，ロシアとの間では北方領土問題，北朝鮮との間では**ミサイル発射問題**や**拉致問題**，中国との間では**尖閣諸島海域侵入問題**があります。

☑ **ミャンマー**　2020年1月に**国際司法裁判所**は少数民族**ロヒンギャ**に対する**迫害行為の防止**を命じました。2021年2月には**軍事クーデター**❻が発生しました。

さらに詳しく

❹2013年に習近平国家主席が提唱し，経済圏は拡大していますが，融資によってインフラ整備は進むものの，多額の債務が返済できない場合はインフラなどを中国に譲渡しなければならないという「債務のわな」があります。

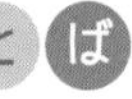

❺「シリア内戦」
2010年に始まったアラブの春の影響を受けた民主化運動を弾圧するアサド政権と反政府勢力が対立し始めました。過激派組織ISやクルド人勢力も参加し，紛争当事者が複雑で泥沼化しています。

さらに詳しく

❻ミャンマー国軍は，ウィンミン大統領やアウンサンスーチー国家顧問を拘束しました。その後，ミン・アウン・フラインが暫定首相に就任しました。抗議デモは2021年に比べ下火ですが，続いています。

確 認 テ ス ト

時事

1 次の各文と関係が深い語句を下の**ア**～**オ**から選べ。

(1) 1995年から毎年開かれているもので，2021年ではパリ協定第6条の市場メカニズムなどのルールが合意され，パリ協定の実施方針が完成した。

(2) 2015年に設定された2030年までに世界が達成すべき目標で，17のゴールと169のターゲットで構成されている。

(3) 政府全体の宇宙開発利用を技術で支える中核的実施機関と位置付けられ，同分野の基礎研究から開発・利用を一貫して実施している。

ア COP　**イ** MDGs　**ウ** SDGs
エ JAXA　**オ** NASDA

1
(1) ア
(2) ウ
(3) エ

2 次の各文について適切な語句として正しいものを選べ。

(1) 労働者が労働組合を組織し，使用者と対等な交渉ができるよう関係性を定める法律で，不当労働行為や労働協約について規定している。

ア 労働組合法　**イ** 労働基準法

(2) 採用後から定年まで雇用関係が成立するしくみ。

ア 年功序列型賃金制　**イ** 終身雇用制

(3) 1993年に制定された，障害者に対して障害を理由として差別することやその他の権利利益を侵害する行為をしてはならないことを明示した法律。

ア 障害者基本法　**イ** 障害者差別解消法

(4) 世帯所得が等価可処分所得の中央値の50%に満

2
(1) ア
(2) イ
(3) ア
(4) イ

たない状態のこと。

ア　絶対的貧困　　**イ**　相対的貧困

(5)　正規社員と非正規社員の待遇を「均等」か「均衡」にすることを義務付けるとともに，待遇差が発生する場合には，労働者に対する説明義務を企業側に課すこと。

ア　同一賃金同一労働　　**イ**　裁量労働制

(5)　ア

3

次の**ア**～**オ**のうち，2022年4月時点で国が認めている成人が行える事柄として正しいものをすべて選べ。

ア　参議院議員選挙への参加　**イ**　証券口座の開設
ウ　飲酒　**エ**　公認会計士の資格取得
オ　国民年金保険料の納付

3

ア，イ，エ

4

次の各文について，空欄に入る適切な語句を答えよ。

(1)　2021年に奄美大島，徳之島，沖縄島北部及び(　)が世界自然遺産に登録された。

(2)　吉野彰は，(　)電池の開発に寄与したとして，2019年にノーベル化学賞を受賞した。

(3)　教育のデジタル化の取り組みとして，全国の児童・生徒1人に1台のコンピューターと高速ネットワークを整備する(　)構想がある。

(4)　昨今のヨーロッパの動きとして，2020年の(　)の欧州連合（EU）脱退や，2022年のロシアによる(　)侵攻などがある。

(5)　日本と他国間の問題として，韓国との間では(　)島をめぐる問題，中国との間では(　)諸島海域侵入問題がある。

4

(1)　西表島

(2)　リチウムイオン

(3)　GIGAスクール

(4)　イギリス，ウクライナ

(5)　竹，尖閣

索引

人名

語句

MEMO

MEMO

2026年度版 スイスイわかる 一般教養 合格テキスト

（2024年度版 2022年9月15日 初版 第1刷発行）

2024年9月17日 初版 第1刷発行

編著者	TAC株式会社（教員採用試験研究会）
発行者	多田敏男
発行所	TAC株式会社 出版事業部（TAC出版）

〒101-8383
東京都千代田区神田三崎町3-2-18
電話 03(5276)9492（営業）
FAX 03(5276)9674
https://shuppan.tac-school.co.jp

組版	株式会社 キーステージ21
印刷	株式会社 ワコー
製本	株式会社 常川製本

© TAC 2024 Printed in Japan

ISBN 978-4-300-11232-8
N.D.C. 370

本書は，「著作権法」によって，著作権等の権利が保護されている著作物です。本書の全部または一部につき，無断で転載，複写されると，著作権等の権利侵害となります。上記のような使い方をされる場合，および本書を使用して講義・セミナー等を実施する場合には，小社宛許諾を求めてください。

乱丁・落丁による交換，および正誤のお問合せ対応は，該当書籍の改訂版刊行月末日までといたします。なお，交換につきましては，書籍の在庫状況等により，お受けできない場合もございます。
また，各種本試験の実施の延期，中止を理由とした本書の返品はお受けいたしません。返金もいたしかねますので，あらかじめご了承くださいますようお願い申し上げます。

資格の学校 TAC 教員採用試験 対策講座

講義は一から始めても分かりやすいように重要なポイントを教えてくれます。具体例なども出してくれるので講義を聞いていてとても理解しやすいです。
合格
菊池 悠太さん 川崎市 中高社会
話し方、説明の分かりやすさなど、とても受けるのが楽しかったです。試験のためだけでなく、教員になったときに応用できることなども教えてくださいました。
合格
河合 このみさん 東京都 中高英語
TACの講師は人柄がよく、質問や相談に行った際、丁寧で優しく的確に答えて下さり、話をする中で信頼できるなと感じました。
合格
村上 夢翔さん 大阪市 中学校数学
不満 0.5%
普通 6.8%
満足 17.3% (104)
講師満足度
大変満足 75.2% (451)
92.6%
※2023年合格目標各種本科生を対象としたコンテンツ調査の講師アンケート（教職教養・論文対策・面接対策 講義担当講師）有効回答599（のべ件数） ※小数点第二位切捨
橘 佳尚講師 Tachibana Yoshihisa
河東 久信講師 Kato Hisanobu
水口 敏也講師 Mizuguchi Toshiya
高橋 俊明講師 Takahashi Toshiaki

自由にカリキュラムが選べる！ セレクト本科生

教職教養

無制限実践練習

論文対策

小学校・教員未経験者／中高・教員未経験者／特別支援・教員未経験者／養護教諭・教員未経験者／小学校・教員経験者／中高・教員経験者／特別支援・教員経験者／養護教諭・教員経験者

無制限実践練習

面接対策

小学校・教員未経験者／中高・教員未経験者／特別支援・教員未経験者／養護教諭・教員未経験者／小学校・教員経験者／中高・教員経験者／特別支援・教員経験者／養護教諭・教員経験者

教職教養　一般教養　専門教養　県別対策　面接対策　論文対策

科目自由選択制

一般教養

一般教養 入門・小学校全科 入門／一般教養／大阪エリア 思考力・判断力対策

専門教養

小学校全科／中高国語／中高社会／中高数学／中高理科／中高保体／中高英語／特別支援／養護教諭／栄養教諭

県別対策

北海道エリア／宮城エリア／茨城県／埼玉エリア／千葉エリア／東京都／神奈川県・相模原市／横浜市・川崎市／愛知県／名古屋市／京都府／京都市／大阪エリア／兵庫県／神戸市／広島エリア／福岡エリア

受講料（教材費・税込）

¥54,000~

コース詳細はコチラ

のご案内

『人物重視の選考に、人物重視の対策を』

TACでは「ここを覚えてください」ではなく、「なぜ」「どうして」といった、理解中心の本質的な講義を展開します。理解して覚えるためのノウハウを盛り込んだ充実の講義は最終合格に結びつき、その後の学校現場にもつながっていきます。

授業では**実践的に使える知識を身に付ける**ことができました。**学校現場での例や実践と繋げて説明があるため長期記憶で定着**しました。

朝川 眞名さん　東京都 特別支援学校音楽

様々な先生の視点から指導いただけるのは非常に有意義だと思います。**どんな面接官に対しても高評価をもらえるような解答を用意**することができました。

石原 俊さん　愛知県 中学校数学

TACは面接や論文のサポートが手厚く、面接対策では、**自身の希望する自治体に合わせた質問や形式を準備頂き、本番に近い状況で対策をすることができました。**

竹腰 皐生さん
東京都 中高地歴

※各種本科生を対象とした合格体験記より抜粋。

自分に合った
学習スタイルを！
**選べる
学習メディア**

Web通信講座

いつでもどこでも
何度でも！
マルチデバイス対応
のオンライン学習

教室+Web講座

教室でも、Webでも、
自由に講義を受けられる！

【開講校舎】
新宿校・横浜校・大宮校・
名古屋校・梅田校・神戸校

各種資料のご請求・教員講座の受講や試験に関するご相談は

資料請求する

講座パンフレットを
ご自宅へお届けします

講義動画を視聴してみる

無料体験動画を公開中

オンラインで話を聞く

個別に学習や受講の
相談を承ります

TACカスタマーセンター　通話無料　0120-509-117（ゴウカク イイナ）　受付時間　平日・土日祝／10:00〜17:00

TAC出版 書籍のご案内

TAC出版では、資格の学校TAC各講座の定評ある執筆陣による資格試験の参考書をはじめ、資格取得者の開業法や仕事術、実務書、ビジネス書、一般書などを発行しています！

TAC出版の書籍

＊一部書籍は、早稲田経営出版のブランドにて刊行しております。

資格・検定試験の受験対策書籍

- 日商簿記検定
- 建設業経理士
- 全経簿記上級
- 税　理　士
- 公認会計士
- 社会保険労務士
- 中小企業診断士
- 証券アナリスト
- ファイナンシャルプランナー(FP)
- 証券外務員
- 貸金業務取扱主任者
- 不動産鑑定士
- 宅地建物取引士
- 賃貸不動産経営管理士
- マンション管理士
- 管理業務主任者
- 司法書士
- 行政書士
- 司法試験
- 弁理士
- 公務員試験(大卒程度・高卒者)
- 情報処理試験
- 介護福祉士
- ケアマネジャー
- 電験三種　ほか

実務書・ビジネス書

- 会計実務、税法、税務、経理
- 総務、労務、人事
- ビジネススキル、マナー、就職、自己啓発
- 資格取得者の開業法、仕事術、営業術

一般書・エンタメ書

- ファッション
- エッセイ、レシピ
- スポーツ
- 旅行ガイド（おとな旅プレミアム/旅コン）

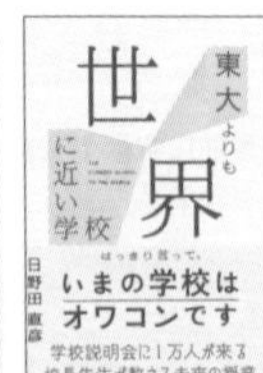

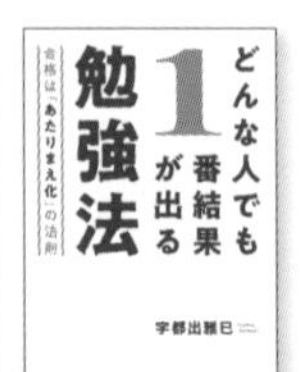

(2024年2月現在)

書籍のご購入は

1 全国の書店、大学生協、ネット書店で

2 TAC各校の書籍コーナーで

資格の学校TACの校舎は全国に展開!
校舎のご確認はホームページにて

資格の学校TAC ホームページ
https://www.tac-school.co.jp

3 TAC出版書籍販売サイトで

TAC 出版 で 検索

24時間
ご注文
受付中

https://bookstore.tac-school.co.jp/

新刊情報を
いち早くチェック!

たっぷり読める
立ち読み機能

学習お役立ちの
特設ページも充実!

TAC出版書籍販売サイト「サイバーブックストア」では、TAC出版および早稲田経営出版から刊行されている、すべての最新書籍をお取り扱いしています。
また、会員登録(無料)をしていただくことで、会員様限定キャンペーンのほか、送料無料サービス、メールマガジン配信サービス、マイページのご利用など、うれしい特典がたくさん受けられます。

サイバーブックストア会員は、特典がいっぱい!(一部抜粋)

通常、1万円(税込)未満のご注文につきましては、送料・手数料として500円(全国一律・税込)頂戴しておりますが、1冊から無料となります。

専用の「マイページ」は、「購入履歴・配送状況の確認」のほか、「ほしいものリスト」や「マイフォルダ」など、便利な機能が満載です。

メールマガジンでは、キャンペーンやおすすめ書籍、新刊情報のほか、「電子ブック版TACNEWS(ダイジェスト版)」をお届けします。

書籍の発売を、販売開始当日にメールにてお知らせします。これなら買い忘れの心配もありません。

書籍の正誤に関するご確認とお問合せについて

書籍の記載内容に誤りではないかと思われる箇所がございましたら、以下の手順にてご確認とお問合せをしてくださいますよう、お願い申し上げます。
なお、正誤のお問合せ以外の**書籍内容に関する解説および受験指導などは、一切行っておりません。**
そのようなお問合せにつきましては、お答えいたしかねますので、あらかじめご了承ください。

1 「Cyber Book Store」にて正誤表を確認する

TAC出版書籍販売サイト「Cyber Book Store」の
トップページ内「正誤表」コーナーにて、正誤表をご確認ください。

CYBER BOOK STORE TAC出版書籍販売サイト

URL:https://bookstore.tac-school.co.jp/

2 1の正誤表がない、あるいは正誤表に該当箇所の記載がない ⇒ 下記①、②のどちらかの方法で文書にて問合せをする

★ご注意ください★

お電話でのお問合せは、お受けいたしません。
①、②のどちらの方法でも、お問合せの際には、「お名前」とともに、
「対象の書籍名(○級・第○回対策も含む)およびその版数(第○版・○○年度版など)」
「お問合せ該当箇所の頁数と行数」
「誤りと思われる記載」
「正しいとお考えになる記載とその根拠」
を明記してください。
なお、回答までに1週間前後を要する場合もございます。あらかじめご了承ください。

① ウェブページ「Cyber Book Store」内の「お問合せフォーム」より問合せをする

【お問合せフォームアドレス】

https://bookstore.tac-school.co.jp/inquiry/

② メールにより問合せをする

【メール宛先 TAC出版】

syuppan-h@tac-school.co.jp

※土日祝日はお問合せ対応をおこなっておりません。
※正誤のお問合せ対応は、該当書籍の改訂版刊行月末日までといたします。

乱丁・落丁による交換は、該当書籍の改訂版刊行月末日までといたします。なお、書籍の在庫状況等により、お受けできない場合もございます。
また、各種本試験の実施の延期、中止を理由とした本書の返品はお受けいたしません。返金もいたしかねますので、あらかじめご了承くださいますようお願い申し上げます。

TACにおける個人情報の取り扱いについて
■お預かりした個人情報は、TAC(株)で管理させていただき、お問合せへの対応、当社の記録保管にのみ利用いたします。お客様の同意なしに業務委託先以外の第三者に開示、提供することはございません(法令等により開示を求められた場合を除く)。その他、個人情報保護管理者、お預かりした個人情報の開示等及びTAC(株)への個人情報の提供の任意性については、当社ホームページ(https://www.tac-school.co.jp)をご覧いただくか、個人情報に関するお問い合わせ窓口(E-mail:privacy@tac-school.co.jp)までお問合せください。

(2022年7月現在)